Kathleen Duey vit dans le sud de la Californie. Ses recherches et ses tournées à l'étranger en tant qu'auteure lui permettent de voyager. Elle adore rencontrer des lecteurs, des libraires, des écrivains, des enseignants et des bibliothécaires. Elle fait ce qu'elle a toujours rêvé de faire : écrire des romans.

L'Épreuve

Kathleen Duey

L'ÉPREUVE

LE PRIX DE LA MAGIE – TOME I

Traduit de l'anglais (États-Unis)
par Nenad Savic

CASTELMORE

Titre original : *Skin Hunger*
© 2007 by Kathleen Duey
Publié en accord avec Atheneum Books for Young Readers,
une maison de Simon & Schuster Children's Division

© Bragelonne 2010, pour la présente traduction

Loi n° 49-956 du 16 juillet 1949 sur les publications destinées à la jeunesse

Illustration de couverture :
© Laura Brett

Dépôt légal : octobre 2010

ISBN : 978-2-36231-002-7

CASTELMORE
60-62, rue d'Hauteville – 75010 Paris
E-mail : info@castelmore.fr
Site Internet : www.castelmore.fr

À Garrett et Seth

Chapitre premier

Micah respirait bruyamment. Ses pieds étaient maculés de boue. Il dépassa péniblement les vaches aux yeux d'agate qui broutaient dans la pommeraie le long de la route de la Rivière, puis, en bordure du village, escalada la clôture de Mattie Han. Comme ses jambes se faisaient de plus en plus lourdes, il prit un raccourci et passa entre la maison au toit de chaume et le jardin potager. La poitrine douloureuse, il dégringola du sommet de la colline en direction de la place, se laissant entraîner par son élan ; il avait du mal à rester debout. À chaque pas, il devait fournir un effort titanesque pour ne pas tomber tête la première dans la boue. Il déboucha sur la Grand-Rue, tituba et s'arrêta.

Tandis qu'il reprenait son souffle, les mains sur les genoux, Micah scruta la foule dense en contrebas. En ce jour de marché, il y aurait forcément un magicien dans les parages. C'était presque toujours le cas ; parfois, il y en avait même deux ou trois. Ses yeux s'emplirent de larmes et des gouttes de sueur coulèrent sur ses paupières. Il les essuya de son poing serré.

Là-bas ?

Il se redressa et plissa les yeux. Derrière l'enchevêtrement de chariots et de carrioles agglutinés devant les enclos des animaux, il vit voleter une robe noire. Sans la perdre de vue, il descendit la pente abrupte qui séparait la Grand-Rue de la rue du Marché, glissant sur les derniers mètres et effrayant un cheval attelé à un chariot. Un bohémien vêtu d'indigo cria quelque chose et agita son poing tatoué. Après avoir retrouvé son équilibre, Micah se remit à courir, s'enfonça dans un labyrinthe de tentes et d'étals, se faufila entre des charrettes de fruits et des femmes qui vendaient des rouleaux de tissus colorés.

Un attroupement s'était formé autour de la magicienne. Micah avança dans sa direction ; le bruit rauque de sa respiration l'empêchait d'entendre ce que la femme disait. Elle brandissait bien haut une fiole bleu foncé. Micah joua des coudes et parvint jusqu'au premier rang. Sur l'étiquette de la fiole, il avisa le dessin d'une plante à grande tige.

— Ma mère…, commença-t-il, le souffle court et saccadé. Ma mère…

La vieille magicienne lui fit les gros yeux.

— Chut !

— Vous… vous devez… (Micah s'interrompit de nouveau. Il avait voulu crier, mais seul un filet de voix était sorti de sa gorge. Il leva son visage vers la femme et insista :) S'il vous plaît. Venez. Je vous en prie.

— Dès que j'aurai terminé, répondit la magicienne avec un sourire. Ces bonnes gens aimeraient acheter mon tonifiant.

— Non, vous devez venir tout de suite, reprit Micah, qui avait retrouvé sa voix.

La magicienne ne le regarda même pas. Brandissant la fiole, elle s'adressait à la foule massée derrière le garçon. Il l'agrippa par la manche. Irritée, elle se dégagea, fit un pas en arrière et laissa tomber le flacon, qui se brisa sur les pavés. Micah observa les éclats de verre bleu. Seul le bouchon était entier, il tournait lentement sur lui-même. Il leva les yeux. La magicienne le toisait, la main levée bien haut. Micah sursauta et se protégea le visage du bras.

— Ça ne va pas ?! Vous ne voyez pas que ce garçon a besoin d'aide ? cria une femme.

Micah entendit d'autres voix courroucées. Le visage de la magicienne se radoucit d'un seul coup ; elle lui tapota la joue et le prit par la main. Elle la serra fort et se pencha vers lui.

— Si tu ouvres la bouche, je ne viendrai pas. Tu as compris ?

Il hocha la tête sans quitter des yeux la main posée sur la sienne. Toute sa vie il se rappellerait ces ongles jaunâtres et sales, pareils à de petites demi-lunes crasseuses.

Chapitre 2

Mon père décida de se débarrasser de moi quand j'avais onze ans. Il se fichait pas mal que je vive ou que je meure : ce qui lui importait, c'était que je disparaisse de sa vue. En attendant la voiture, ce matin-là, je contemplais la brume suspendue au-dessus de l'embouchure de la rivière, à l'ouest. Au-delà, de l'autre côté du delta et des marais, on éteignait les torches des quartiers pauvres, au sud de Limòri.

Dès que la puanteur de graisse brûlée se serait dissipée, les mendiants afflueraient sur la passerelle. À ce moment-là, cependant, des marchands auraient lâché leurs chiens. La plupart étaient des chiens-loups, et tous étaient mal nourris. Certains soirs, quand je savais mon père d'assez mauvaise humeur pour me battre, je grimpais à l'arbre près de ma fenêtre et je montais sur le toit. De là-haut, je les voyais qui aboyaient. De temps à autre, quelqu'un criait. Cela me donnait la chair de poule… Comment pouvait-on vivre là-bas ? Une fois, Aben m'avait rejoint sur le toit. Non pas pour se cacher, mais pour s'amuser. Mon frère n'avait rien à craindre de notre père.

—Hahp ?

Je me retournai. Ma mère arborait un de ses sourires sans joie. Elle se tenait bien droite et se déplaçait avec une grâce fluide un peu exagérée, l'air détaché, ce qui signifiait qu'elle était morte d'inquiétude pour moi. Et de peur, à cause de son mari.

— Tu te sens bien ? chuchota-t-elle, comme si le simple son de sa voix pouvait déclencher la colère de mon père.

Il nous tournait le dos, mais je voyais à la posture de ses épaules qu'elle avait raison de se méfier ; il était tout près d'avoir un accès de rage. Je hochai la tête et regardai la maison par-dessus son épaule. Il se pouvait fort bien que je ne la revoie plus jamais.

Le toit en ardoise, dont chaque pente était orientée dans une direction différente, couvrait les trois ailes de la vieille demeure et dégoulinait de rosée au petit matin. Il était un monde à lui tout seul, un monde dont je connaissais le moindre détail, la moindre ardoise cassée, le plus infime carré de mousse luisante. L'odeur piquante de la pierre humide lorsqu'il pleuvait me manquerait. Les pins des prés salés, à l'autre bout du terrain, étaient gris-vert dans la lumière de l'aube. Eux aussi me manqueraient. J'avais souvent joué dans cette partie du jardin car mon père s'y rendait rarement.

Une lanterne fluorescente brillait à travers une fenêtre de l'aile des domestiques. Je comptai. La cinquième à partir de la tour : Celia était réveillée. Elle se levait toujours très tôt. Elle chantait à voix basse en permanence en alimentant les feux de la maison, en pétrissant la pâte à pain, en pilant des herbes, en préparant des gâteaux. Elle faisait les meilleures tartes au monde. À son côté, je me sentais en sécurité. Elle me laissait toujours me cacher dans la cuisine sous la table de pâtissier en pierre. Ma mère était froide avec elle et trouvait systématiquement des reproches à lui faire mais, moi, je l'adorais.

Je vis quelque chose bouger derrière le voilage de sa chambre. Celia s'habillait. Je rougis et me détournai. Les galets dont la route était pavée crissèrent sous mes bottes, attirant l'attention de mon père. Je m'abîmai dans la contemplation de l'eau, comme si de rien n'était. Celia et ses petits plats me manqueraient, mais je

13

m'y ferais. J'avais l'habitude d'être envoyé en pension. La plupart du temps, cela me plaisait. J'aimais m'éloigner de mon père. Cette fois-ci, toutefois, ce serait différent.

L'appel du garçon d'écurie me tira de mes pensées.

—La voiture est prête, monsieur!

Évidemment, c'était le petit étalon blanc qui avait été choisi. Harnaché de cuir noir, il tirait une voiture que je n'avais encore jamais vue. Le bois sombre était orné de feuilles de vigne en argent superbement ouvragées et polies. Je me tournai vers mon père. La voiture avait-elle été commandée spécialement pour l'occasion? Depuis combien de temps savait-il?

Je regardai le conducteur flatter le cou du poney. Gabardino était toujours très doux avec ses animaux, et cela me plaisait. J'avais aimé le poulain blanc, je l'avais souvent regardé courir autour du pré avec les autres poulains du printemps dernier. C'était un Malek: un mélange savant de trois races anciennes. Ces chevaux étaient petits, bien dressés et ne craignaient pas l'altitude. La ferme Malek avait un chef d'écurie de grande qualité: mon père. Il vendait ses poulains à un prix indécent, disait-il. Sauf les blancs. Ceux-là, il les gardait pour lui; il possédait un étalon, une jument et une pouliche à peine sevrée. D'ici une dizaine d'années, il aurait tout un troupeau d'élégants poneys.

L'étalon était parfaitement propre, bien sûr. Ses sabots noirs avaient été badigeonnés de cire d'abeille, et depuis lors il n'avait plus guère eu l'occasion de les salir. Cela faisait trois ans qu'il n'était pas sorti sous la pluie. L'encolure arquée, il secoua sa crinière. Ses yeux, en revanche, étaient opaques, morts. Le dressage avait toujours cet effet sur eux.

Gabardino immobilisa le poney et sauta à terre pour aider ma mère. Ses chaussons ornés de perles effleurèrent à peine la marche de la voiture. Sa robe en soie froufrouta contre le bois poli. Père monta à sa suite et grogna d'impatience tandis qu'elle arrangeait le tissu bouffant de ses jupons. Je pris place sur la banquette arrière, en face de mes parents, et je tentai d'oublier ma peur. Mon père s'était montré très clair ; je n'avais pas le choix. Je regardai vers le nord en direction de la baie. Elle était gris argenté, ce matin, de la couleur terne d'un miroir avant que les lampes soient allumées.

Je frissonnai et me tournai vers Gabardino. Il décrocha les rênes du taquet en argent et les tint mollement, laissant au poney une certaine liberté de mouvement. La voiture se mit en branle. L'animal commença par trotter, puis il passa au petit galop, faisant onduler sa queue laiteuse derrière lui. Alors, obéissant à Gabardino, il bondit et entraîna la voiture dans les airs.

— Hahp, dit mon père. Redresse-toi.

Je me raidis et me mordis la lèvre inférieure ; la douleur me ramena à la réalité. Je ne voulais pas aller à l'académie ; toutefois, mon père ne s'était jamais soucié ni de mes désirs ni de mes craintes. Jamais.

— J'ai dit : « Redresse-toi », répéta-t-il.

Ma mère eut un petit geste de protestation et voulut dire quelque chose. Il leva une main, et elle baissa la tête.

À cet instant précis, je lui vouais une haine farouche.

Chapitre 3

— **M**a mère a besoin d'aide, dit Micah. Elle va accoucher.

La magicienne se pencha pour lui parler à l'oreille.

— Six pièces d'argent.

Elle lui tapota la tête d'une main osseuse, se redressa et sourit à la foule.

Micah la regarda droit dans les yeux.

— Cinq, murmura-t-il.

La vieille femme secoua la tête, mouvement à peine perceptible qui lui était destiné exclusivement. Elle souriait toujours de ses dents longues et jaunes. Micah pouvait sentir son odeur. Ses habits empestaient la sueur et la poussière de la route.

Ses yeux le picotaient, mais il retint ses larmes, déterminé à ne pas pleurer.

— Cinq. C'est tout ce que nous avons.

Elle posa les yeux sur lui, pencha la tête sur le côté et s'adressa à la foule :

— Une femme en détresse a besoin de mes services, expliqua-t-elle. Achetez vite car…

— Micah?

Il se retourna.

— Micah, que se passe-t-il?

Le visage grassouillet et rougeaud de Mattie Han émergea de la foule.

— Ma mère…, commença-t-il d'une voix rauque.

Sentant sa gorge se serrer, il n'avait pu prononcer un mot de plus. Mattie le prit par l'épaule et se pencha vers lui.

— Dis-moi tout. C'est le bébé?

Micah acquiesça.

— Dégagez! tonna-t-elle, les poings serrés, en s'adressant à la foule. Allez, fichez-moi le camp!

Elle entreprit de charger les caisses de la magicienne sur son chariot. Les flacons s'entrechoquèrent.

— Eh! Faites attention!

— La mère de ce garçon est une amie, gronda-t-elle, le regard noir. Faites-lui du mal, et je vous arrache les oreilles. (Elle poussa une autre caisse sur le chariot.) Vous devriez avoir honte de vendre du thé à la menthe en bouteille.

La magicienne se raidit, et prit un air digne.

— Ce tonifiant est préparé avec une mousse de montagne extrêmement rare qui ne pousse que…

— Silence! siffla Mattie.

D'un doigt épais, elle tapota le banc du conducteur. La magicienne hésita, puis elle agrippa la poignée la plus proche et grimpa sur son chariot. Micah monta de l'autre côté, avant de se figer, hésitant et tremblant, pendant que la vieille magicienne arrangeait sa robe avec de grands gestes et détachait les rênes du taquet.

— Et n'oubliez pas ce que je viens de dire! cria Mattie avant de se tourner vers l'enfant. Dis à ta mère que je viendrai demain en milieu de matinée. Je préparerai le repas et je l'aiderai à s'occuper du bébé.

La magicienne leva le bras et fit claquer son fouet. Le cheval rachitique tira sur son collier, et les roues s'ébranlèrent avec force craquements. Micah déglutit avec peine tandis que le chariot penchait en arrière et s'engageait sur la piste creusée d'ornières qui menait à la rue du Marché, aux pavés réguliers. Il enfonça ses ongles dans le bois usé du banc. Jamais auparavant il ne s'était retrouvé seul en présence d'une magicienne. Ni aussi près de l'une d'entre elles.

La vieille femme le regarda et lui donna une tape sur l'épaule.

— Cinq, tu as dit ? En es-tu bien sûr ?

Micah opina du chef et s'éloigna un peu plus, se décalant jusqu'à l'extrémité du banc. Elle rit. Le garçon refusa de la regarder. Comme le vieux cheval sous-alimenté avançait lentement, Micah resta immobile comme la pierre. Une heure s'écoula, peut-être plus. Les pensées de Micah tournoyaient dans sa tête, sa bouche était sèche. Il avait l'impression d'être là depuis un an.

Lorsque le chariot s'arrêta enfin dans la cour de la ferme, Micah sauta à terre et courut vers la maison en appelant son père. La porte s'ouvrit en grand.

— Venez vite ! appela son père. Je vais lui dire que vous…

— Je veux les cinq pièces d'argent, l'interrompit la magicienne.

Elle mit pied à terre et extirpa un sac en cuir de sous le banc en bois.

Micah vit le visage de son père se durcir ; l'homme retourna dans la maison. La magicienne jeta un coup d'œil circulaire à la cour et croisa le regard du garçon.

— Et mon cheval ?

— Je vais m'en occuper, dit-il. Dépêchez-vous, s'il vous plaît.

La vieille femme lui sourit.

— Donne-lui un peu de foin, d'accord ? Mais ne le déharnache pas.

Micah acquiesça et vit le sourire de la magicienne s'élargir un peu plus lorsque son père réapparut avec une bourse qui contenait l'héritage de sa mère, leurs économies et l'argent pour les semis de l'année suivante. La magicienne défit le nœud avec ses dents jaunes et mordit dans chacune des pièces pour vérifier la pureté et la mollesse de l'argent. Satisfaite, elle s'avança sous le porche et escalada les marches.

— Montrez-la-moi.

Micah les regarda entrer. Il entendit sa mère crier, et son corps tout entier se raidit. Son père referma la porte. Étrangement, le grincement des gonds lui fit décoller les pieds du sol, et Micah retourna près du chariot. Il conduisit la vieille jument – et le chariot – à l'abreuvoir en bois couvert de mousse. Le soleil avait réchauffé la poignée de la pompe. Il s'agenouilla et but avec l'animal. L'eau fraîche le calma quelque peu.

La jument releva la tête et, la mâchoire ouverte et les naseaux dégoulinant d'eau, attendit que Micah lui apporte un peu de foin. Il savait que son père n'aurait pas été d'accord – surtout après la manière dont la magicienne s'était comportée –, mais l'animal n'y était pour rien.

Il entendit un cri étouffé et se crispa. La vieille jument le poussa du bout du nez et mouilla sa chemise. Il attacha les rênes autour du chêne qui protégeait de son ombre la cage à poules et laissa tomber le foin par terre, à côté de l'animal. Il n'avait plus rien à faire.

L'atmosphère était lourde ; elle pesait tout autour de lui tandis qu'il se dirigeait vers la maison, les yeux rivés sur la porte d'entrée. Alors qu'il s'apprêtait à poser le pied sur la première marche, sa mère cria. Il se figea, en déséquilibre, tourna les talons aussi vite qu'un lapin apeuré et s'en fut en courant. Il traversa la cour, puis fonça vers la grange, en contrebas.

Son cœur battant la chamade, il poussa la lourde porte et inspira profondément l'air chargé de l'odeur du bétail et du foin. Il agrippa le manche en bois poli d'une fourche et nourrit les bêtes.

Il travailla dur, guettant un nouveau cri qui n'arriva pas. Après avoir trait les chèvres, il porta le seau de lait au ruisseau pour le rafraîchir, puis remonta à la grange où le cherchait son père.

—On dirait que ça s'est calmé. J'ai entendu le bébé crier.

Micah eut à la fois envie de rire et de pleurer. Son père le souleva, le fit tournoyer dans les airs et l'embrassa. Ils remontèrent dans la cour et s'assirent sous le chêne ; là, ils s'amusèrent avec des brindilles mortes, tracèrent des lignes dans la terre et écoutèrent la jument chasser à grands coups de queue les mouches qui l'assaillaient.

Micah se leva en entendant la porte s'ouvrir.

—Elle va bien ? demanda son père.

—Bien sûr, répondit la magicienne avec un sourire. C'est une petite fille.

L'homme et son fils se regardèrent en souriant.

—Surtout, laissez-les tranquilles, reprit la vieille femme d'un ton sévère. L'accouchement n'a pas été facile.

Micah la regarda s'éloigner, pliée en deux sous le poids de son sac.

—Votre femme doit vraiment se reposer, ajouta-t-elle par-dessus son épaule. Il en va de sa vie.

—Elle ne soulèvera rien de plus lourd qu'une petite cuiller, répondit Micah, et son père hocha la tête.

La magicienne chargea le sac dans son chariot, détacha la jument et prit place sur le banc.

—Merci infiniment, dit son père. Merci d'être venue.

—Après une bonne nuit de repos, elle ira beaucoup mieux, ajouta la vieille femme en se retournant. Laissez-la dormir jusqu'à demain matin, et tout ira bien.

—Elle n'aura pas à bouger le petit doigt pendant des semaines, lui cria Micah. Nous y veillerons.

Il se sentait incroyablement léger et avait envie de danser comme un idiot. La magicienne fouetta sa jument ; le chariot craqua, s'ébranla en se balançant, et traversa la cour de la ferme avant de prendre la direction de la route.

—Une fille, dit son père. Ta mère veut l'appeler Sadima en mémoire de son arrière-grand-mère. (Il se passa la main sur le visage.) Ce prénom me plaît.

Micah sourit. À lui aussi il lui plaisait. Sadima serait toute rose, toute mignonne, soit le contraire de Tarah, la sœur pâlichonne et pleurnicharde de Brahn. Soudain, il se raidit. Il avait dix ans de plus que la petite Sadima. Il serait son protecteur. Tandis qu'ils entraient dans la maison, son père l'attrapa par l'épaule. Arraché à ses pensées, il sursauta.

—Micah ? Tu es un bon garçon. Jamais père n'a eu meilleur fils. (Micah leva les yeux vers son père, étonné par ce compliment. L'homme regarda dehors et se rendit compte que le soleil n'allait pas tarder à se coucher.) Allons chercher les œufs. Quand elle se réveillera, il faudra lui donner à manger, et la soupe d'hier soir ne suffira pas.

Micah décrocha le panier de son crochet. Les poules étaient agitées et d'humeur bagarreuse ; elles étaient habituées à ce qu'il les dérange le matin, pas lorsque le soleil de l'après-midi filtrait entre les planches de leur cabane. De retour à la maison, il vit qu'un feu brûlait dans l'âtre. Son père y avait empilé du bois pour réchauffer la pièce.

Il lui servit à la louche un bol de soupe épaisse.

—Tiens. Toi et moi, nous nous contenterons de cela.

Ils mangèrent en silence ; l'un comme l'autre ne pouvaient s'empêcher de jeter des coups d'œil toutes les deux secondes du côté du couloir.

—Je vais juste voir comment elles vont, reprit son père lorsqu'il eut vidé son bol. Si ta mère est réveillée et qu'elle s'occupe du bébé, elle voudra peut-être un peu de bouillon.

Micah suivit son père dans le couloir en se demandant si la

petite Sadima avait les yeux clairs comme leur mère, ou marron comme leur père.

— Maintenant, on se tait, murmura son père en tournant la poignée.

La porte s'ouvrit et Micah sourit. Il crut entendre le bébé gémir doucement.

Son père regarda à l'intérieur et entra. Peut-être, pensa Micah, pourraient-ils descendre Sadima dans le salon pendant que sa mère se reposerait ? Peut-être devraient-ils…

Un cri inarticulé arracha Micah à ses rêveries. Le garçon regarda devant lui en clignant des yeux. Les draps étaient maculés d'immondes taches rouge foncé. Non. Pas rouges. Brunes. Le sang avait séché. Sa mère gisait sur les couvertures, les yeux rivés au plafond, un bras replié, raide.

Désespéré, Micah vit son père tomber à genoux à côté du lit, la bouche ouverte et déformée, caresser le visage de sa femme, lui prendre la main. Il l'entendit chuchoter, la supplier de se réveiller. Sur le sol, nu, était étendu le nouveau-né à la peau bleu-gris. Micah tituba sur le côté. Sous ses yeux défilèrent la commode de sa mère, le mur, la fenêtre. Tout semblait bizarre. Il n'y avait plus rien sur le meuble. Les bougeoirs en étain avaient disparu. Ainsi que le vase de mariage en verre ciselé d'habitude posé sur le rebord de la fenêtre. Le tiroir du haut de la commode était à moitié ouvert. Les autres avaient été refermés à la va-vite.

Le bébé gémit et Micah sursauta. Il se retourna et ramassa la petite ; elle était glacée. Il déboutonna sa chemise et pressa sa petite sœur contre son torse. Secoué de sanglots, son père était étendu sur le corps de sa femme.

Micah retourna dans le salon et réchauffa le bébé près du feu. Puis il sortit de la maison pour s'éloigner de la peine de son père. Serrant sa sœur dans ses bras, l'esprit vide de toute pensée humaine, il se dirigea vers la grange. Son père ne partit pas à sa recherche avant le lendemain matin. Il lui fallut une heure pour retrouver ses enfants, enfouis dans une meule de foin, endormis ; Micah était lové contre sa petite sœur pour lui tenir chaud.

Chapitre 4

J e me mis à transpirer tandis que le poney tirait le chariot de
plus en plus haut. Je sentais l'odeur de ma peur, âcre et forte,
sous le parfum du savon à la rose. Ma tunique était humide
autour de mon cou, alors qu'il faisait froid. Je respirai lentement,
luttant contre la nausée et les maux d'estomac ; comme chaque
fois, il me fallait un peu de temps pour m'habituer. Pour éviter
de regarder l'un ou l'autre de mes parents, je gardai les yeux
rivés sur la maison qui rapetissait tandis que nous prenions de
l'altitude : avec la distance, la pelouse s'estompa et les ardoises
du toit disparurent dans la brume. Je plissai les yeux. Elle n'était
plus là. Il n'y avait plus rien derrière moi.

— Tant que vous le pourrez, restez à l'est de la rivière, ordonna
mon père au conducteur.

Gabardino haussa imperceptiblement les épaules, signe qu'il
avait bien entendu. Je me tournai furtivement vers ma mère,
comme la voiture penchait de nouveau. Je le regrettai aussitôt.
Nos regards se croisèrent.

— Tu te sens bien, Hahp ?

— Bien sûr qu'il se sent bien ! aboya mon père.

Je me détournai et m'abîmai dans la contemplation du fleuve. Celui-ci s'élargissait, et le courant ralentissait. Des rangées de cabanes et de boutiques en pierre longeaient les berges. Le port grouillait de bateaux, et j'imaginais sans peine l'odeur de mort des cales humides, une odeur qui ne dérangeait pas mon père, mais me donnait envie de vomir.

Le quartier sud. Le faubourg sordide de Limòri sortait de sa léthargie. Les pavés sombres et luisants étaient détrempés. Des charrettes à grandes roues tirées par des poneys au pelage rêche encombraient les ruelles étroites. Leurs conducteurs pouilleux criaient, jouaient de leur fouet. Je me penchai à l'extérieur et comptai les pavillons bleu et rouge sur les navires. Onze. Seulement onze navires Malek étaient au port. La majeure partie de la flotte était en mer.

— Plus haut, je vous prie, demanda doucement ma mère.

Elle détestait ce quartier. La vision, même lointaine, des enfants en haillons et des chiens faméliques la mettait mal à l'aise et l'attristait.

— Plus haut, répéta mon père.

Gabardino obtempéra.

Ma mère me regardait en souriant. C'était un sourire forcé, comme la plupart de ses sourires. Elle arrangea ses bagues, ajusta sa coiffure, lissa ses jupons, puis recommença le rituel depuis le début, ses yeux toujours rivés sur moi.

— Peut-être que cela te plaira, reprit-elle doucement, avec un sourire plus chaleureux. Quand tu étais petit, tu les suivais partout quand ils venaient à la maison.

Je baissai les yeux et ne répondis pas. Derrière nous, le quartier sud et son odeur nauséabonde disparaissaient à leur tour dans la brume. Le poney continuait à nous tirer toujours plus haut. À cette altitude, il n'y avait plus que le vent et les étoiles. Nous passâmes au-dessus du Parc central et des coteaux de

Ferrin, ces anciennes propriétés couvertes de grands chênes et de sycomores ramenés des forêts du Nord. C'est là que j'aurais voulu vivre. Être apparenté au roi n'était plus nécessaire depuis bien longtemps, il suffisait d'avoir de l'or, mais mon père n'aurait pas supporté d'avoir des voisins. Il haïssait les gens ; et la plupart le lui rendaient bien.

Gabardino fit décrire une grande courbe au poney. Mon père aimait survoler les jardins Malek, avec leurs étangs et la centaine de petites chutes d'eau alimentées par des ruisseaux à la trajectoire circulaire, l'eau s'écoulant docilement vers le haut avant de dégringoler en cascades. Avant ces chutes d'eau, les jardins avaient abrité des rosiers bleus persistants et des lys rouge sang. Lorsque la mode des chutes d'eau se propagerait, mon père s'offrirait quelque chose de nouveau.

Deux fois par an, des enfants du quartier sud venaient jouer ici pendant quelques heures, comme des chiots auxquels on permettait de s'aérer un peu avant de les enfermer de nouveau dans leur enclos crasseux. On les ramenait ensuite chez eux où ils racontaient des histoires de cascades magiques et de poissons aussi colorés que des fleurs. J'avais assisté à ce spectacle, une fois, lorsque j'avais six ou sept ans. J'avais pleuré en voyant ces enfants squelettiques courir en rond, à moitié fous de joie. Aben, non. L'année suivante, Père m'avait laissé à la maison.

J'admirai le labyrinthe composé de terrains gazonnés, de chemins, de rus et de bois. Les familles des Coteaux payaient cher le droit d'utiliser le pavillon ou l'amphithéâtre pour les mariages et autres cérémonies. Mon père louait les bois pour la course des Crieurs et le belvédère à la guilde des Luthistes. Les Éridiens, eux, réservaient l'ensemble du parc pour leur célébration annuelle de la Nativité.

Mon père devait savoir que les quatre longues nuits de rituels mettaient les habitants des Coteaux mal à l'aise ; toutefois, il ne voulait pas offenser les Éridiens, même si je l'avais souvent entendu rire des rumeurs qui circulaient sur eux.

— Peut-être retrouveras-tu des gens que tu connais, dit ma mère.

À en juger par sa voix, il était évident qu'elle n'en pouvait plus de ce silence.

Je me tournai vers elle et hochai la tête. Les demandes d'inscription à l'académie devaient rester secrètes. Mon père avait menacé de me fouetter si j'en parlais à quiconque, y compris à Aben ; cependant, à l'école, les deuxièmes et troisièmes fils, ceux qui n'hériteraient pas et n'étaient pas destinés à rester chez eux, n'avaient pu s'empêcher d'aborder la question.

Je m'étais donné beaucoup de mal pour rater ce maudit test. Tellement de mal... J'entendis le froufrou des jupons de ma mère.

— Hahp ?

Je lui fis face.

— Fais de ton mieux, articula-t-elle en silence, comme une enfant honteuse, en regardant mon père du coin de l'œil.

J'acquiesçai d'un signe de tête et je regardai ailleurs. Elle s'éclaircit la voix.

— Certains de tes amis seront sûrement...

— Tais-toi, Anna, l'interrompit mon père.

Elle s'empourpra, et je sus qu'elle était sur le point de pleurer. Je voulus prononcer les paroles habituelles, lui dire que tout irait bien, que je lui écrirais, que nous nous reverrions au moment de la fête de l'Hiver. Mais je n'en fis rien.

Je desserrai un peu mon col et j'essuyai mes mains sur mon pantalon, tandis que la sombre falaise emplissait la moitié du ciel et se rapprochait. Gabardino guidait le poney vers le bas. J'avisai la saillie de l'entrée, à mi-hauteur, la porte énorme et l'escalier antique taillé dans la roche. Le temps et la mousse avaient lissé et arrondi les marches qui zigzaguaient sur la falaise. Je vis un garçon à mi-parcours. Je ne m'imaginais pas gravir cet escalier, mais je savais que des messagers l'arpentaient tous les jours.

Je me détournai de la falaise et regardai en direction de la ville. Sur la rive opposée du fleuve, le toit en cuivre de la Maison des Éridiens brillait d'un éclat rose orangé dans la lumière de l'aube. Sur les coteaux de Ferrin, les fenêtres scintillaient comme des diamants. J'eus l'idée de me lever, de me pencher très progressivement par-dessus le rebord de la voiture, en faisant semblant de regarder quelque chose. Passé un certain point, le poids de mon corps déciderait de mon sort. Il me faudrait agir avec circonspection : ni trop lentement, autrement mon père aurait le temps de me rattraper, ni trop vite, sinon ma mère ne croirait jamais à un accident. Aurais-je le courage de sauter ? Ma mort serait-elle instantanée ? La voiture était-elle déjà assez haut ?

Si seulement je pouvais poser la question à mon père.

Mais il comprendrait tout de suite.

Il comprenait toujours tout.

— Hahp, assieds-toi, dit ma mère d'une voix pressante.

Je m'exécutai sans réfléchir.

Voilà, c'était confirmé.

J'étais un lâche.

Chapitre 5

— Tu t'occuperas de la grange? demanda son père sur un ton monocorde qui trahissait sa lassitude.

Micah hocha la tête. Il mangeait d'une main et tenait une pile de petites chemises de nuit de l'autre. Sadima était assise à califourchon sur sa jambe et le regardait mâchouiller son carré de pain noir rassis. Au moins avait-elle cessé de pleurer. Il ne leur restait presque plus de nourriture et ils avaient tous faim. Il ébouriffa ses fins cheveux roux.

— Tu es sûr? insista son père en roulant sa paillasse.

— Oui, confirma Micah, la bouche pleine, en opinant du chef. Ce sera bientôt l'heure de sa sieste.

Sadima lui tapota la poitrine et essaya d'attraper son morceau de pain. Micah en arracha un petit morceau et le lui donna.

Son père s'arrêta devant la porte.

— Ne la laisse pas le perdre. Et n'oublie pas de retourner le fromage dans la chambre froide. Surtout, assure-toi qu'il ne moisit pas, autrement, nous ne passerons pas l'hiver.

Micah ne dit rien. Son père prononçait rarement autant de mots d'affilée, et même s'ils étaient lugubres, c'était tout de même mieux que le silence, ou que ses accès de colère, désormais fréquents. Il entendit la porte grincer et claquer en se refermant, puis les pas irréguliers de son père sur le plancher en bois du porche. Il s'était tordu le genou en labourant l'année précédente et était resté alité tout l'été.

Micah s'était démené, mais la récolte avait été maigre. Il avait planté et semé en portant Sadima sur son dos grâce à une courroie fabriquée par son père. Cette année, en revanche, la fillette était trop grande, trop lourde, et elle se tortillait comme un poisson lorsqu'elle voulait qu'il la pose par terre. Pour que Micah puisse s'occuper du potager, ils avaient tissé un genre de cage en rotin qu'ils avaient tapissée de couvertures ; toutefois, Sadima avait hurlé et pleuré, et ni son père ni lui n'avaient eu le cœur de la laisser à l'intérieur. Mattie Han avait proposé son aide, mais le père de Micah était trop fier pour accepter quoi que ce soit de ses voisins. Ces derniers n'avaient appris qu'il s'était blessé qu'à la fin de l'été. Il avait interdit à Micah d'en parler.

Le garçon effleura la joue de sa sœur, et un sourire naquit sur les lèvres de la petite fille. Elle était maigre. Ils avaient besoin d'une bonne année. Il attendit que le bruit du chariot et des sabots ait cédé la place au silence.

—Je te propose un marché, commença-t-il en regardant Sadima dans les yeux. (La fillette sourit et se fourra deux doigts dans la bouche. Il les lui retira doucement et tâcha de prendre un air sérieux.) Je t'emmène avec moi dans la grange à condition que tu joues sagement dans la meule de foin et que tu me laisses nettoyer les enclos.

Le visage de Sadima s'illumina, et la petite fille, tout excitée, commença à se balancer d'avant en arrière. Micah sourit et sentit sa gorge se serrer. À bien des égards, elle était une miniature de leur mère. Un rien suffisait à son bonheur : la vision fugace d'un roitelet à queue rouge volant au-dessus de la maison, le parfum des fleurs de trèfle… Lorsqu'elle serait plus grande, elle nettoierait peut-être le coin de terre où leur mère plantait des fleurs et lui redonnerait ses couleurs d'antan. Micah respira le parfum des cheveux de sa sœur et regretta de ne pouvoir la sortir plus souvent.

Comme tous les jours, il était censé la laisser à la maison le matin, enfermée dans ce qui avait été la chambre de leurs parents : une chambre réaménagée spécialement pour elle, avec des couvertures au sol et des poupées de chiffon dans un panier bas. Le lit – le châssis et la literie – avait été brûlé le lendemain de l'enterrement. La commode était dans la grange, ses tiroirs remplis de ficelle et de fil de fer. Leur père dormait dans le salon, sur une paillasse, par terre.

Sans les meubles, la chambre était grande. Avec son frère, Sadima s'y serait bien amusée ; elle se serait promenée à quatre pattes, aurait tenté de se mettre debout en prenant appui sur le panier des poupées… Au lieu de quoi elle pleurait toutes les larmes de son corps quand il refermait la porte derrière lui. Ses sanglots brisaient le cœur de Micah.

— Dans ce cas, allons-y. (Il posa son assiette sur la pile de vaisselle sale, dans la bassine. Il s'en occuperait plus tard, lorsque Sadima dormirait en milieu de matinée.) Mais ne dis rien à papa, ajouta-t-il, un sourire aux lèvres.

Elle babilla pendant tout le trajet, exprimant sa joie en composant des phrases musicales à l'aide de mots qui n'en étaient pas encore. Il sentait sa main minuscule qui lui tapotait l'épaule, puis agrippait sa tunique comme il s'engageait sur la pente qui conduisait à la grange.

Micah marcha lentement, laissant sa sœur profiter à loisir de l'atmosphère fraîche de cette matinée, de la couleur du ciel, du bruissement des feuilles du saule lorsque les oiseaux voletaient dans ses branches. Quand il referma le verrou et s'enfonça dans le bâtiment, Sadima poussa un cri d'allégresse. Micah monta sur la dernière planche de la porte de l'enclos vide, fit passer sa petite sœur par-dessus le foin du cheval de trait et la déposa doucement dans l'auge. Elle rit et s'assit, satisfaite. Micah lui donna une pile de grains de maïs concassés pour l'occuper et partit traire les chèvres.

Celles-ci, toutes grands-mères, étaient au nombre de trois. Il commença par Dunny. Ils gardaient son lait doux et crémeux pour la famille : ils le buvaient et en faisaient du fromage. Comme elle n'en donnait plus beaucoup, ils allaient devoir la faire s'accoupler. Le lait de Tock et de Lolly était recueilli dans un autre seau. Papa le vendait à M. Hod. La femme de celui-ci le faisait cailler, le salait et pressait le fromage qui était consommé par la moitié de la population de Ferne. Les Hod payaient bien, en pièces de cuivre frappées. Au printemps, Micah et son père achèteraient des semis d'orge avec l'argent du lait.

Le garçon regarda sa sœur. Elle rassemblait une montagne de grains, puis l'aplatissait en souriant. Il l'entendit chantonner à voix basse, d'une voix haut perchée, douce, mais pas très harmonieuse. Un peu plus tard, il la surprit en train de sucer les grains. Elle fit une grimace et croisa son regard, les sourcils froncés. Micah rit et lui sourit.

Pendant qu'il s'occupait de la troisième chèvre, Sadima s'amusa à jeter les grains un à un entre les planches de l'enclos et gloussa en les voyant rebondir sur le plancher. Micah versa le lait destiné aux Hod dans un pot entouré de tissu et prit le lait de Dunny pour le porter à la maison. Absorbée par son jeu, Sadima riait en voyant le tas de grains qui grossissait sur le plancher de l'enclos.

Micah passa lentement devant elle. Comme elle ne remarqua pas sa présence, il sortit à la hâte et emprunta le sentier qui conduisait à la maison. Il verserait le lait dans les pots qui trônaient sur le buffet et retournerait dans la grange en courant.

Sadima ne pourrait pas sortir toute seule de l'auge, et elle n'aurait pas le temps de s'ennuyer ni de se mettre à pleurer.

Le seau dans une main, Micah marcha aussi vite qu'il put en tâchant de ne rien renverser. Il ne ralentit qu'une fois devant les marches du porche. Dans la cuisine, il posa les pots dans une bassine remplie d'eau fraîche et versa son lait avec dextérité, car il avait l'habitude. Avant de filer au pas de course, il prit un morceau de pain ; Sadima le mâcherait pendant qu'il finirait ses corvées.

De retour dans la grange, il constata que sa sœur n'avait pas bougé. Elle était toujours assise, et elle continuait à babiller de sa voix aiguë et joyeuse. Micah reprit son souffle et avança vers elle en souriant. Il lui faudrait parler à leur père et le convaincre qu'elle avait besoin de…

Le garçon écarquilla les yeux. Un rat était perché sur l'épaule de Sadima. Tandis qu'un flot ininterrompu de mots de bébé sortait de la bouche de la petite fille, l'animal étira son cou et avança sa truffe vers ses lèvres en mouvement. Sans doute son haleine sentait-elle le grain, pensa Micah. Il se figea, sans savoir quoi faire. La bête s'enfuirait sans doute s'il lui faisait peur, mais il lui faudrait tout de même sauter par-dessus la barrière pour lui donner un coup de pied. À moins que Sadima se lève et le fasse fuir la première. Les morsures de rat s'infectaient souvent et laissaient des cicatrices. Et s'il s'attaquait à ses yeux ? Horrifié, Micah vit le rat se dresser sur ses pattes arrière et prendre appui sur l'oreille de Sadima ; le contact léger fit rire la petite fille. Si elle essayait de le repousser, si elle l'attrapait et le serrait…

Micah fit trois pas en arrière pour prendre son élan, sauta par-dessus la porte de l'enclos, roula sur la meule de foin et se figea de nouveau. Le rat frottait sa joue contre celle de sa sœur. D'une main, la fillette effleura le pelage de l'animal. Celui-ci se remit à quatre pattes et enfouit sa truffe sous les doigts de Sadima, avant de tourner la tête dans la direction de Micah.

Le garçon en resta bouche bée. La bête devait être malade : normalement, les rats ne se comportaient pas de cette façon. Micah regarda discrètement autour de lui et repéra un râteau de l'autre côté de la barrière, à portée de main. Sadima releva la tête. Elle plissa les yeux, puis les écarquilla. Tout à coup, elle s'empourpra et se mit à pleurer. Le rat lui toucha la joue avec ses pattes antérieures, se retourna et sauta sur le sol.

Micah attrapa le râteau, le fit passer par-dessus la barrière de l'enclos et l'abattit sur le rat, mettant un terme à sa fuite. Sadima hurla. Le garçon se retourna à la hâte, craignant qu'elle se soit fait mal d'une manière ou d'une autre, ou que le rat ait eu le temps de la mordre avant de sauter. Mais c'était *lui* qu'elle regardait, le visage déformé par la colère, ses petits poings serrés.

Micah la prit dans ses bras pour la sortir de l'auge, mais elle se raidit. Puis elle fondit en larmes et se blottit contre sa poitrine comme elle le faisait toujours quand elle avait besoin de réconfort. Il la serra contre lui et lui répéta pendant tout le trajet jusqu'à la maison qu'il ne laisserait jamais personne lui faire du mal.

Chapitre 6

Je sentis mon estomac se nouer lorsque les roues de la voiture touchèrent le sol et se mirent à tourner. Sur l'ordre de mon père, Gabardino tira sur les rênes et obligea l'étalon à s'arrêter. Les roues crissèrent sur la roche tandis que le poney sortait de la piste en secouant sa longue crinière. Je restai assis, figé, les bras croisés sur mon ventre douloureux.

—Hahp, dit mon père. (Il se pencha vers moi et je sentis son odeur de savon.) Redresse-toi.

Je me raidis. Gabardino ouvrit la portière et déplia les marches pour ma mère. Je me levai, en proie à la peur, les pulsations de mon cœur tambourinant dans mes oreilles. J'avais vu les portes de fer des centaines de fois depuis le ciel, mais je ne pensais pas qu'elles étaient aussi grandes. Jamais je ne les avais vues ouvertes. Elles auraient pu laisser passer un navire. Je mis quelques secondes à voir les magiciens qui la flanquaient, le dos appuyé contre la pierre sombre. Avec leurs robes noires, ils étaient aussi invisibles que des mites sur l'écorce d'un arbre.

Mon père se racla la gorge. Je descendis le premier, tendis une main moite à ma mère et marchai sur son ourlet. Elle fit comme si de rien n'était et me sourit. Père descendit le dernier, se redressa, les épaules droites, leva le menton bien haut et jeta un coup d'œil alentour. Nous étions les premiers.

Je restai immobile et scrutai le ciel. Trois minuscules points noirs – des voitures – approchaient. J'échouerais à l'académie. Pourquoi en irait-il autrement ? J'avais échoué partout où j'étais allé. On avait fait preuve d'indulgence à mon égard ; on m'avait écrit des lettres de recommandation grâce aux donations de mon père. Avec les magiciens, cependant, ce serait une autre histoire.

Qu'arrivait-il aux garçons qui franchissaient cette porte ? Personne ne le savait. Les yeux blancs du poney me rappelaient le regard étrange et froid des magiciens. Je tournai la tête vers le bord de la falaise. Celle-ci était bien assez haute ; je pourrais courir, sauter et mourir à coup sûr. Je lançai un coup d'œil furtif à mon père. Je n'aurais plus jamais à l'entendre répéter combien je l'avais déçu, combien il était heureux qu'Aben soit l'aîné de ses fils, son héritier. Ma mère pleurerait, mais elle comprendrait ; j'étais certain que l'idée d'échapper pour toujours à mon père lui avait déjà traversé l'esprit à elle aussi. Ce serait mieux pour elle. Il lui arrivait de me défendre et de le payer de sa personne.

Tout en essayant de réfléchir, je me tournai vers le ciel. Les voitures grossissaient à vue d'œil. Je regardai mon père, puis le bord de la falaise. J'avais raté ma première occasion. Celle-ci serait peut-être la dernière. Avais-je envie de mourir ? Malgré mes efforts, j'étais incapable de répondre à cette question.

C'est alors que j'aperçus le messager ; il montait les dernières marches de l'antique escalier, se révélant progressivement à ma vue : d'abord la tête, puis les épaules, et ainsi de suite, chaque pas qui le rapprochait du sommet dévoilant un peu plus de sa personne. Lorsqu'il fut enfin arrivé en haut de l'escalier, il tomba à genoux, exténué.

Il portait des vêtements grossièrement tissés, comme on en vendait dans les marchés du quartier sud. Ses boucles noires étaient trempées de sueur et collaient à son crâne. Il se releva et considéra, bouche bée, les voitures qui se posaient sur le promontoire de pierre. Les messagers étaient toujours des garçons des rues. Personne d'autre n'avait suffisamment faim pour accepter d'escalader cet escalier interminable en échange de quelques pièces de cuivre.

Je me demandai qui avait embauché celui-ci et pourquoi. Une famille désireuse de guérir un enfant handicapé ? Une épouse trop âgée pour se déplacer, mais souhaitant aider un mari grabataire ?

Une autre voiture se posa et le jeune garçon écarquilla un peu plus les yeux. Les sabots de la jument baie touchèrent le sol avec grâce et souplesse. Le messager avala sa salive. Les voitures étaient luxueuses, les parents vêtus d'habits magnifiques. Il y avait là plus de soie et d'argent qu'il en avait vu de toute sa vie. Je l'enviais. Lorsqu'il aurait délivré son message, il redescendrait et partirait.

J'entendis la voix de mon père et je me retournai.

— Hahp ? Es-tu sourd ? demanda-t-il, les sourcils froncés.

Alors que je le regardais dans les yeux, les gigantesques portes de fer attirèrent mon attention.

Ma mère me rejoignit et me força à avancer, son bras sur le mien, comme si c'était moi qui la soutenais, qui la guidais. Mon père nous devançait d'une cinquantaine de centimètres, les épaules et le dos bien droits.

Je tournai brusquement la tête pour voir Gabardino. Il attendait comme il le faisait toujours, lors des fêtes, des parades, des mariages, devant l'école, dans le vent, sous la pluie ou sous le soleil d'été. Cette fois-ci, cependant, il repartirait sans moi.

Nous marchions désormais à l'ombre de la falaise. Les portes monstrueuses étaient très proches, à une vingtaine de pas environ.

— Bonjour, dit mon père.

Aucun des magiciens ne répondit. Je vis des gouttes de sueur dégouliner sous les cheveux gris fer de mon père. J'hésitai, et ma mère ralentit avec moi, son bras toujours posé sur le mien. Mon père, lui, allongea sa foulée. Ma mère n'arrivait pas à suivre, mais elle continuait à me pousser. Je fermai les yeux tandis que nous passions de la lumière du jour aux ténèbres.

Chapitre 7

Sadima était réveillée. Parfois, elle avait du mal à rester au lit. Comme si des mains douces et tendres la guidaient, elle glissait de sous ses couvertures, s'habillait, s'avançait vers le rebord de la fenêtre et sautait dans la cour, goûtant le contact agréable de l'herbe fraîche sous ses pieds nus. Lorsqu'elle était petite, elle grimpait sur une cagette pour escalader la fenêtre et se contentait d'aller sur la route, de courir dans les prés et sur la colline. Toutefois, ses jambes s'étaient allongées et son champ d'action s'en trouvait élargi. Et puis, elle n'avait plus besoin de la cagette.

Parfois, elle dansait dans la fraîcheur de la nuit et imaginait le monde, au-delà des prés où broutaient les chèvres. Il y avait une ville, loin, à l'ouest, près de la mer. Limòri. Papa disait que c'était un endroit mauvais. Il ne voulait plus qu'elle lui en parle. Alors Sadima avait harcelé Micah jusqu'à ce qu'il lui raconte tout ce qu'il savait ou croyait savoir sur la ville. Selon son frère, la moitié du monde était recouverte d'eau. Sadima voulait voir l'océan. Le goûter, aussi.

En cette nuit de pleine lune, pour fêter son dixième anniversaire, elle se glissa hors de sa chambre, silencieuse, heureuse, traversa la cour en courant et se dirigea vers la route de la Rivière qui, elle le savait, conduisait au village. Elle avait vu Ferne deux fois.

Seulement deux fois. Papa disait qu'elle n'avait pas besoin de voir ces endroits, qu'il était préférable qu'elle fasse la cuisine et qu'elle s'occupe des chèvres et des parterres de fleurs de sa mère.

La lente mélodie d'un inséparable accompagna sa promenade. Elle sentait le vent qui s'engouffrait dans les plumes de l'oiseau. Elle chercha l'origine de ce son et de cette sensation. Lorsqu'elle eut repéré l'oiseau qui se découpait sur la grande lune jaune, elle s'arrêta pour l'écouter et ferma les yeux, pour l'entendre encore mieux. L'allure fière, il scrutait le paysage du sommet d'un arbre.

Le temps s'écoula autour de Sadima comme l'eau d'un ruisseau. Elle se rendit compte que le ciel était devenu gris. Elle reprit ses esprits, détourna les yeux et s'étira. Alors seulement elle vit le louveteau, assis à l'entrée d'une tanière, une arche de roche à moitié dissimulée par des fougères.

Sadima lui sourit et fit un pas dans sa direction. L'animal se coucha sur ses pattes avant et agita la queue bien haut. La fillette se mit à genoux, et le louveteau courut la rejoindre. Elle le prit doucement dans ses bras et roula par terre avec lui, réagissant à ses petits grognements et à ses couinements. Elle glissa ses doigts dans son fin duvet de chiot et lut dans ses pensées. Il n'avait ni frères ni sœurs. Il en avait eu un. La viande était rare. *Solitude, solitude, faim.* Sadima fit traîner une branche par terre. Le louveteau la suivit et sauta sur le bout de bois comme un chasseur-né. Après un long moment passé à jouer, l'animal avait changé d'état d'esprit. *Heureux, fatigué, sommeil.*

Sadima venait de poser le louveteau dans sa tanière et se préparait à partir lorsqu'elle entendit un grondement sourd. Elle se retourna et se retrouva face à la mère. La louve lui tournait autour, sentait l'odeur de son petit sur ses vêtements. Soudain, elle baissa les oreilles et la queue et se désintéressa de Sadima. Elle était fatiguée d'avoir passé la nuit à chasser et elle désirait se reposer et allaiter son unique louveteau.

Sadima rentra chez elle en courant tandis que le soleil embrasait l'horizon, s'attendant à croiser son père et Micah, sans doute partis à sa recherche. Elle traversa le pré et fila directement dans la grange. Elle trayait les chèvres lorsque Micah arriva.

Il lui sourit et bâilla.

— Tu t'es levée tôt, ce matin.

— Oui, confirma-t-elle.

Ce n'était pas vraiment un mensonge. Elle voulut lui parler du loup, mais se ravisa ; il ne la croirait pas et dirait encore à papa qu'elle avait menti.

Chapitre 8

La caverne sombre sentait la pierre et la poussière. Des torches froides accrochées très haut sur les parois dessinaient des demi-cercles de lumière. Mon père se dirigea vers des bancs situés à l'extrémité de la vaste salle, et ma mère lui emboîta le pas. Je la suivis. Il y avait des familles devant et derrière nous. Personne ne parlait. J'avisai un grand garçon qui, pendant un instant, me rappela mon frère. Mon père avait-il prévenu Aben? Savait-il que l'on m'envoyait ici?

—Hahp.

Ma mère me serra le bras un peu plus fort. Elle se tenait bien droite, cambrée, la poitrine saillante, le menton haut, les épaules basses, ce qui lui allongeait le cou et la rendait encore plus gracieuse.

—Hahp, répéta-t-elle à voix basse. Pas de frasques ni de plaisanteries. Ici, ton père n'a aucun pouvoir.

Je hochai la tête et j'observai les torches du mur opposé. Elle eut un rire joyeux qui me fit sursauter. Elle pencha la tête sur le côté et se rapprocha de moi.

—Hahp, on nous regarde. Je vois Teller Abercrome, là-bas.

De nouveau, elle rit doucement et agita l'index devant mon nez, comme si j'avais dit quelque chose de mal. Je lus la fureur dans son regard et tentai de sourire. Elle avait l'impression d'être dans une salle de bal, et les salles de bal étaient des champs de bataille, pour ma mère. Les Abercrome avaient donné plusieurs magiciens à la communauté. Je le savais car mon père me l'avait dit, sur un ton amer. Leur fortune était colossale, mais datait de plusieurs générations. Le vieil argent était respectable. Mon père les haïssait.

Ma mère rit encore et je me forçai à sourire, à jouer son jeu. Ce que pensaient les femmes qui nous regardaient comptait énormément pour elle, car cela comptait énormément pour mon père. Aucun membre de sa famille n'était jamais devenu magicien, ni n'avait essayé de le devenir. Je serais le premier Malek à tenter ma chance, ce que personne, dans la salle, ne devait ignorer.

Ma mère me donna un petit coup de coude et afficha un sourire encore plus large. Je découvris mes dents du haut en espérant faire bonne figure. J'avais manqué ma chance de sauter de la voiture et je n'avais pas eu le courage de me jeter du haut de la falaise. J'étais lent et lâche, comme mon père me l'avait dit de nombreuses fois. Les magiciens me jugeraient-ils trop bête pour rester ? Me vendraient-ils comme esclave ? Serais-je envoyé dans le Sud, où je nettoierais des écuries jusqu'à la fin de mon existence ? Toute ma vie, j'avais entendu des histoires, comme tout le monde. Selon mon père, c'étaient des absurdités ; toutefois, les magiciens étaient au-dessus des lois du roi héritées du passé et de celles, divines, des Éridiens.

Ma mère m'entraîna vers la droite où je vis deux rangées de cinq bancs sculptés et ciselés dans la masse de la falaise. Je m'assis. La pierre était froide et aussi lisse que du verre. Ma mère ne me lâcha pas le bras. Mon père prit place à côté d'elle, raide et sévère.

Il y avait également un lutrin, sculpté lui aussi. Je fixai mon attention sur lui. Comme tout le monde, y compris mon père. Cet endroit était une *école*. Les parents y recevraient un accueil digne de ce nom. Peut-être même aurait-on droit à un discours et à une tasse de thé au tamarin avec des biscuits.

Les magiciens étaient alignés le long du mur, derrière le lutrin, les mains enfoncées dans leurs manches noires, leur capuche rabattue sur leur visage à peine discernable. Le silence se prolongea, oppressant, troublé par quelques toussotements, chuchotis et bruissements gênés. Je comptai par-dessus mon épaule. Dix. Était-ce tout ? Une classe de dix garçons ? J'en reconnus un : Levin Garrett, qui avait mon âge. Je l'avais rencontré à l'académie Tolisan, mon deuxième internat, mais nous ne nous étions pas revus depuis. Il hocha très légèrement la tête pour me signifier qu'il m'avait reconnu, puis baissa les yeux. Je me tournai vers le lutrin.

— Nous avons ouvert les Grandes Portes, commença une voix grinçante. Et nous les refermerons bientôt.

Je clignai des yeux. Un magicien se tenait sur l'estrade. Il nous toisait tous comme si nous l'avions offensé. Était-ce le directeur ? Je déglutis avec peine. Il promena son regard pâle au-dessus des bancs. Il se racla la gorge, mais garda le silence. Mon cœur s'agitait dans ma poitrine comme un oiseau en cage. Ma mère avait les yeux écarquillés.

— Ce sont des études extrêmement difficiles, finit par reprendre l'homme d'une voix grave et lente, comme si chaque mot prononcé était une souffrance. Un de vos fils ressortira d'ici magicien, ou pas. Certains restent… (Il se tut pendant quelques secondes, puis il poursuivit :) La plupart de ceux qui échouent restent dans nos murs, intègrent définitivement l'école. (Une nouvelle pause.) Les parents seront tenus informés.

Les chuchotis s'intensifièrent, puis s'interrompirent lorsque le magicien releva la tête et s'éclaircit la voix. Mais il ne dit rien et

se contenta de regarder vers le haut, d'examiner un point au-dessus de nos têtes. Ce type avait un problème ! J'avais la nausée. Pris
de sueurs froides, je frissonnai.

Le magicien s'intéressa enfin à nous. Il agita mollement
la main.

—Les parents peuvent partir, à présent.

Un murmure de voix féminines enfla dans l'assistance.
L'homme pencha la tête sur le côté, l'air étonné, et fit le même
geste, plus vigoureusement cette fois. Mon père se leva. Ma mère
hésita, l'imita, mais laissa sa main sur mon épaule. Elle tremblait.
Elle se pencha pour m'embrasser sur la joue et me chuchota quelques mots, mais je ne l'entendis pas à cause du bourdonnement
dans mes oreilles. Alors mon père l'entraîna loin de moi. Il n'eut
pas un regard pour moi et empêcha ma mère de me dire adieu.
Elle tenta de se retourner – je le vis –, mais il l'agrippa par l'épaule
et la serra contre son flanc. Je les suivis des yeux jusqu'à ce qu'ils
atteignent la sortie et disparaissent dans la lumière du soleil.

Chapitre 9

Sadima conduisait le troupeau lentement et jouait une mélodie cadencée sur sa flûte en bois. Les chèvres étaient toutes grosses ; leurs hanches se balançaient comme celles de femmes obèses portant des paniers de linge. Elles ne pensaient pas à grand-chose : l'herbe, l'eau fraîche du ruisseau, les coups que leur donnaient leurs petits de l'intérieur. Elles partageaient également le vague espoir de trouver du grain dans leur auge une fois de retour à la ferme.

Sadima sourit. Elle avait accompli la plupart de ses corvées. Le lait caillé était en train de goutter dans la réserve, et elle avait plongé le fromage fait dans de la cire d'abeille fondue. Micah lui avait raconté l'histoire d'une vaste cité, quelque part dans un royaume lointain, où les bohémiens dansaient et où une princesse vivait dans une tour plus haute que les nuages. Elle la voyait dans sa tête, et elle avait envie de la peindre.

Toutefois, il lui faudrait pour cela attendre un soir où son père irait se coucher tôt. Elle lui cachait ses tableaux. Il détestait la voir oisive. C'était la même chose avec Micah. Il est vrai que ses propres mains n'étaient jamais au repos, sauf quand il était victime d'un de ses terribles accès de tristesse.

Comme elle passait le dernier tournant, Sadima vit son frère qui courait vers elle, le regard brillant.

—Vite! J'ai réussi à persuader papa de te laisser venir avec moi acheter un cheval. Ne lui donne pas l'occasion de changer d'avis.

Le sourire aux lèvres, Sadima donna une tape à la chèvre qui fermait la marche et leur demanda à toutes d'accélérer. Elles s'exécutèrent pour lui faire plaisir.

—Comment es-tu parvenu à…, commença-t-elle.

—Il a vu que tu étais douée avec les chevaux, l'interrompit-il. Je lui ai dit que je voulais que tu m'aides à choisir. Allez, dépêche-toi!

—Merci, Micah.

Sans se départir de son sourire, elle frappa dans ses mains pour continuer à faire avancer les chèvres. Elle n'avait que rarement l'occasion d'aller où que ce soit, et encore moins au marché. Elle avait un peu peur, mais elle n'aurait renoncé pour rien au monde.

—Surtout, presse-toi, lui répéta Micah tandis qu'ils atteignaient l'entrée de la ferme.

Les chèvres traversèrent la cour et entrèrent dans leur enclos en trottinant. Sadima les enferma et courut jusqu'à la grange remplir deux seaux de grains, qu'elle vida dans leurs auges en bois. Le temps qu'elle termine sa corvée, Micah s'était engouffré dans la maison. Elle ouvrit la porte à la volée et vit son père, assis sur le banc, devant l'âtre. Elle ralentit aussitôt le pas et tâcha de prendre un air détaché.

Après avoir refermé la porte de sa chambre, elle sautilla jusqu'à la bassine et se débarbouilla. Elle retira ses vêtements de travail et enfila sa seule robe correcte. Elle lui arrivait à mi-mollet, à présent, mais elle n'était pas trop serrée. Micah disait qu'elle grandissait comme une pousse de saule, à toute vitesse.

Sadima entreprit de se brosser les cheveux. Elle se contorsionna pour en démêler les pointes avant de remonter progressivement; impatiente, nerveuse, elle tirait trop fort sur sa brosse. Lorsqu'elle eut terminé, elle cacha celle-ci sous une latte du plancher, à côté de son matériel de peinture et de ses dessins. Elle était presque certaine que son père fouillait régulièrement dans ses affaires.

Micah l'attendait. Les sourcils froncés, il désigna la porte d'un mouvement de la tête. *Vite.*

— Prends ton châle, dit son père.

Micah baissa les épaules. C'était un vieux sujet de dispute, un sujet qui pouvait dégénérer rapidement. Leur père était convaincu qu'un rhume pouvait la tuer. Il semblait croire que n'importe quoi pouvait lui être fatal.

— Il fait bon…

Sadima remarqua le regard noir et vide de son père et se tut.

Un mot de plus, et il se mettrait en colère. Deux mots de plus, et il se lèverait pour la gifler. Cela rendrait Micah furieux, et papa lui ferait les gros yeux, l'air menaçant. Puis, ce qui était pire encore, il sombrerait dans un de ses longs silences.

Sadima retourna dans le couloir étroit. Son châle était vieux et laid, tricoté dans une laine grossière. Elle le mit sur ses épaules et suivit Micah dehors, murmurant un «au revoir» auquel, elle le savait, son père ne répondrait pas. Quand ils furent hors de vue de la maison, elle retira le châle et le cacha derrière un groseillier, sur le sentier qu'empruntaient les chèvres pour se rendre dans leur pré.

Micah la regarda en souriant. Elle lui rendit son sourire et se baissa pour retirer une épine de son talon. Quand elle se redressa, son frère contemplait l'horizon nuageux. Durant l'année écoulée, il avait laissé pousser sa barbe ; il était encore plus beau qu'avant. Ressemblerait-il à leur père lorsqu'il serait plus vieux ?

Micah baissa les yeux.

— À quoi penses-tu, Sadima ?

— À papa, répondit-elle.

Elle n'osa pas lui en dire davantage.

— Il ne dort quasiment plus, reprit Micah. Presque tous les matins, quand je me lève, je le surprends les yeux rivés sur le feu, la porte ou le mur. Et quand je lui parle, il ne répond pas.

Sadima pouvait lire l'inquiétude dans les yeux de son frère.

— Je le déteste quand il est comme ça.

— Non, Sadima! lança Micah, choqué. Il n'y est pour rien. Il était différent, avant.

Elle regarda ailleurs. «Avant». Elle savait ce qui avait changé son père. Bien qu'ils n'aient jamais vraiment abordé le sujet, elle savait que le jour de sa naissance avait été celui de la mort de leur mère. Mattie Han était la seule qui acceptait de répondre à ses questions, la seule à lui avoir raconté la folle course de Micah, l'intervention de la vieille magicienne, la manière dont son frère l'avait réchauffée et protégée cette première et terrible nuit. Sadima ne comprenait pas que l'on puisse être cruel au point d'abandonner un nouveau-né sur un sol froid. La plus âgée des chèvres se rappelait cette nuit, la porte de la grange ouverte à la volée, l'odeur du sang de l'enfantement. Elle frissonna.

— Tu as froid? demanda Micah.

Sadima secoua la tête.

— On fait la course? (Elle chercha une ligne d'arrivée le long de la route.) Jusqu'au chêne, près du portail de Nick Kulik.

Elle avait prononcé cette dernière phrase dans un souffle et partit sans l'attendre.

Ses pieds s'enfonçaient à peine dans la poussière douce et chaude. Sadima survolait littéralement le chemin, sautait par-dessus les ornières. Elle entendit Micah la rattraper et ralentir. Il resta quelques pas en arrière, puis, à l'approche du chêne, fit semblant de sprinter, de mettre toutes ses forces dans la course, et perdit d'une demi-longueur. Ils s'arrêtèrent tant bien que mal et éclatèrent de rire. Lorsque leurs rires eurent cédé la place au silence, Sadima considéra longuement son frère. Jamais elle n'aimerait qui que ce soit autant que lui. Il était son meilleur ami, son seul ami. Papa ne la laissait même pas fréquenter la fille de Mattie.

Comme ils dépassaient les fermes et les murs de pierre circulaires à moitié effondrés qui jalonnaient la lande depuis toujours, elle marcha plus près de lui et lui demanda de raconter l'histoire de ces ruines. Il s'exécuta. En prenant son temps, comme à son habitude. De fait, il n'y avait pas grand-chose à raconter. Les gens qui avaient vécu entre ces vieux murs parlaient aux arbres et aux rivières. Ils ne marchaient, ni ne couraient, ni ne laissaient aucune empreinte de pas, car ils volaient aussi haut que les oiseaux. Ils avaient disparu depuis si longtemps que la pluie avait poli et arrondi les pierres qu'ils avaient taillées pour ériger leurs murailles.

— Tu crois que c'est vrai ? demanda-t-elle quand il eut terminé. Comment pourrait-on voler ?

— Qui sait ? répondit-il en haussant les épaules. Le fait est que quelqu'un a construit ces murs de pierre il y a bien longtemps. Le reste n'est qu'une histoire, Sadima. Comme celles qui parlent de magie ou du vent du nord qui communique avec les loups.

La jeune fille pinça les lèvres. Si elle revoyait des loups un jour, elle écouterait avec attention. Peut-être connaîtraient-ils l'histoire du vent du nord. Elle releva la tête et vit que son frère la regardait. Elle aurait tellement voulu lui dire qu'elle pouvait lire dans les pensées des animaux, mais elle n'osait pas.

Sadima garda le silence jusqu'à ce qu'ils aient dépassé la route de l'Ouest, à la fois plus large et plus lisse que celle qu'ils venaient de quitter. Elle la scruta longuement par-dessus son épaule, pleine d'espoir, mais il n'y avait aucune voiture, aucun cavalier, aucun étranger en vue. Personne à regarder. Dans la dernière descente, elle sentit les parfums de la place, des légumes et des premières baies, la fumée piquante de la forge et l'odeur de la sueur, moins familière, plus musquée, des gens. Elle était mal à l'aise, effrayée et excitée à la fois. Au début, c'était toujours un peu difficile : toutes ces odeurs, les pensées et les émotions des animaux, les voix, les couleurs, le bruit.

Comme ils se mêlaient à la foule et longeaient les étals, Micah remarqua qu'elle frissonnait et passa son bras autour de ses épaules. Sadima aperçut une femme en robe noire qui prédisait l'avenir derrière la tente d'un cordonnier. En la voyant écarquiller les yeux, son frère lui fit presser le pas.

— Papa ne me laissera plus jamais t'emmener avec moi si tu lui dis que tu en as vu une de si près.

— Je ne dirai rien, promit-elle en hochant la tête.

Il était inutile de la mettre en garde. Personne ne haïssait plus les magiciens que leur père.

— Sadima ? C'est bien toi ?

Elle reconnut la voix et se retourna. Mattie Han venait dans leur direction. Sa démarche irrégulière lui était aussi familière que son sourire tordu. Mattie serra la fillette dans ses bras, puis se redressa et fit basculer le poids de son corps sur son épaisse canne en chêne.

— Je me disais bien que je connaissais cette chevelure rousse. (Puis elle ajouta à l'attention de Micah :) C'est aussi rare qu'une lune bleue. (Elle reporta son attention sur Sadima.) Tu es plus jolie chaque fois que je te vois…

— Elle est venue m'aider à choisir un poney, expliqua le garçon.

— Un poney pour elle ? demanda Mattie d'un ton joyeux. Sadima, tu vas pouvoir venir nous rendre visite aux filles et à moi. Ce n'est pas loin du tout et…

— Nous avons besoin d'un poney pour le labour, l'interrompit Micah. Tiny commence à se faire trop vieux pour travailler.

Mattie hocha la tête, visiblement déçue.

— Tiny. Je me souviens de ce vieux bai. Il n'est d'ailleurs pas le seul à vieillir.

L'appel du Crieur attira l'attention de Micah, qui se tourna vers les écuries.

—Nous ferions mieux d'y aller. J'aimerais d'abord examiner les chevaux de près.

—Venez avec nous, proposa Sadima.

Mattie secoua la tête.

—Je dois m'occuper de la boutique. Laran et Tessie sont restées à la maison, aujourd'hui. (Mattie prit Sadima par le menton et regarda Micah du coin de l'œil.) Si vous veniez à manquer de quoi que ce soit, n'hésitez pas à venir frapper à ma porte. Si vous avez besoin d'une mère, vous savez où la trouver.

Le garçon acquiesça.

—Saluez Laran de notre part.

—Je n'y manquerai pas. Elle sera déçue de ne pas vous avoir vus.

Dès que Mattie fut partie, Micah prit sa sœur par la main et l'entraîna dans la foule, saluant d'un hochement de tête les personnes qu'il connaissait. Sadima trouva la foule plus dense que la dernière fois que son père l'avait emmenée au village ; le bruit et les parfums lui donnaient le tournis. Derrière les odeurs de sueur humaine, d'onguents et d'ail, elle reconnut celle, lourde, des fruits trop mûrs. Le tout se mêlait au parfum amer des melaleuca ; ils bourgeonnaient et les jeunes feuilles étaient couvertes de sève acide et collante.

—Passons par là, dit Micah en changeant brusquement de direction. C'est un raccourci.

Sadima le suivait de près. Ils descendirent une côte, empruntèrent un pont en bois pour traverser la rivière, escaladèrent le versant opposé et se retrouvèrent derrière les écuries, en vue des corrals. Sadima perçut la peur du cheval avant de repérer l'animal.

C'était une grande bête à la charpente puissante, un hongre gris encerclé par des hommes en colère, dont quelques-uns étaient armés d'un fouet en cuir. L'animal avait des coulures écarlates sur les flancs et une bonne dizaine de zébrures sanglantes sur le dos. Une foule s'était rassemblée.

— Empêche-les, murmura-t-elle à Micah lorsqu'ils se furent rapprochés. Qu'ils arrêtent de le frapper.

— Je ne peux pas, répondit-il en la prenant par le bras. Ils ne m'écouteront pas.

Sadima continua à avancer, l'entraînant à sa suite.

— Sortez cet animal de mes écuries! lâcha le Crieur. Je ne veux pas que quiconque soit blessé.

— Tirez-en ce que vous pourrez, dit l'un des hommes. (Il tenait un licou, dont la longe traînait dans la poussière. Il cracha et releva la tête.) Qu'il serve de pitance à des chiens, je m'en fiche. Vendez-le à n'importe quel prix.

Sadima assista à cette scène sans rien dire. Le cheval gris était terrifié; il avait surtout peur de cet homme, son propriétaire. Elle eut une vision de ses accès de rage et ressentit dans sa chair la morsure du cuir. Elle se libéra de l'étreinte de Micah et se glissa entre les planches de la clôture. Deux hommes essayèrent de la rattraper, mais elle courut et leur échappa.

— Quel est son prix? demanda-t-elle en s'arrêtant à l'extérieur du cercle.

Les hommes rirent. L'un d'entre eux voulut la chasser, mais elle repoussa sa main.

— Quel est son prix? Trois pièces de cuivre? proposa-t-elle en se tournant vers Micah, qui escaladait la clôture.

— « Trois pièces de cuivre »? répéta le Crieur à l'attention de l'homme au licou, qui hocha la tête. Trois…

Il regarda Sadima, puis, au-dessus d'elle, Micah. Il savait que la décision appartenait au grand frère.

— Nous le prenons, insista Sadima, les épaules droites et la mâchoire serrée.

— Tu es sûre ? lui demanda Micah.

La fillette se retourna, le regarda droit dans les yeux et opina du chef. Tout ce qu'elle voulait, c'était éloigner cet animal de ces gens, de ces fouets. Il avait tellement peur. Il était si furieux. Il avait envie de les tuer. Micah fourra la main dans sa poche à la recherche de ses pièces sans se soucier des commentaires et des sourires en coin de l'assistance.

Sadima avança de quelques pas et s'arrêta devant le hongre gris. La bête leva la tête. La fillette plongea son regard dans le sien et lui demanda de l'accompagner. Le cheval agita la queue et secoua sa crinière ; il n'osait pas lui faire confiance. Elle fit quelques pas supplémentaires, s'arrêta, les bras ballants, immobile, et le laissa examiner son cœur, inhaler son odeur. Elle ferma les yeux, sentit son haleine chaude sur ses cheveux et sa joue.

Alors seulement, elle entendit le silence intense qui régnait parmi les hommes qui l'entouraient et, au-delà, parmi la foule rassemblée autour du corral et dans tout le marché. Tous les regards étaient tournés vers elle. Elle fit un pas de côté.

— Donnez-moi ce licou, monsieur. S'il vous plaît, demanda-t-elle doucement.

L'homme lui obéit. Elle n'en avait pas besoin, mais elle ne voulait pas attirer davantage l'attention. Elle passa le licou sur le museau gris de l'animal, puis derrière ses oreilles. Elle s'immobilisa, les mains posées sur le cou du cheval, et attendit un moment avant de ramasser la corde. Elle l'entendait. Il espérait vraiment qu'elle l'emmènerait loin d'ici. Sadima fit un pas, et le cheval la suivit, la tête baissée, les oreilles en avant. Le cercle d'hommes s'ouvrit. Elle poussa la barrière du corral, et la foule s'écarta pour les laisser passer.

Le hongre gris la suivait de près ; elle sentait sa chaleur dans son dos et sur son cou. Sadima resta sur la route ; il était trop tôt pour lui demander de patauger dans un ruisseau glacial.

— Tout va s'arranger, lui dit-elle. Tu vas travailler dur, mais ni mon frère ni mon père ne te frapperont. Je te donnerai du grain, de l'avoine et du foin tous les jours.

Elle lui flatta le cou pour le rassurer. Son cœur blessé se réchauffait.

— Le pré sera assez vaste pour galoper et tu y feras la connaissance de deux autres chevaux, Tiny et Ginger. Tiny est vieux, mais Ginger joue encore quand la matinée est belle.

L'animal laissa échapper un long soupir. Son souffle la chatouilla, fit voleter son col et repoussa ses cheveux sur le côté.

— Je sais que tu es timide, reprit Sadima, mais le pré est très grand, et tu pourras t'isoler si tu veux. Mes chèvres sont bêtes mais gentilles, ajouta-t-elle. Elles ont leur propre cour, tout comme les poules. Le coq est arrogant, mais ses femelles sont plutôt agréables.

Le cheval exhala de nouveau et secoua sa crinière.

Sadima le guida lentement et pensa à toutes les choses cruelles que les gens faisaient subir aux animaux. Si tout le monde était capable d'entendre ce qu'elle entendait et de ressentir ce qu'elle ressentait, les hommes comprendraient que les bêtes n'étaient pas si différentes d'eux… Peut-être même se montreraient-ils plus respectueux envers elles.

— Attends-moi ! cria Micah.

Sadima s'arrêta. Le cheval l'imita et posa la tête sur son épaule. Derrière son frère, Sadima vit la foule ; leurs regards étaient toujours rivés sur elle.

— C'était stupide ! la gronda Micah. Si tu recommences, je dirai à papa de ne plus te laisser m'accompagner. Jamais. (Comme elle ne réagissait pas, il la prit par le bras.) C'était très dangereux, Sadima.

La fillette hocha la tête. De toute façon, il ne pourrait pas comprendre. Pas un seul instant elle n'avait été en danger. Et elle n'était pas stupide. Elle savait cependant que toute explication serait inutile. Elle avait essayé d'en parler et elle avait compris une chose : ni Micah ni papa ne la croiraient jamais. Cela lui faisait peur, mais elle savait que c'était la vérité : personne ne la croirait jamais. Elle était différente.

Chapitre 10

— **P**ar deux!

Je me retournai. Un magicien aux cheveux coupés ras faisait de grands gestes; les manches de sa robe voletaient dans les airs.

— Mettez-vous en rang par deux!

Il était en colère car il répétait son ordre pour la énième fois; pour ma part, je n'avais entendu que sa dernière injonction. Devions-nous choisir la personne avec qui nous allions partager notre chambre? Levin se tenait déjà à côté du grand garçon aux cheveux noirs. Je regardai ailleurs. Zut. Quatre paires étaient déjà formées, j'étais le seul à ne pas avoir de partenaire. Je me mis en rang derrière les autres, puis repérai un garçon qui attendait à l'écart, les bras croisés sur la poitrine. Je le reconnus. C'était le messager. Il me rejoignit sans dire un mot.

Je plissai le nez et j'entendis des chuchotis devant nous. Je me doutais bien de ce qu'ils étaient en train de raconter. Que faisait ce messager parmi nous? Quelqu'un était-il venu avec un serviteur? Était-ce possible? J'aurais voulu poser la question, mais j'avais trop peur. Qui que soit son patron, ce garçon puait la sueur et le poisson.

—Suivez-moi, lança le magicien avant de tourner les talons.

Nous lui obéîmes, sortîmes de la salle gigantesque et nous éloignâmes de la lumière du jour. De tout. J'eus l'impression d'être avalé par la terre, par les ténèbres. Aucun d'entre nous n'osa ouvrir la bouche. On n'entendait plus que le bruit de nos pas, tandis que nous tâchions de ne pas nous faire distancer par le magicien. À côté de moi, le messager se tenait bien droit et marchait la tête haute ; toutefois, cela ne l'empêcha pas de s'emmêler les pieds et de trébucher, malgré ses yeux écarquillés. Comme il empestait littéralement, je profitai par deux fois d'un virage pour tenter de m'éloigner et de marcher à côté de quelqu'un d'autre. Il était hors de question que je me retrouve dans la même chambre que lui. Je fis de mon mieux, en vain. Le magicien avançait trop vite : notre file s'étirait derrière lui, et chacun s'efforçait de ne pas se faire distancer.

J'entendis le petit poissonnier marmonner dans sa barbe, et cela me fit peur. En plus de sentir mauvais, était-il fou ? S'il était au service de quelqu'un, il partagerait la chambre de son maître. Je marchais aussi loin de lui que possible. Je ne distinguais pas clairement son visage. Je ne voyais presque rien, d'ailleurs. À mesure que nous progressions, les torches se faisaient de plus en plus rares.

Le magicien tourna brusquement, et le messager faillit me percuter en bifurquant pour suivre la file.

—Gauche, l'entendis-je murmurer distinctement. Droite, gauche, droite…, poursuivit-il plus doucement.

Tout à coup, je compris. Il n'était pas fou, mais intelligent, ce qui ne changeait rien au fait que je ne voulais pas cohabiter avec lui.

J'accélérai en m'efforçant de réfléchir. On ne nous avait pas fait mettre par deux pour nous installer dans des chambres. Nous déboucherions bientôt dans un grand réfectoire où nous attendrait un repas bien chaud et où quelqu'un nous expliquerait le fonctionnement de l'académie. À ce moment-là, j'essaierais de me rapprocher de Levin.

Le magicien s'arrêta si brusquement que nous nous rentrâmes dedans.

—Vous deux, l'entendis-je dire aux deux premiers. Là…

Alors nous reprîmes notre progression et passâmes devant les deux garçons qui attendaient, mal à l'aise, devant une porte étroite. Quelques secondes plus tard, nous tournâmes dans un autre tunnel, puis encore un autre. Face-de-poulpe récitait l'itinéraire dans sa barbe, mais il ne pouvait qu'être perdu, comme nous autres ; personne ne pouvait se rappeler un chemin aussi alambiqué.

—Deux autres ici, lâcha le magicien à la pause suivante.

Cette fois-ci, nous ne nous marchâmes pas sur les pieds car nous étions prévenus. Nous reprîmes notre progression. Nous courions presque, désormais. Je vis d'autres portes devant lesquelles nous ne nous arrêtâmes pas. Mon malaise grandissait à mesure que nous avancions, à chaque virage que nous prenions. J'avais de plus en plus mal au ventre. Étaient-ce nos chambres ? Y avait-il déjà des élèves dans celles que nous dépassions ?

Les deux garçons suivants furent abandonnés devant une porte sans même que nous nous arrêtions ; le magicien se contenta de la leur désigner du doigt. Comment pouvait-il marcher si vite ? Nous étions tous obligés de courir pour le suivre. Vint alors le tour de Levin et de son partenaire, et Face-de-poulpe et moi nous retrouvâmes seuls à courir derrière l'homme. Tous les deux ou trois mètres, nous étions forcés de sprinter pour rattraper notre retard. Nous marchâmes si longtemps que je me laissai surprendre lorsque l'homme s'arrêta, me cognant contre son épaule. Le magicien me repoussa et désigna une porte. Puis il s'en fut sans se retourner et s'évanouit dans l'obscurité derrière la torche suivante.

Chapitre 11

Les eaux ensanglantées avaient depuis longtemps été absorbées par la terre, et Sadima commençait à avoir peur. La chèvre releva la tête, s'étira et battit du flanc. Aussi loin que remontaient les souvenirs de l'adolescente, Rebecca avait toujours mis bas avec une grande facilité. Cette fois-ci, il est vrai, elle était plus grosse et plus large que les autres années, et elle n'était plus toute jeune. Elle souffrait depuis des heures et était à bout de forces.

Sadima caressa la tête et le cou de la chèvre des deux mains ; elle sentit la fatigue et la soif de l'animal à travers sa peau... et quelque chose de plus froid, en dessous. De la peur ?

—Je vais chercher un peu d'eau, Rebecca.

Elle bascula sur ses talons, se leva et ramassa le seau en fer qu'elle avait pris ce matin-là pour ramasser des mûres. Elle avait aussi préparé un carré de lin, au cas où elle aurait besoin de porter les petits de Rebecca : sa besace, ses pots de peinture et son papier étaient restés à la maison.

Tandis qu'elle courait vers le ruisseau, Sadima tâcha de prendre une décision. Elle pourrait laisser les chèvres toutes seules et foncer à la maison chercher le chariot. Son père et son frère étaient partis herser le champ d'orge avec Ginger et Timide, mais le vieux Tiny n'aurait aucun mal à tirer le chariot avec la chèvre dessus, à condition qu'elle parvienne à la soulever. Cependant, ce n'était pas aussi simple. Sadima savait que si les loups reniflaient l'odeur du sang en son absence, le troupeau entier serait éparpillé et tué. Sans le lait et le fromage – et sans l'argent que rapportait la vente du surplus de lait –, ils n'auraient pas de quoi se nourrir cet hiver. Son père préférerait les laisser tous mourir de faim plutôt que de demander l'aide de qui que ce soit. Heureusement, Micah et elle étaient plus raisonnables.

La solution la plus sensée serait de rentrer avec le reste du troupeau et de revenir pour Rebecca, mais la vieille femelle serait terrifiée toute seule. Elle se tuerait en essayant de les suivre ou serait dévorée par les loups.

Sadima plongea le seau dans l'eau claire et glaciale et le remplit en éclaboussant ses jambes. Sur le chemin du retour, elle se cogna le pied contre une roche et accueillit la douleur cuisante avec joie. C'était bien fait pour elle. Elle aurait dû se montrer plus prévoyante. Il aurait été plus logique de laisser Rebecca à la ferme, à l'abri. La chèvre était son amie, presque sa sœur. Assaillie de pensées désagréables, en larmes, Sadima escalada péniblement la pente. Elle était presque au sommet lorsqu'elle entendit quelqu'un crier son nom.

Elle pivota sur ses talons et vit un jeune homme sur la rive opposée. Il était vêtu d'une longue robe noire. Il enjamba le filet d'eau et vint dans sa direction.

— Êtes-vous Sadima Killip ?

Elle se pencha pour ramasser une pierre de la taille d'un poing.

— S'il vous plaît. Je suis venu de loin pour vous rencontrer.

Sadima essuya ses larmes et soupesa la pierre.

— Je ne parle pas aux magiciens.

Elle fit un pas en arrière, puis un autre. Son cœur battait de façon irrégulière dans sa poitrine. Elle se retourna et se mit à courir sans se soucier du seau qui lui heurtait douloureusement la cuisse. Le temps qu'elle rejoigne Rebecca sous les yeux des autres chèvres, elle avait renversé la moitié de l'eau. L'adolescente essaya de se calmer car elle ne voulait pas effrayer les bêtes. Elle reposa la pierre.

Malgré la proximité de l'eau, Rebecca n'ouvrit pas les yeux. Sadima se mordit la lèvre inférieure et regarda par-dessus son épaule. L'homme avait escaladé la moitié de la pente.

— Allez-vous-en, magicien ! cria-t-elle. Mon père et mon frère vous tueront s'ils vous voient ici.

— Je m'appelle Franklin, dit le jeune homme d'une voix distincte, comme s'il ne l'avait pas entendue. Cette chèvre est malade ?

Sadima secoua la tête, furieuse.

— Elle est en train de mettre bas. Je dois m'occuper d'elle.

Le magicien hocha la tête et s'arrêta à une longueur de chariot d'elle.

— Comment puis-je vous aider ?

Sadima attrapa la pierre, puis la laissa tomber.

— Vous ne pouvez pas, répondit-elle, le regard embué. Pas plus que moi. Elle est si faible.

Rebecca émit un grognement étouffé et résigné. Sadima frotta le cou de la vieille chèvre, essaya de la rassurer, de comprendre ce qui n'allait pas.

— Peut-être pourriez-vous lui prêter un peu de votre force, proposa le magicien d'une voix douce.

Sadima cligna des yeux, stupéfaite. Elle n'y avait jamais pensé. Elle savait que les animaux lui transmettaient un genre de fluide étrange ; elle avait ressenti cela toute sa vie.

— Si je pouvais inverser...

— Oui, acquiesça Franklin. Exactement.

Sadima posa les mains sur le museau de Rebecca. Comme d'habitude, un flot d'images et de pensées se déversa en elle.

Elle ferma les yeux, stoppa le flux et réussit à l'inverser : elle envoya à sa vieille amie toute la force et le courage dont elle disposait.

Pendant un long moment, rien ne se produisit. Puis Rebecca s'agita et ouvrit les paupières. Lentement, elle roula sur le ventre. Sadima s'assit sur ses talons et sourit à Franklin. Lui aussi souriait. Rebecca se secoua comme si elle s'éveillait d'une sieste.

La chèvre eut une contraction, qu'elle accompagna d'une poussée. Puis il y en eut une autre, et Sadima vit apparaître – puis disparaître – un minuscule sabot.

— Elle vous aime, expliqua Franklin. Nous pensons que cela facilite les choses.

Sadima l'entendait à peine. Trois contractions plus tard, deux petits sabots sortirent du corps de la chèvre. En quelques minutes, avec l'aide mesurée de Sadima, naquit le premier petit. L'adolescente attendit que le placenta sorte aussi, puis coupa le cordon ombilical et le noua avec un brin d'herbe. Le deuxième chevreau naquit plus facilement. Peu de temps après arriva un troisième petit, plus chétif, et un quatrième, une femelle aux os robustes et au pelage gris souris, une couleur inédite dans son troupeau.

Sadima les sécha tous à l'aide de touffes de linaigrette. Sans rien dire, le magicien l'aida : il l'observa d'abord avec attention, puis l'imita. Sadima se tamponna le visage avec un coin propre du carré de lin.

— Merci, dit-elle en relevant les yeux. Si vous n'étiez pas venu, elle serait morte. (Elle secoua la tête.) Quatre !

— Quatre petits, pour une chèvre, c'est rare ? s'enquit Franklin.

Sadima le regarda dans les yeux.

— Où vivez-vous donc pour ignorer combien de petits peut avoir une chèvre ?

— À Limòri.

Franklin lui sourit et Sadima se surprit à rougir. Elle voulait lui demander si les histoires que lui avait racontées Micah étaient vraies. Si on y croisait vraiment des gens à la peau verte et si les navires y étaient plus grands que des maisons. Au lieu de quoi elle se contenta de ramasser le plus petit chevreau et de le serrer dans ses bras pour lui tenir chaud. Les autres étaient couchés, endormis, contre leur mère. Rebecca léchait le petit gris.

—Je ne suis pas vraiment magicien, reprit Franklin. Somiss dit que personne ne l'est. Pas encore, en tout cas.

—Qui est Somiss? demanda Sadima.

Franklin contempla le ciel avant de la regarder dans les yeux.

—Mon maître. Je suis à son service depuis que nous sommes tout petits. C'est l'homme le plus intelligent qui soit. Des magiciens vous rendent-ils visite les jours de marché? Vous connaissez les vieilles histoires?

Sadima hocha la tête. Elle avait la chair de poule.

—Si vous parlez des contes que l'on raconte devant le feu, en hiver, ces histoires de guerres, de magiciens et de navires voguant sur l'océan, alors, oui, mon frère m'en a raconté quelques-unes.

—Somiss dit qu'elles sont au moins en partie vraies, reprit Franklin avec un sourire. Peut-être même complètement. (Il pencha la tête sur le côté.) Quand avez-vous compris que vous pouviez lire dans les pensées des animaux?

Sadima hésita, le regard plongé dans les yeux noirs de Franklin. Elle n'avait jamais pu en parler à quiconque. Elle avait essayé, des années plus tôt, mais son père l'avait punie car, avait-il dit, il n'aimait pas les mensonges. Micah, lui, était persuadé que le rat qui lui avait touché le visage n'était pas dans son état normal, qu'une maladie avait émoussé ses instincts. Et il avait raconté à leur père que seules sa petite taille et sa témérité lui avaient permis de calmer Timide, leur cheval.

Franklin soupira.

—Je sais que vous avez préféré garder le secret pour ne pas être accusée de mentir. Mais je sais aussi que tout cela est vrai.

Sadima détourna les yeux et fit mine d'admirer le ciel. Comment pouvait-il savoir des choses sur elle que ni son père ni son frère ne connaissaient ? Elle baissa la tête. Franklin attendait ; son beau visage respirait le calme et la bonté.

—Oui, acquiesça-t-elle doucement.

Franklin attendit encore, le regard rivé sur elle.

La tête baissée, Sadima répéta ce que Micah lui avait dit à propos du rat.

—J'avais à peine plus d'un an, à l'époque. Mon frère pense que le rat était malade. Mon père raconte qu'il m'a surprise un jour avec un coq sur les genoux ; l'animal me regardait droit dans les yeux. D'après lui, je le serrais si fort qu'il était presque mort. Mais je me souviens parfaitement de ce jour. Je ne le serrais pas fort du tout… Le coq et moi discutions. D'une étrange manière. Ce ne sont pas vraiment des pensées ou des mots, poursuivit-elle en relevant la tête, mais je les comprends. Je n'ai jamais eu peur des animaux.

—Pas même des serpents ni des loups ?

Elle secoua la tête.

—Un jour, je suis tombée sur une tanière abritant un louveteau, la mère n'était pas là. J'ai joué avec le petit, et lorsque la louve est rentrée, elle a compris que je ne lui voulais pas de mal. Elle était fatiguée et s'était absentée plus longtemps qu'elle l'aurait voulu.

Penché sur elle, Franklin l'écoutait avec attention. Sadima lâcha un soupir et lissa sa robe usée et sale.

—Pourquoi êtes-vous venu jusqu'ici ? Qu'est-ce que vous me voulez ?

—Nous avons entendu parler de la manière dont vous avez apprivoisé un cheval récalcitrant, répondit-il dans un sourire.

Sadima lui expliqua ce qui s'était passé ce jour-là et lui donna aussi la version de Micah.

—Somiss dit qu'il ne sert à rien de discuter musique avec un sourd, commenta Franklin. Entendez-vous des mots en esprit ?

Sadima cligna des yeux.

— Transmis par les animaux ? Jamais.

— Non, par les gens.

Sadima secoua la tête.

— Vous, si ? s'enquit-elle.

Le visage de Franklin s'illumina comme une bougie dans l'obscurité.

— Peut-être. Enfin, presque. Mais je crois que c'est possible, avec un peu d'entraînement. Un homme nous a raconté une histoire dont les personnages parlaient «en silence», comme il disait. Dans cette histoire, les magiciens communiquaient sans réellement parler. Vous imaginez ? Si les gens se comprenaient vraiment, il n'y aurait plus de cruauté, les guerres n'auraient plus lieu d'être…

— C'est justement ce que je me disais… à propos des animaux.

Soudain, Rebecca se releva tant bien que mal et, les pattes flageolantes, baissa la tête pour boire dans le seau.

Sadima sourit à Franklin.

— Merci beaucoup. (Elle était sur le point de lui demander s'il comptait rester à Ferne quelques jours, mais se ravisa.) Il faut que je rentre, ajouta-t-elle en regardant les petits chevreaux.

— Je serais heureux de vous aider à les porter. Si vos parents sont d'accord, j'aimerais bien passer la nuit dans votre grange. Limòri est loin. Et puis, peut-être pourrions-nous discuter encore ?

Sadima secoua la tête. Franklin attendit patiemment qu'elle reprenne la parole.

— Ma mère est morte en me donnant la vie, expliqua-t-elle sans trop savoir pourquoi elle prenait cette peine. La magicienne qui est venue l'aider nous a volés et l'a laissé mourir. Mon père et mon frère détestent…

— Évidemment, admit Franklin, affligé. C'est exactement le genre d'agissements auxquels Somiss voudrait mettre un terme.

Lui aussi les déteste. (Il examina le soleil en plissant les yeux, puis considéra Sadima.) La nuit ne va pas tarder à tomber. Laissez-moi vous aider à porter ces chevreaux sur une partie du chemin.

Reconnaissante, Sadima enveloppa le plus chétif des chevreaux dans le carré de lin et l'attacha sur son dos, puis elle souleva la petite femelle robuste, tandis que Franklin portait une bête sous chaque bras. Ils redescendirent lentement la colline et suivirent la route creusée d'ornières qui conduisait à la ferme. Rebecca ne tenait pas très bien sur ses pattes, mais elle avançait fièrement et donnait des coups de tête réguliers à Franklin pour lui rappeler de faire attention à ses petits. Le reste du troupeau les suivait. Lorsque les chèvres contournèrent un rondin couché sur le bord de la route, le jeune homme demanda à Sadima quelle en était la raison.

Elle fit un effort pour lire dans leur esprit et expliqua au magicien que les bêtes se rappelaient avoir été surprises une fois par un serpent caché derrière un rondin similaire.

Il la considéra comme si elle venait de lui offrir un cadeau.

—Vous êtes la preuve vivante que la communication silencieuse est possible entre les gens. Si seulement vous pouviez rencontrer Somiss. J'essaie de le convaincre d'étudier cette technique. (Franklin se pencha vers elle et lui déposa un baiser sur le front.) Je suis tellement heureux que vous n'ayez pas jeté cette pierre. Merci, Sadima.

Ses lèvres et sa voix étaient si chaudes que Sadima s'empourpra et sourit.

Arrivés au dernier tournant, ils s'arrêtèrent.

—Si Somiss a raison et que la magie peut vraiment être ressuscitée, alors plus personne ne sera pauvre, plus personne n'aura faim ni ne mourra jeune, la vieillesse ne sera plus synonyme de souffrance excessive. Et si je ne suis pas dans l'erreur à propos de la communication silencieuse, alors les guerres, les conflits et les meurtres disparaîtront, car les hommes se comprendront vraiment.

Son regard était illuminé de l'intérieur. Sadima sourit.

—Si les gens comprenaient ce que les animaux ont dans le cœur, ajouta-t-elle, ils seraient plus gentils. Les animaux sont si... (Elle chercha ses mots.)... honnêtes...

Franklin lui effleura la joue, et elle eut l'impression qu'il lui touchait le cœur.

—Si vous en avez la possibilité un jour, venez à Limòri. Vous pourrez peut-être nous aider à ressusciter la magie.

Sadima hocha la tête en silence, car une émotion qu'elle n'aurait su nommer lui serrait la gorge. Franklin l'aida à emballer les trois plus petits chevreaux dans le carré de lin, puis il lui mit la femelle plus robuste dans les bras. Ce n'était pas très pratique, mais elle n'avait pas vraiment le choix. Il lui tint la main pendant quelques secondes, tourna les talons et s'en fut. Sadima le regarda s'éloigner.

Ce soir-là, le salon lui sembla incroyablement petit, exigu, et le silence de son père assourdissant. Micah remarqua que quelque chose n'allait pas, aussi fut-elle contrainte de lui mentir, de lui raconter que la mise bas de Rebecca l'avait remuée.

La nuit venue, incapable de dormir, elle se glissa dehors et se tourna vers l'ouest, imaginant qu'elle habitait une grande et scintillante ville où personne ne la taquinait ni ne la traitait de menteuse parce qu'elle percevait les émotions des animaux. Elle voulait vivre dans un endroit où la tristesse de son père ne pèserait pas sur ses épaules à chaque moment de la journée, où elle pourrait se déplacer à sa guise et avoir des amis qui connaîtraient la vérité sur son don et l'apprécieraient pour cela. Peut-être même apprendrait-elle à communiquer en silence avec les gens. Au moins aurait-elle sa propre vie et Franklin aurait-il l'occasion de lui donner un vrai baiser.

Alors elle courba la tête et ses yeux s'emplirent de larmes. Papa mourrait d'inquiétude si elle partait, et Micah ne lui pardonnerait jamais. Sa vie était ici.

Chapitre 12

Face-de-poulpe regarda le magicien s'éloigner, se tourna vers moi, puis, sans me laisser le temps de dire quoi que ce soit, posa la main sur la poignée en argent de la porte. Elle avait la forme d'un espadon figé en plein saut ; ses écailles et ailerons étaient parfaitement reproduits. Toutes les portes avaient-elles des poignées similaires ? Je n'avais pas remarqué. Ou bien était-ce une plaisanterie en rapport avec l'odeur de mon camarade ?

Le garçon ouvrit la porte, entra, s'arrêta deux pas plus loin en laissant la porte grande ouverte.

—Est-ce notre chambre ? demandai-je tout bas, mais ma voix était encore trop forte à mon goût.

Il ne répondit pas. Je me penchai sur le côté pour voir ce que cachait sa grande carcasse osseuse. Il n'y avait pas de torche à l'intérieur, ni aucune autre source de lumière excepté le rectangle de la porte ouverte.

J'entrai à mon tour.

—Tu vois une lampe et de quoi l'allumer ? Il y a des lits ?

Pas de réponse.

Je voulus faire un pas supplémentaire, mais je trébuchai. La porte se referma bruyamment derrière moi.

— Qu'est-ce que tu fais? demanda soudain Face-de-poulpe dans les ténèbres absolues. Ouvre cette porte.

— Je ne l'ai pas fermée, répondis-je en cherchant la poignée. (Je tâtonnai longuement, la trouvai enfin, mais elle refusa de bouger.) Elle ne fonctionne pas.

— Alors c'est un genre de test, dit le garçon d'une voix calme et posée.

Je plissai les yeux pour essayer de le voir.

— Qu'est-ce que tu racontes?

— Ils veulent voir qui va avoir peur, qui va perdre son sang-froid…

— D'accord, d'accord, l'interrompis-je en essayant de paraître aussi calme que lui. Peut-être qu'il s'agit d'un test pour déterminer si l'un d'entre nous est capable de se déplacer dans l'obscurité pour trouver des lampes ou des bougies. Toi, tu commences à gauche et moi…

— Non, lâcha-t-il. Il pourrait y avoir des serpents.

— Il n'y a pas de serpents, rétorquai-je aussitôt pour l'empêcher d'en dire davantage.

Il était fou, il puait, et je ne voulais pas dormir dans la même chambre que lui. Je retournerais dans le couloir et je m'assiérais par terre jusqu'à ce que quelqu'un vienne. Je tendis le bras dans mon dos pour réessayer de tourner la poignée. Après une tentative infructueuse, je me retournai et j'étirai les deux bras. Rien. Je décrivis un tour sur moi-même, les bras écartés.

— Où es-tu?

Il ne répondit pas, mais je l'entendais respirer; son calme n'était donc qu'une façade. Cela me rassura. L'obscurité m'oppressait, et j'imaginais la montagne de roche au-dessus de ma tête.

— Je n'arrive pas à trouver la porte, dis-je. Il y a forcément des lits, une table, quelque chose avec une lampe dessus.

Toujours pas de réponse. Il dépassait les bornes.

—Ne fais pas l'idiot. Dis quelque chose, que je sache où tu es.

Silence.

—Je vais trouver cette lampe, repris-je entre mes dents serrées.

Je m'efforçai d'entretenir ma colère pour ne pas avoir peur. Je fis un pas en avant, puis un autre, les bras tendus, m'attendant à chaque instant à le bousculer.

Rien de tel ne se produisit. Peut-être l'avais-je contourné ?

Je fis un petit pas en avant, puis un plus grand. Il faisait si noir que je faillis perdre l'équilibre.

—Tu as trouvé quelque chose ? demandai-je sans le vouloir.

—Non, répondit le poissonnier.

Je me figeai, heureux qu'il ait répondu, mais étonné qu'il soit derrière moi. J'avais donc bel et bien bifurqué sur le côté après avoir dépassé la porte, puis je lui avais tourné autour. Je m'éloignai de la voix et m'arrêtai à chaque pas pour tâtonner devant moi.

—Je vais tourner à droite pour tenter de trouver un mur, repris-je à voix haute en espérant qu'il me répondrait. (Comme il ne dit rien, je repris :) Je dois être au beau milieu de la pièce. Je n'ai rencontré ni lit, ni bureau, ni quoi que ce soit d'autre. Et toi ?

—Non, répondit-il si doucement que je faillis ne pas l'entendre.

Je décrivis un quart de tour et fis un pas en avant.

—Fais attention, me mit-il en garde. Il pourrait y avoir des fosses remplies de scorpions. Ou d'autres créatures.

—Tais-toi, lâchai-je en essayant de contrôler les martèlements de mon cœur.

Les magiciens. Pourquoi nous infligeaient-ils cela ? Pour quelle raison voulaient-ils nous effrayer ?

—Tu devrais revenir à côté de moi, reprit Face-de-poulpe, qui se trouvait maintenant quelque part devant moi.

Je m'arrêtai.

— Tu as trouvé une lampe et tu veux me faire peur, c'est cela ?
(Il grogna.) D'accord, tu as gagné, repris-je. J'ai une frousse pas
possible. Allez, maintenant, tu peux allumer la lampe et…

— Je n'ai pas de lampe, m'interrompit-il. (Sa voix provenait
de derrière moi, à présent. Je n'y comprenais rien.) Combien de
pas as-tu faits ?

Je secouai la tête et tentai de réfléchir.

— Dix, peut-être quinze.

— Ne bouge plus, dit-il.

À présent, il était quelque part sur ma droite.

— Je ne bouge plus, confirmai-je en me tournant dans la
direction de sa voix. C'est toi qui n'arrêtes pas de bouger, d'aller
à gauche, à droite.

— Je n'ai pas bougé. Je n'ai fait que quatre petits pas depuis
la porte.

Je secouai la tête.

— Espèce de menteur.

Pas de réaction. Je l'entendis bouger, puis s'arrêter.

— Je ne suis pas un menteur et je ne trouve même plus la porte.

L'atmosphère était trop lourde, trop calme. Mon cœur battait
si fort que je me demandai s'il pouvait l'entendre.

— Tourne-toi en te laissant guider par ma voix, reprit-il.
Avance prudemment d'un pas et arrête-toi. À partir de maintenant, fais glisser tes semelles sur le sol et compte à voix haute
chacun de tes pas.

Je hochai la tête. C'était une bonne idée. Je suivis son conseil,
les jambes aussi raides que du bois.

— Un pas, dis-je. Dans ta direction. Enfin, je crois.

— Bien. Je vais faire la même chose. Un pas vers toi. Voilà.
Un pas.

— Deux, poursuivis-je à voix haute, en avançant vers la voix.

— Deux, répéta-t-il un peu plus à gauche que prévu.

—Trois, dis-je, le visage en sueur, en faisant glisser mon pied sur le sol.

—Trois. Je bifurque légèrement vers la droite, vers ta voix.

Nous avions parcouru chacun trente pas lorsque la porte s'ouvrit à la volée, heurtant mon dos au passage. Le magicien tenait une torche. Il se pencha à l'intérieur et éclaira la pièce.

Je considérai avec stupéfaction les murs, les lits disposés de part et d'autre d'une allée étroite. La chambre mesurait environ six pas de long et quatre de large.

—Venez avec moi, ordonna le magicien.

L'homme ressortit dans le couloir et se mit à marcher très vite. Face-de-poulpe lui emboîta le pas et je courus pour les rattraper.

Chapitre 13

Lorsque Sadima eut dix-sept ans, son père mourut. Les chants funéraires lui parurent bien ternes et lisses comparés aux silences pesants qui suivaient chaque couplet et qui, eux, auraient plu à leur père. La brume printanière suspendue entre le soleil matinal et la prairie était appropriée elle aussi. Seules onze personnes – des voisins – avaient fait le déplacement. La plupart étaient des enfants de Mattie Han. Une de ses filles, Laran, aux cheveux noirs, resta à côté de Micah toute la journée ; aussi Sadima finit-elle par comprendre ce qui, étrangement, lui avait échappé durant les trois dernières années. Elle était tellement absorbée par sa peinture, ses chèvres et ses rêves qu'elle n'avait rien vu. Son frère était amoureux.

Avoir des invités lui faisait un drôle d'effet. Tandis qu'elle entrait dans la maison, Sadima se rendit compte de deux choses : à présent que leur père reposait sous terre à côté de leur mère, elle n'avait plus de raison de cacher les encres et les peintures que Micah lui avait achetées au fil des ans. Rien ne l'empêchait plus de peindre sous le porche, au lieu de transporter son matériel dans les collines, où seules ses chèvres pouvaient la voir. Et rien n'empêchait plus Micah de se marier.

Il lui annonça son intention moins d'une semaine plus tard. Elle venait de terminer sa corvée d'eau et était fatiguée par les allers et retours entre la maison et le puits. Elle s'assit à côté de lui pour prendre son petit déjeuner à base d'orge bouilli et de lait caillé.

—Je veux épouser Laran.

Il se tut pour lui laisser le temps de répondre. En proie à un mélange de joie et de peur, elle ne put que hocher la tête.

—Laran fera tout pour que tu continues à te sentir à ton aise à la maison, reprit-il en se levant pour laver son bol.

Sadima acquiesça et considéra la cuisine, petite et nue, dans laquelle elle avait commencé chacune des journées de sa vie.

—Je sais, dit-elle à son frère. Laran est aussi gentille et bonne que Mattie.

Micah sembla étonné. S'était-il imaginé qu'elle tenterait de le dissuader de se marier ? Il reposa son bol, se versa une tasse de thé et se rassit.

—Sadima, à condition que tu ne trouves pas cela prématuré… (Il s'interrompit et chercha à croiser son regard.) Je suis désolé de te prendre de court, Sadima. Laran et moi craignions de mettre Père en colère. Nous attendons depuis si longtemps. Mais…

—Arrête, Micah. (Sadima agita la main pour balayer sa maladresse.) Tu n'as aucune raison de t'excuser. Maintenant que je sais que Laran sera avec toi, je vais pouvoir partir.

Sadima se demanda si elle pensait vraiment ce qu'elle venait de dire. Cela faisait trois ans qu'elle rêvait de quitter la ferme. Elle lâcha un soupir et regarda son frère qui fronçait les sourcils.

—« Partir » ? répéta-t-il d'un air stupéfait, comme s'il n'était pas certain de comprendre.

Sadima opina du chef. Toute sa vie, elle avait voulu être comme les autres, avoir une mère, un père qui parle, sourit et laisse ses enfants avoir des amis ; toute sa vie elle avait rêvé de ne pas avoir de secret à garder. À présent, tout ce qu'elle souhaitait, c'était partir quelque part où il y aurait des gens pour la comprendre. Micah était heureux, ici ; il pouvait tomber amoureux. Elle, non.

— Sadima, commença-t-il en secouant la tête. Ne pars pas. Les marchandes de Ferne gagnent à peine de quoi survivre. Je ne peux pas te…

— J'ai pris ma décision, rétorqua-t-elle avec calme.

Elle vit de l'inquiétude dans les yeux de son frère. Et autre chose. Du soulagement ? Sans doute. Cette maison était tout juste assez grande pour abriter une famille, et Laran voudrait se l'approprier.

— J'irai à Limòri.

Micah écarquilla les yeux, puis il fronça les sourcils.

— Je ne te le permettrai pas. Père disait toujours que…

— Notre père se haïssait et haïssait le monde entier. (Sadima se couvrit la bouche, choquée par la colère contenue dans sa voix. Elle regarda son frère droit dans les yeux.) Tu répétais tout le temps qu'il n'avait pas toujours été ainsi, mais moi, je n'ai connu que ce père-là. Il détestait tout.

Sadima se redressa, releva le menton et lui parla de Franklin. Il l'écouta sans l'interrompre, et elle vit ses poings se serrer.

— J'ai compris beaucoup de choses en discutant avec lui, poursuivit-elle lentement. Je ne suis pas comme tout le monde, Micah ; il m'arrive de…

— Mattie Han aussi est douée avec les animaux, l'interrompit-il. Elle a le cœur bon, c'est tout.

— Non, insista Sadima, déterminée à le convaincre, à gagner son pardon. Je ressens ce qu'ils ressentent. Je les comprends.

Discuter avec Franklin m'a changée pour toujours. Il m'a comprise, et je…

Micah jeta sa tasse à travers la pièce et celle-ci se brisa dans l'âtre.

—Un homme qui dit que la magie existe ? cria-t-il. Est-il à Limòri ? Est-ce pour le rejoindre que tu veux partir ?

Sadima hocha la tête, effrayée.

—Depuis combien de temps prépares-tu ton départ ?

La colère, sur son visage, était comme une tempête. Sadima retint ses larmes et secoua la tête.

—Je suis content que papa soit mort, reprit Micah d'une voix sèche. Son cœur s'est brisé le jour de ta naissance. D'ailleurs, s'il n'était déjà mort, tu l'aurais tué. Après ce que cette magicienne a fait à maman…

Sa voix s'était éteinte. Sadima ne parvint pas à trouver les mots pour apaiser la souffrance qu'elle lisait dans ses yeux. Il sortit en claquant la porte si fort que la fenêtre vibra.

Toute tremblante, Sadima s'enferma dans sa chambre, la chambre qui l'avait vue naître, la chambre où sa mère était morte. Elle emballa ses affaires dans son plus vieux châle. Dans une boîte en bois ayant appartenu à sa mère, elle rangea ses pinceaux et quelques-unes seulement de ses peintures. Micah lui avait apporté les petits pots en terre un à un, en secret ; il les lui avait achetés avec ses propres économies, de l'argent qu'il avait volé ou gagné en vendant leur lait. Peut-être aurait-il un enfant, un jour, qui se servirait des pots qu'elle n'emporterait pas.

Sadima mit longtemps à se préparer ; son corps était lourd, de bois. Le soir arriva enfin. Elle s'installa dans la pièce de devant, certaine que Micah voudrait lui parler, qu'il lui donnerait une chance supplémentaire de s'expliquer.

Mais il ne vint pas.

Elle s'endormit sur sa chaise, dans la maison vide.

Le matin suivant, elle nourrit les animaux, pleura en faisant ses adieux aux chevaux et aux chèvres, puis elle prit la route de Limòri.

Chapitre 14

Le magicien tenait une torche et avançait si vite que nous avions du mal à le suivre. Une centaine de pas plus loin, plus aucune lumière n'éclairait les murs froids, et le couloir devint aussi noir que de l'encre. Se laisser distancer d'un ou deux pas signifiait se retrouver hors du globe lumineux et mouvant de la torche du magicien. L'homme tourna brusquement, et Face-de-poulpe faillit tomber en le suivant dans un tunnel transversal. Je vis furtivement son visage et me rendis compte que ses lèvres bougeaient. J'oubliai ma peur un instant et me concentrai. Nous avions tourné à droite. J'en pris note mentalement. *Droite.*

Il faisait plus froid dans ce tunnel et je sentis une faiblesse dans mes genoux. J'étais un peu nauséeux. Le magicien ne se retourna pas une seule fois. Et si je devais m'arrêter pour vomir ? M'attendrait-il ? Devant et derrière nous, tout n'était que ténèbres. Le magicien tourna à gauche, et nous en fîmes autant. *Droite. Gauche.* J'accélérai un peu le pas pour rattraper mon retard et je me rendis compte que le passage était en pente. Nous nous enfoncions dans les profondeurs de la roche.

Nous nous retrouvâmes face à une fourche, et l'homme prit à gauche. Presque immédiatement après, il tourna de nouveau à gauche à quatre-vingt-dix degrés. *Droite, gauche, légèrement à gauche, puis encore à gauche.* Avions-nous décrit un cercle? Je récitai la séquence au rythme de mes pas, ce qui me calma un peu. Mais soudain nous tournâmes à droite, puis à gauche, puis nous traversâmes un tunnel rectiligne avant de prendre à gauche. Les trois virages suivants se succédèrent aussi rapidement que les précédents, et la séquence se brisa, se décomposa dans mon esprit. J'essayai de la reprendre depuis le début, de remettre les tournants dans l'ordre, mais je n'en étais qu'au quatrième lorsque le magicien tourna de nouveau. J'étais perdu. L'estomac retourné, je jetai un œil à Face-de-poulpe.

Il continuait à remuer les lèvres.

Mes yeux me piquaient, mais je ne pouvais pas, je ne voulais pas pleurer. Tout ceci ne durerait pas plus de quelques jours. Les magiciens avaient simplement décidé de nous faire peur, de nous impressionner pour que nous nous tenions tranquilles. J'expirai lentement et je me sentis mieux. Oui, c'était forcément cela. C'était la seule explication possible.

Le magicien s'arrêta si brusquement que je lui rentrai dedans. Il me regarda comme si j'étais du crottin de cheval collé à la semelle de sa botte. Il désigna d'un grand geste une large porte voûtée et dit:

—Attendez ici en silence.

Puis il disparut.

Face-de-poulpe entra le premier, évidemment. Je le suivis. La salle était grande et baignait dans une lumière froide provenant des torches accrochées très haut sur les murs; toutefois, le plafond était si haut que la lumière ne l'atteignait pas. Quatre garçons se tenaient au centre de la pièce; parmi eux, Levin et celui qui me rappelait un peu mon frère. Ils chuchotaient. Un grand type aux cheveux blonds essayait de convaincre ses camarades de quelque chose, semblait-il. Levin et les deux autres l'écoutaient avec attention.

Un autre groupe de quatre se tenait contre le mur. Un gars mince aux épaules étroites et aux fins cheveux bruns parlait à un garçon plus petit que nous tous. Soudain, il se mit à me scruter ; je détournai les yeux.

À cet instant, une voix rauque couvrit tous les chuchotis.

— Qui parmi vous ne comprend pas le sens du mot «silence»?

Tout le monde se tut aussitôt. C'était le magicien qui nous avait accueillis. Je le regardai attentivement. Il paraissait jeune, mais sa voix était celle d'un vieillard proche de la mort.

— Déshabillez-vous.

Un murmure enfla et se dissipa sans qu'il ait eu à dire quoi que ce soit. Personne n'esquissa le moindre geste. Nous nous regardâmes les uns les autres, puis nous tournâmes vers le magicien. Alors, je vis Face-de-poulpe commencer à défaire le nœud de sa tunique. Les autres piétinaient, hésitants. Lorsque, d'un mouvement d'épaules, il fit glisser sa chemise en lambeaux le long de son torse nu, le magicien hocha la tête et désigna le sol. Obéissant, le garçon jeta sa tunique devant lui et fit un pas en arrière pour retirer ses chaussures à la semelle fine et son pantalon. Quelques élèves l'imitèrent, tournèrent le dos à leurs camarades et déboutonnèrent leur chemise.

Je levai mes mains vers le devant de ma chemise. Elle était en lin brossé, aussi douce que les ailes d'une colombe. Ma mère serait en colère si elle savait que j'étais sur le point de la jeter sur un sol sale et caillouteux. Les boutons semblaient récalcitrants sous mes doigts maladroits, mais je finis par les défaire, et me débarrassai de ma chemise, de mes chaussures et de mon pantalon. La pierre était froide sous mes pieds nus. Je regardai autour de moi. Nous nous étions tous écartés les uns des autres pour nous déshabiller.

Lorsque tous nos vêtements furent empilés, nous attendîmes, tremblant de froid, devant le magicien. Il pointa alors un doigt vers nos affaires ; brusquement, une spirale de fumée s'éleva du centre du monticule.

—Vous avez été choisis parmi des milliers, mais seul l'un d'entre vous deviendra magicien, dit-il lentement. Ou, plus probablement, aucun.

Le feu se propagea, couvrit nos visages d'ombres rouille et or, tandis que la fumée s'élevait dans les airs. Le magicien laissa les chuchotis reprendre avant de se racler la gorge et d'ajouter :

—Ne vous entraidez pas.

Je l'observai attentivement. Bien sûr, aucune école n'autorisait la tricherie. Était-ce ce qu'il avait voulu dire ? Ou bien n'avions-nous pas le droit de travailler ensemble ? Dans ce cas, pourquoi ne pas nous avoir donné des chambres individuelles ?

Les flammes grossirent soudain, et nous fîmes tous quelques pas en arrière pour nous tenir éloignés de la lumière ambrée qui révélait notre nudité ; tous, sauf Face-de-poulpe. Lui se rapprocha encore du mur de feu et tendit les bras pour se réchauffer les mains. Puis il pivota sur ses talons pour se réchauffer le dos. Le magicien partit d'un rire tonitruant qui me surprit et me fit mal aux oreilles.

Soudain, il s'évanouit.

Pour de bon. Il n'était pas sorti par la porte, n'avait pas glissé dans les ténèbres. Il avait disparu. Il était là et, l'instant d'après, il n'y était plus. J'étais en train de le regarder, la haine montait en moi, quand il avait brusquement sombré dans le néant. Là où il se tenait une seconde plus tôt, je ne voyais plus que du vide.

Un moment passa, puis un autre, et les murmures reprirent. Bientôt, on parla à voix haute. Nous étions mal à l'aise ; nous nous parlions sans réellement nous regarder.

Dans le groupe de Levin, le grand garçon blond dit qu'il pensait être capable de retourner à sa chambre. Les trois autres parurent soulagés.

— Eh, Hahp! Il t'a emmené dans le même coin que nous ? me demanda Levin lorsque nos regards se croisèrent.

— Probablement pas, répondis-je en haussant les épaules. Vous êtes tous dans la même chambre ?

Levin acquiesça et désigna le garçon qui connaissait le chemin du retour.

— Nous étions par deux mais, derrière la porte, il y avait un passage qui conduisait à une chambre dotée de quatre lits…

— Derrière notre porte, l'interrompit le garçon aux cheveux bruns, il y avait un trou taillé dans la pierre. Nous nous sommes faufilés à l'intérieur et avons débouché dans leur chambre.

Il désigna Levin et le garçon qui se tenait à côté de lui.

J'écoutai avec attention, plein d'espoir, mais aucun ne raconta qu'il s'était perdu dans les ténèbres.

Le premier groupe de quatre s'était éloigné, et j'entendais à peine leur conversation ; toutefois, il était clair qu'ils se disputaient. Peut-être qu'aucun d'entre eux ne connaissait le chemin du retour. Je considérai Face-de-poulpe, qui n'avait pas ouvert la bouche.

— Tu connais le chemin ? lui demandai-je. J'ai essayé de retenir l'itinéraire, mais…

— Ne l'as-tu pas entendu ?

— Il ne voulait pas dire que nous…

— Si. C'est exactement ce qu'il voulait dire. Un seul sur dix. Ou aucun, si nous ne le méritons pas.

Il tourna les talons et sortit de la salle. Quelques battements de cœur plus tard, je lui emboîtai le pas. Comme les torches étaient allumées, je le vis se mettre à courir. Je l'imitai en tentant d'oublier la peur étrange que suscitait en moi ma nudité. La pierre était froide, rugueuse et me faisait mal aux pieds à chaque pas. Face-de-poulpe ralentissait un peu avant chaque tournant, aussi ne le perdis-je pas de vue. J'étais presque

84

certain qu'il voulait que je le suive car, lorsqu'il déboucha dans la dernière ligne droite, il allongea sa foulée et me distança sans peine.

Il laissa la porte d'entrée ouverte. Je m'arrêtai tant bien que mal, heureux de ne pas m'être perdu dans ce labyrinthe de tunnels sans fin. Puis j'hésitai, réticent à l'idée de retourner dans cette chambre. J'ignorais comment ils s'y étaient pris pour nous donner l'impression que la pièce était gigantesque… Le même phénomène allait-il se reproduire ?

— Ils nous ont laissé des lampes, dit-il.

Je me penchai à l'intérieur. Il se tenait devant la sienne, allumée, et me regardait : il semblait aussi à son aise nu comme un ver qu'habillé. Ma lampe était posée sur un bureau de l'autre côté de la chambre. Je m'en approchai en restant dans l'ombre pour dissimuler ma nudité. Deux énormes livres étaient posés sur chaque bureau. Sur les lits, j'aperçus des robes, plus grossières et plus petites que les tenues portées par les magiciens. Elles étaient sombres, d'une couleur ocre sale qui rappelait celle de la merde. Le messager enfila la sienne.

Je lui tournai le dos et passai la mienne, reconnaissant de pouvoir enfin me couvrir. Soudain, je me mis à me gratter. Le tissu était aussi rêche qu'un sac de grain. Je m'assis au bord de mon lit et j'examinai mes pieds ensanglantés. Mon compagnon de chambrée s'installa à son bureau de planches, face au mur. Il ouvrit un des deux épais volumes à la première page et se mit à lire. Je jetai un œil au titre : *Les Chants des Anciens.*

Je me penchai pour me toucher la plante des pieds. Le sang était déjà collant ; il séchait. Les coupures n'étaient pas profondes, la pierre m'avait juste écorché. Je regardai mon voisin une dernière fois, puis m'allongeai pour scruter les ténèbres qui dissimulaient le haut plafond voûté au-dessus de nos têtes. Bien sûr que le messager savait lire, autrement, il ne serait pas là. Mais où avait-il appris ? Il n'y avait pas d'écoles dans le quartier sud de Limòri. Il n'y en avait pas non plus dans les villages voisins. La plupart des gens n'apprenaient pas à lire. Les garçons avec qui j'étais allé à l'école avaient des pères suffisamment riches pour leur payer une éducation : certains possédaient des navires et des entrepôts, comme le mien, d'autres bénéficiaient d'octrois royaux qui leur permettaient d'importer des herbes aromatiques et du thé, d'autres encore exploitaient des plantations de vanille dans le Sud, ou d'immenses champs de lin et des forêts, au Nord, où l'on pratiquait encore le commerce d'esclaves. Face-de-poulpe était-il un prince de la côte des Orchidées ? Dans ce cas, pourquoi était-il vêtu comme un mendiant ?

Je me retournai, et la robe rugueuse me griffa la peau. Peut-être son père, riche prêtre éridien, lui avait-il interdit de s'inscrire dans cette école ? Les Éridiens n'avaient que faire de la magie. Je soupirai. Oui, cette explication me convenait mieux que les autres. Il s'était peut-être caché dans le quartier sud pour que son père ne puisse pas l'empêcher de s'inscrire à l'académie.

Il lisait toujours. Je commençai à réfléchir. Que nous réservaient encore les magiciens ? De toute évidence, ce ne serait pas moi qui sortirais vainqueur parmi les dix, alors que feraient-ils de moi ? Je fus parcouru d'un frisson. La moindre parcelle de ma peau me picotait à cause de cette fichue robe. J'avais tellement peur. Mes pensées se firent de plus en plus bruyantes, se transformant en hurlements dans mon crâne.

— Tout va bien se passer, murmurai-je, les yeux fermés.

Répéter les mots que me disait ma mère quand, petit, je faisais des cauchemars, était une façon de me réconforter. Je me mis à lui raconter que j'avais peur, je lui parlai de Face-de-poulpe, du magicien et de ce qu'il nous avait fait subir. Je lui parlai de ma chemise. Aussi bête que cela puisse paraître, murmurer ces mots dans les ténèbres me fit du bien. Mon esprit se calma, s'embrouilla, et je m'endormis.

Chapitre 15

Sadima avait commencé par suivre la voie creusée d'ornières que les fermiers du coin empruntaient pour aller à Ferne les jours de marché, et elle s'était retrouvée sur la route plus large qui bifurquait vers l'ouest. Elle s'était arrêtée longuement aux croisements pour regarder en arrière. Jamais elle n'était allée si loin de chez elle, si loin de son frère. Elle était mal à l'aise, comme si le sol était trop fin et cassant pour supporter son poids ; toutefois, elle continua.

Elle déboucha ensuite sur une vraie route, où il lui arrivait d'être dépassée par des chariots et des voitures entre trois et quatre fois par jour. Elle la longea pendant six jours, s'habituant progressivement au poids du baluchon qui contenait tout ce qu'elle possédait. À chaque croisement, elle s'arrêtait pour demander son chemin à une âme charitable, ou bien choisissait de suivre la route qui lui semblait la plus fréquentée.

Elle se nourrissait de baies et de pain : elle en avait pris un avant de partir. Elle s'arrêta même une demi-journée pour peindre deux études de fleurs sauvages, qu'elle donna à une femme de fermier émerveillée en échange d'un quart de meule de fromage. La nuit, elle dormait parmi les arbres, le long de la route, se changeait de temps à autre : elle possédait trois robes, dont une, toute trouée et tachée, qu'elle mettait toujours pour peindre. Les jours de beau temps, lorsqu'elle passait près d'un ruisseau, elle en profitait pour faire sa lessive aussi bien qu'elle le pouvait, portant sa robe déchirée pendant que les deux autres séchaient sur des buissons.

Après le sixième jour, elle n'eut plus besoin d'aide pour trouver son chemin. La plupart du temps, il y avait un chariot ou une voiture en vue et, les jours de marché, la route était encombrée de charrettes chargées de courges vertes, de pommes, de gros navets, de balles de peaux de moutons, de tissus et de bien d'autres marchandises. Alors elle continua à avancer. Limòri. Quel nom merveilleux. Il sonnait comme aucun autre. Là-bas, tout serait extraordinaire, elle en était certaine. La ville s'étirait en bord de mer. Avant d'arriver à Limòri, les bougeoirs de sa mère avaient traversé l'océan à bord d'un genre de grand bateau qu'on appelait un vaisseau. Lorsqu'elle pensait à la mer, à cette étendue d'eau tellement vaste qu'on n'en voyait pas les limites, elle avait la chair de poule.

À mesure qu'elle avançait, la campagne changeait, devenait plus plate, et la terre plus noire. Les fermes étaient riches, prospères. Les ruisseaux étaient bordés d'asperges et de mûres : elle mangeait des deux presque tous les jours. Dans les prés poussaient des lauriers-sauce ; par habitude, elle arracha quelques brins afin d'en récupérer les feuilles pour les faire sécher. Elle cueillit de l'aneth et de la marjolaine, et déterra aussi un peu d'ail sauvage. Lorsqu'elle en trouvait au bord de l'eau, elle mangeait de l'oseille et du pourpier. Là où il y avait de l'ombre et de l'humidité, elle trouvait systématiquement de la menthe ; celle-ci embaumait l'atmosphère, en particulier les matins brumeux. Elle en ramassa autant qu'elle put et la fit sécher, puis elle la stocka, avec ses herbes aromatiques, dans des sachets qu'elle tissait le soir avec des herbes hautes.

Le quinzième jour, mêlée au parfum de menthe omniprésent, elle sentit une odeur étrange de fumée, de sel et de poisson qu'elle associa immédiatement à la mer. Un soir, tandis qu'elle s'éloignait de la route pour étendre sa couverture et dormir, elle remarqua une lueur à l'horizon. Deux nuits plus tard, elle l'identifia par sa couleur : du feu. Étaient-ce des torches ?

Le matin suivant, une femme vêtue d'une jolie robe bleue fit arrêter sa voiture à sa hauteur ; les grandes roues grincèrent tandis que les chevaux ralentissaient.

— D'où venez-vous ? demanda-t-elle à Sadima.

— De Ferne, là-haut, dans les collines, répondit celle-ci. Je vais à Limòri.

Elle examina la voiture ornée de magnifiques volutes acajou et or, de taquets et de freins en cuivre poli.

Lorsqu'elle releva la tête, la femme souriait, les yeux grands ouverts.

— J'imagine que vous marchez depuis près de quinze jours. Voyagez-vous seule ?

Sadima hocha la tête.

— Mais je connais quelqu'un en ville. Il s'appelle Franklin. Il m'a proposé de le rejoindre là-bas.

Un voile de pitié recouvrit furtivement le visage de la femme. Sadima savait que son explication était un peu légère. Et encore, l'inconnue ignorait qu'elle n'avait rencontré Franklin qu'une fois, trois ans plus tôt.

— Ce Franklin est-il un Éridien ? demanda-t-elle, laconique.

Sadima fit « non » de la tête, hésitante. Elle entendait ce mot pour la première fois.

— En êtes-vous sûre ? insista la femme. Les Éridiens sont mauvais. Mon mari dit qu'ils font venir en ville des filles de la campagne et les forcent à se marier.

— Non ! rétorqua Sadima avec emphase, ce n'est pas un Éridien.

La femme claqua des doigts. Le valet descendit pendant que le conducteur immobilisait les magnifiques chevaux couleur châtaigne qui s'agitaient.

—Venez, reprit la femme. Vous pourrez reposer vos pieds.

Sadima était stupéfaite. Voir une voiture tout droit sortie d'un conte de fées était déjà impressionnant, mais monter à son bord… Les banquettes étaient tapissées de velours vert, moelleuses, douces. Et les chevaux ! Jamais elle n'en avait vu de si beaux. Leur poil était lustré, superbement entretenu, et ils avaient la tête bien haute. Elle les considéra longuement et ressentit leur fierté et leur force. Ils n'avaient pas voulu s'arrêter et étaient pressés de reprendre la route. Ils n'avaient peur de rien.

Les joues rouges, honteuse à cause de sa robe en coton souillé, Sadima laissa le valet l'aider à se hisser sur le marchepied de la voiture. Elle s'assit maladroitement en face de l'inconnue en serrant le châle taché qui contenait ses affaires. La femme fit un geste, et le conducteur lâcha les rênes. La voiture s'ébranla, et les chevaux repartirent au trot. Sadima tourna la tête pour regarder par-dessus son épaule.

—Vous pouvez vous asseoir à côté de moi, si vous le souhaitez, dit la femme. Personnellement, je déteste ne pas être dans le sens de la marche. Cela me donne la nausée.

Sadima se leva et changea de place. La banquette était large, et elle prit place aussi loin de la femme que possible. Un fort parfum de rose l'enveloppa. Sadima serra ses bras contre sa poitrine ; elle espérait que son odeur ne souillerait pas la douce atmosphère matinale. Elle essaya de trouver quelque chose à dire, mais sans succès. La femme rompit le silence en lui demandant son âge.

—J'ai dix-sept ans, répondit poliment Sadima.

Elle avait du mal à ne pas écarquiller les yeux. La robe de la femme était ornée de broderies si fines et délicates qu'elles semblaient irréelles. Qui pouvait travailler avec autant de précision ?

Ses chaussures étaient faites d'un genre de cuir extrêmement doux et brillaient comme des galets au soleil. Soucieuse de ne pas dévisager davantage sa bienfaitrice, Sadima détourna le regard vers la campagne qui défilait. Elles roulèrent en silence pendant un certain temps, jusqu'à ce que la femme lui demande son nom et si ses parents savaient où elle se trouvait.

Sadima lui dit comment elle s'appelait, puis elle hésita.

—Je n'ai plus de parents, ajouta-t-elle, avant de s'enfermer dans un mutisme douloureux. Mon père est décédé récemment, reprit-elle enfin. Ma mère, elle, est morte quand...

Sa gorge se serra de nouveau ; elle était incapable de parler de sa famille, de sa maison. Des larmes lui montèrent aux yeux.

—Pauvre petite orpheline, dit la femme.

Sa voix était si empreinte de pitié que Sadima se détourna et fit semblant de regarder les minuscules hameaux qui se succédaient le long de la route. « Orpheline. »

La femme ne reprit la parole que lorsque les chevaux commencèrent à gravir la butte qui surplombait Limòri. D'immenses falaises dominaient la ville à une extrémité, et Sadima aperçut un scintillement entre les arbres qui bordaient la chaussée. Était-ce la mer ?

—Êtes-vous déjà venue en ville ? À Limòri ou ailleurs ?

Sadima secoua la tête tandis que la voiture entamait sa descente. Elle aurait voulu se montrer polie, discuter avec cette femme, mais elle semblait en être incapable. Le silence qui s'était installé entre elles lui permettait d'observer le paysage en détail.

Elle vit d'abord des fermes plus modestes, puis minuscules, et enfin des maisons. Ces dernières semblaient de plus en plus serrées les unes contre les autres à mesure que les bêtes cuivrées avançaient. Bientôt, les fiers chevaux furent contraints de ralentir et d'avancer au pas ; la route fourmillait de centaines de charrettes.

Sadima était pour le moins stupéfaite. Il y avait à Limòri des bâtiments aussi hauts que trois ou quatre maisons empilées les unes sur les autres, et constitués de blocs de pierre sombre. Les ancêtres des habitants de ces demeures appartenaient-ils au peuple qui avait érigé les murs de pierre circulaires autour de Ferne ?

Sadima ne pouvait s'empêcher de regarder autour d'elle. Il y avait des boutiques et des marchands partout, et les femmes étaient toutes vêtues de robes finement ouvragées aux couleurs vives.

— Je trouverai Franklin sur la place du marché. Savez-vous où elle se trouve ?

La femme hocha la tête et donna des instructions au conducteur. Celui-ci fit claquer son fouet au-dessus des chevaux et relâcha la rêne extérieure pour leur faire prendre le virage suivant. Les rues plus étroites étaient encombrées de charrettes remplies de fruits que Sadima n'avait jamais vus et de tissus aux couleurs incroyablement variées. Elle se demanda comment on pouvait obtenir toutes ces teintes. Et puis, il y avait des choses qu'elle était incapable de nommer. De très nombreuses choses.

Les chevaux ralentirent et avancèrent au pas en agitant leur crinière au milieu d'un encombrement de chariots. Sadima se sentit toute petite. Il y avait plus de gens sur cette place qu'elle en avait vu de toute sa vie. À qui s'adresserait-elle ? Soudain, elle aperçut une robe noire et se leva à moitié. La femme haussa un sourcil.

— Ici ?

Sadima hocha la tête.

— S'il vous plaît. Je vous remercie infiniment pour votre gentillesse.

— Je m'appelle Kary Blae, dit la femme. J'habite les coteaux de Ferrin. N'importe qui pourra vous dire où cela se trouve. Si vous avez besoin de quelque chose, dites au garde que je vous ai fait appeler, et donnez-lui votre nom. Arrêtez-vous, cocher !

—Merci, répéta Sadima comme les chevaux s'immobilisaient, martelant le sol de leurs sabots et agitant la queue.

Elle ramassa son baluchon et sauta de la voiture sans laisser au valet le temps de l'aider.

Chapitre 16

Le magicien frappa à la porte.

Je me redressai brusquement, le cœur battant à tout rompre. Était-ce le matin ? Peut-être. J'avais faim. Je me frottai le visage et scrutai les ténèbres en clignant des yeux. J'avais le cou ankylosé : nous n'avions pas d'oreiller. J'entendis Face-de-poulpe manipuler sa lampe. Je n'avais pas encore touché à la mienne. Pendant combien de temps était-il resté à son bureau à lire et à étudier avant d'aller se coucher ?

Le magicien frappa de nouveau. Je lui criai que nous arrivions aussi vite que possible.

Au moment où la lumière inondait la chambre, je fis basculer mes jambes hors du lit et sentis une douleur cuisante envahir mes pieds meurtris. Être totalement nu sous ma robe grossière m'était très désagréable. Mes cuisses frottaient l'une contre l'autre quand je marchais. La robe me griffa le pénis lorsque je levai les bras pour m'étirer. Je faillis tomber en marchant sur l'ourlet. Combien de temps cela allait-il durer ? J'entendis Face-de-poulpe uriner et je vis un pot de chambre que je n'avais pas encore remarqué. Puis il s'accroupit au-dessus du pot, et une odeur pestilentielle envahit toute la pièce. Quand il eut terminé, je me soulageai à mon tour en refrénant mon envie de vomir. Lorsque je me retournai, il faisait face au lavabo encastré dans le mur et doté d'un robinet argenté un peu plus rudimentaire que ceux que nous avions à la maison.

Le magicien frappa une troisième fois à la porte.

Je me penchai pour chuchoter :

—Dépêche-toi !

—Où est l'eau ? chuchota en retour mon camarade en me regardant par-dessus son épaule.

J'hésitai car je n'étais pas certain de comprendre. Un fils de bonne famille – quel que soit son pays d'origine – ne pouvait pas ne pas savoir faire fonctionner un simple robinet. Mon père m'avait dit un jour que certains Éridiens haïssaient tout ce qui était l'œuvre des magiciens. C'était peut-être l'explication de son ignorance. Face-de-poulpe était un Éridien envoyé ici pour étudier tout ce que son père détestait. Je tendis le bras et j'actionnai le robinet ; de l'eau claire coula dans le bassin.

Il écarquilla les yeux, se pencha au-dessus du lavabo pour s'éclabousser le visage, mais heurta le robinet avec sa tête ; l'eau cessa de couler, ce qui parut le surprendre. Il rouvrit le robinet comme il m'avait vu le faire, puis le referma. Avant de me céder la place, il essaya le robinet à deux autres reprises. La dernière fois, il l'ouvrit puis le referma d'un doigt, comme l'aurait fait un bébé pour s'amuser. Des serviettes rugueuses étaient suspendues au mur. Il n'y avait pas de savon. Il se sécha le visage pendant que je refaisais couler l'eau. Elle était glaciale.

Je me lavai à la hâte en me demandant pourquoi les magiciens utilisaient des pots de chambre et se contentaient d'eau froide comme les habitants du quartier sud. Je me redressai pour m'essuyer le visage et j'entendis le poissonnier ouvrir la porte. Je me retournai et vis le magicien ; il tenait une torche très haut au-dessus de sa tête. Sans dire un mot, il s'engagea dans le couloir. Face-de-poulpe lui emboîta aussitôt le pas.

Je courus pour les rattraper sans penser à mes pieds blessés et douloureux. Courir sans rien sous ma robe était déstabilisant ; ma chair était secouée dans tous les sens. Le messager avançait à grands pas. Son visage m'apparut de profil à mesure que je le rattrapais. Il souriait. Je n'en croyais pas mes yeux ! Pourquoi souriait-il ? Parce qu'il avait froid, faim et peur ? J'étais si surpris que je marchai de nouveau sur l'ourlet de ma robe et tombai à genoux. Je me relevai rapidement en sentant les picotements d'une vilaine éraflure. Il ne manquait plus que cela. Après mes pieds, mon genou me ferait souffrir pendant deux jours. Mon camarade de chambre et le magicien ne ralentirent pas un instant, ne se retournèrent pas une seule fois. Ni l'un ni l'autre ne me lancèrent le moindre regard lorsque je les rattrapai.

Je m'efforçai de garder les idées claires, de voir dans les ténèbres qui s'étendaient devant moi. J'essayai désespérément de retenir cet itinéraire. Cette fois-ci, cependant, le magicien ne prit pas de virage pendant un long moment ; nous allions tout droit.

La torche – notre seul réconfort dans l'obscurité – éclairait les parois du couloir. Soudain, nous tournâmes à droite dans un passage plus large et – merveille des merveilles – illuminé par des torches fixées aux murs. La lumière me remonta le moral, et j'attendis avec impatience que surviennent d'autres tournants. Mais il n'y en eut pas. Un virage à droite, et le magicien s'arrêta brusquement devant une ouverture dans la pierre. Il la désigna du doigt et s'en fut.

Je me sentais fébrile tant j'étais soulagé. Peut-être le trajet si déroutant du premier jour n'avait-il été qu'un genre de test. Peut-être Face-de-poulpe avait-il raison et... Je me rendis soudain compte qu'il me dévisageait. Et il ne souriait plus du tout.

—Hahp Malek, commença-t-il à voix basse. Je m'appelle Gerrard da Masi. Et non pas «Face-de-poulpe». Ne l'oublie pas. Enfin, si tu vis assez longtemps pour te rappeler quoi que ce soit...

Il me tourna le dos, s'enfonça dans le passage et disparut dans l'obscurité. Il me fallut quelques secondes pour reprendre mes esprits. Je n'étais pas étonné qu'il connaisse mon nom ; il avait vu la voiture de mon père. Lui seul possédait des poneys blancs, et le nom des Malek était connu pour cela, et pour des dizaines d'autres raisons. De plus, Levin m'avait appelé par mon prénom. Cependant... La nuit passée, avais-je eu peur au point de murmurer « Face-de-poulpe » assez fort pour qu'il m'entende ? Qu'avait-il entendu d'autre ? Ma conversation imaginaire avec ma mère ?

Je m'empourprai et sentis mon estomac se contracter. Je m'engageai dans le passage et me figeai aussitôt devant un mur de pierre en me maudissant de n'avoir pas fait davantage attention. Alors, sans prévenir, le mur s'ouvrit.

Cela semblait impossible, et pourtant... Il ne glissa ni d'un côté ni de l'autre comme les lourdes portes en acacia de la maison. Un disque de roche se mit à scintiller et céda la place à une ouverture aux contours parfaitement lisses, comme si la matière avait fondu sans qu'aucune chaleur s'en dégage. Mon père n'avait jamais entendu parler de ce prodige, j'en étais certain, autrement, il l'aurait déjà acheté.

Je passai de l'autre côté et me rendis compte que tout le monde était déjà là, assis en demi-cercle devant un magicien qui posa sur moi un regard intense. Ses cheveux coupés très court étaient aussi blancs que du lait et ses yeux d'un marron profond et triste. Ses jambes étaient croisées d'une étrange manière, aussi me demandai-je s'il était infirme. Ses genoux semblaient vrillés, on voyait la plante de ses pieds nus. Il riva ses yeux sur moi jusqu'à ce que je m'assoie par terre derrière le groupe, les jambes repliées sur la pierre dans une position inconfortable. J'étais terrorisé. Alors il releva la tête et s'adressa à nous.

—Aujourd'hui, vous allez apprendre à maîtriser vos pensées. (Il pencha la tête sur le côté.) Ou plutôt, vous allez apprendre qu'on ne peut les maîtriser. (Il attendit que nous réagissions, que nous nous tortillions sur le sol caillouteux, que nous échangions des regards incrédules. Puis il eut un sourire pincé et circonspect.) Mon nom, reprit-il doucement, est Franklin. Bienvenue. Le temps est venu de flirter avec le paradoxe.

Chapitre 17

Sadima erra sur la place en serrant ses affaires dans ses bras, trop effrayée pour parler à qui que ce soit. Tout le monde criait, riait trop fort ou se mettait en colère pour un rien. Elle choisit une direction et se mit en marche, pressée d'échapper à cette cohue, à cette masse de gens et au concert assourdissant de leurs voix.

Tandis qu'elle contournait un grand auvent, elle fut étonnée de voir un homme peindre. Une femme au jabot bleu-vert était assise devant lui, raide, le menton levé. Sadima apprécia la qualité du portrait. Il était à la fois ressemblant et flatteur, mais l'artiste n'était pas parvenu à reproduire exactement la couleur des cheveux. Elle regarda alentour et vit cinq ou six peintres en train de travailler. Elle les observa avec attention, apprit de nouvelles techniques, s'émerveilla devant des dessins de bâtiments impressionnants de précision, des pigments incroyables et les supports en bois dont les artistes se servaient pour maintenir leur papier à la verticale. Du coin de l'œil, Sadima aperçut une femme en robe noire qui marchait à vive allure. Elle courut pour la rattraper.

La magicienne était une femme à la voix puissante, aux lèvres et aux ongles peints en noir. Dans son sac brodé, elle avait un jeu de cartes ornées de motifs alambiqués dessinés à l'encre. Lorsqu'elle eut compris que Sadima ne voulait pas qu'on lui dise l'avenir mais qu'elle était à la recherche de deux jeunes hommes appelés Franklin et Somiss, elle rangea ses cartes. Elle s'appelait Maude Parlevrai.

— Ils vivent tout près d'ici, et Somiss est le plus séduisant des deux, expliqua-t-elle par-dessus son épaule. (Elle précéda Sadima entre les grands ficus qui baignaient la place de leur ombre et s'engagea dans la rue ensoleillée.) Les filles se donnent beaucoup de mal pour attirer son attention, en vain. Avant, Franklin et lui riaient beaucoup ; ils étaient encore de jeunes garçons quand j'ai fait leur connaissance. Et puis, il est devenu trop sérieux. (Elle se retourna et sourit.) Tomber amoureux lui ferait le plus grand bien.

Sadima hocha la tête mais ne répondit pas. Elle ne savait pas quoi dire.

Maude était très belle sous son maquillage étrange. Les femmes qui arpentaient les passerelles étaient si bien habillées, si belles, si… *propres*. Leurs ongles, leurs cheveux, leurs vêtements ! Leur arrivait-il de travailler dans les champs ? se demanda Sadima sans réfléchir. Elle se sentit aussitôt bête. Quels champs ?

Sadima marchait avec difficulté sur la chaussée pavée ; elle suivait Maude et se tournait régulièrement vers la place du marché. Tous les habitants de Ferne réunis n'occuperaient pas le dixième de cette esplanade.

— Vous êtes jolie, remarqua Maude. Faites un clin d'œil à Somiss, on ne sait jamais. (Elle examina la jeune femme de la tête aux pieds et haussa les sourcils.) Attendez tout de même d'avoir pris un bain. Ou deux.

Sadima s'empourpra, embarrassée. Elle passa ses mains sur sa robe, remonta son baluchon sur ses épaules et examina la rue noire de monde. Elle avait imaginé des maisons semblables à celle dans laquelle elle avait grandi, mais plus proches les unes des autres ; des rues poussiéreuses et sales comme celles de Ferne, mais plus larges. Marcher sur des pierres lui faisait un drôle d'effet. Ses chaussures, déjà usées par son voyage, ne dureraient pas longtemps, ici.

—C'est juste là-bas, dit Maude en s'arrêtant et en désignant une maison du doigt. Le bâtiment aux murs chaulés à l'angle de la rue da Masi et de la rue du Marché. Ils sont au deuxième étage. Vous voyez ce petit balcon ?

Sadima opina du chef et regarda dans la direction indiquée. Comment pouvait-on construire des maisons si hautes ? Pourquoi ne s'écroulaient-elles pas ?

—Voilà, c'est là, ajouta Maude. L'escalier est à l'intérieur. Leur porte est vert vif. Franklin l'a peinte ainsi pour remonter le moral de Somiss durant les courtes journées d'hiver. D'une certaine manière, ils sont comme des frères. (Elle sourit et se rapprocha de la jeune femme.) La vieille du premier étage est la propriétaire des lieux. Elle est méchante, plus acide que du lait de quatre jours.

Sadima la remercia, et Maude tourna les talons puis se dirigea vers le marché dans un tourbillon d'étoffes. La jeune femme continua seule, fébrile. Elle était donc arrivée. Elle avait réussi. La vieille femme était-elle la mère de Franklin ? Une tante ? Et si Franklin ne se rappelait pas lui avoir demandé de venir ? S'il l'avait oubliée ? Un essaim de gamins aux visages sales déferla sur elle. L'un d'entre eux tira sur son châle, mais elle tint bon et ne le lâcha pas.

Les jambes raidies par la peur, Sadima s'arrêta devant l'entrée et resta là un long moment sans oser rien faire. Le portail était si haut que le seul moyen de voir de l'autre côté était de le pousser. Il s'ouvrit vers l'intérieur et révéla, non pas une pièce, mais un couloir. Sadima s'y engagea, prête à appeler la maîtresse de maison, lorsqu'elle remarqua une porte fermée sur sa droite, et une cage d'escalier au fond. Elle passa devant la porte sur la pointe des pieds.

La cage d'escalier était magnifique. La balustrade en fer finement ouvragé représentait des roses sur un treillage. Les marches étroites s'enroulaient en une spirale ascendante. Sadima en gravit quelques-unes, la main posée sur la rampe, mal à l'aise. Arrivée au premier étage, elle s'arrêta, hésitante, et regarda en bas. Elle avait déjà grimpé dans des arbres plus hauts, mais à quelques reprises seulement, et uniquement en s'accrochant à des branches épaisses pour ne pas perdre l'équilibre. Être à la fois loin du sol et à l'intérieur d'un bâtiment était déstabilisant. Elle reprit son ascension, et le bruit de ses pas résonna sur les murs couverts de plâtre. Arrivée au deuxième étage, elle s'appuya contre le mur, heureuse de ne plus avoir à regarder en bas.

La porte verte était facile à repérer ; c'était la seule à cet étage. Elle se tint immobile devant elle si longtemps qu'elle se surprit à se demander quel pigment avait été utilisé pour obtenir une couleur si éclatante. Elle leva la main, puis la baissa. Elle la leva une seconde fois et frappa avant que le courage lui manque. Elle fit un pas en arrière et s'efforça de lisser sa robe crasseuse.

Des voix se firent entendre à l'intérieur. La porte s'entrebâilla.

— Oui ? (C'était la voix de Franklin. Le cœur de Sadima se mit à battre la chamade tandis qu'il ouvrait grand la porte.) Oui ? répéta-t-il. (Ses yeux marron ne semblaient pas la reconnaître. Elle ouvrit la bouche, mais fut incapable de produire le moindre son. Il lui sourit.) Un homme au service du seigneur Albano Ferrin va bientôt arriver ; nous n'avons pas beaucoup de temps devant nous. Qu'est-ce qui vous amène ici ?

Sadima essaya de nouveau de parler, en vain. Il ne portait pas sa robe noire, mais une tunique et un pantalon, comme tout le monde.

— Vous n'avez rien à craindre, reprit Franklin d'une voix douce. Qui vous a envoyée ici ?

— Vous, murmura-t-elle. (Elle déglutit.) Vous êtes venu à Ferne, ma chèvre avait du mal à mettre bas et…

— Sadima ? (Il fit un pas en arrière et écarquilla les yeux.) J'ai souvent pensé à vous. Vous avez… changé. (Son sourire s'élargit.) Je suis heureux que votre père et votre frère aient accepté de…

— Ils n'ont pas accepté, l'interrompit-elle en agitant la main pour lui signifier qu'elle préférait ne pas aborder le sujet.

Ses yeux la picotaient. Elle regarda ses pieds, puis releva le menton. Il lui demanda pardon, et elle ne put que secouer la tête. En vérité, elle ne voulait parler à personne de son père ou de Micah. Sa nouvelle vie commençait à cet instant. Sa vraie vie.

Franklin ne souriait plus. Il recula.

— Entrez, Sadima.

Elle hésita, puis pénétra dans une pièce encombrée, avec un âtre taché de suie, une table usée et quatre chaises dépareillées. Des sortes de boîtes en cuir étaient empilées sur un coin de la table, et elle vit un poêle maculé de graisse derrière une arche en plâtre. À côté, elle distingua un panier rempli de petit bois et un tas de bûches. Elle fit quelques pas de plus et aperçut un étroit couloir et deux portes fermées. Subitement, l'une d'elles s'ouvrit. Un jeune homme aux cheveux blonds apparut et s'avança vers eux. Ses yeux étaient d'un bleu trop clair, bizarre, son expression intense… et il regardait Franklin comme si elle n'était pas là.

— Nous attendions quelqu'un d'autre, commença-t-il d'une voix hachée et précise.

— Effectivement, Somiss, confirma Franklin. Il s'agit de Sadima Killip. Je t'avais parlé d'elle à mon retour de Ferne et de Drabock, il y a deux ans. La chèvre, tu te rappelles ?

— C'était il y a trois ans, le corrigea Sadima.

Il sourit. Somiss la regarda, puis ses yeux glissèrent sur elle, la transpercèrent, et il agita la main.

— Range ces livres et appelle-moi quand l'homme de Ferrin sera là.

— Je le ferai, répondit Franklin en hochant la tête.

Comme Somiss quittait la pièce, Franklin le suivit du regard, rassembla les boîtes en cuir et les rangea dans un tiroir. Sadima regarda sans comprendre. Des « livres » ?

Franklin se tourna vers elle. Ses yeux passaient alternativement de son visage au châle dans lequel elle transportait ses affaires.

— Avez-vous faim ?

Elle opina du chef.

— Je suis venue pour vous aider. Comme vous me l'aviez demandé.

Elle cessa de respirer jusqu'à ce qu'il sourie.

— Je vais avoir du mal à convaincre Somiss, dit-il. En tout cas, nous avons effectivement besoin d'aide. J'ignore où vous dormirez, mais…

— Dans la cuisine, sur une paillasse.

Franklin tira une chaise, lui proposa de s'asseoir, la débarrassa de son baluchon et le posa dans la cuisine. Puis il traversa la pièce en trois grandes enjambées et rouvrit le tiroir.

— Regardez.

Il lui montra des feuilles de papier aussi blanches que du muguet. Il était aussi excité qu'un enfant devant une tourte préparée pour la fête de l'Hiver, ce qui fit sourire Sadima. Maude avait tort. Le plus beau des deux était Franklin. Son cœur pur était pareil à un signal qui brillait dans ses yeux sombres. Avec délicatesse, elle prit une feuille de papier entre ses doigts. Elle était si lisse, si fine. Comment pouvait-on fabriquer du papier aussi fin ? Celui qu'utilisaient les marchands de Ferne pour emballer des herbes aromatiques ou du verre de lampe était beaucoup plus épais, et brun. Elle examina les signes minuscules et incompréhensibles qui couvraient la surface incroyablement fragile.

— C'est étrange, n'est-ce pas ? demanda Franklin. Dire que les mots de Somiss sont emprisonnés là-dessus…

Des « mots » ? Sadima scruta l'enchevêtrement de lignes, puis regarda le jeune homme dans les yeux. Celui-ci se tourna furtivement vers le couloir avant de se pencher vers elle.

— Vous avez entendu parler de l'écriture ? chuchota-t-il.

Elle acquiesça, penaude. Elle aurait dû comprendre toute seule. Il y avait toujours un prince écrivant à sa bien-aimée dans les histoires que lui racontait Micah, ou un roi rédigeant un édit destiné à être lu à ses sujets.

Franklin se rapprocha davantage.

— Somiss m'a appris à lire et à écrire quand nous étions petits. Il voulait que je lise les mêmes livres que lui. J'ai essayé. (Il se raidit et désigna la feuille de papier.) Ceci est son écriture, et elle est pour ainsi dire parfaite.

Leurs regards se croisèrent. Elle n'avait jamais rencontré quelqu'un qui sache lire et écrire. Elle voulut le lui dire, mais d'autres mots sortirent de sa bouche avant qu'elle ait eu le temps de réfléchir.

— J'avais tellement peur que vous ne vous souveniez plus de moi.

— J'ai espéré, pendant tout ce temps, que vous viendriez, dit-il en posant sur elle un regard pénétrant. (Il montra la porte d'un geste maladroit.) Vous n'êtes plus la même, Sadima. Vous avez grandi.

Elle sourit. Avec un peu de chance, elle ne rougirait pas.

— Je suis contente que cela ne vous dérange pas. Je n'étais pas sûre de…

Quelqu'un frappa à la porte, et ils sursautèrent tous les deux. Franklin pivota sur ses talons, courut jusqu'à la commode et rangea les feuilles de papier. Il se retourna au moment où Somiss criait dans le couloir :

— Franklin ?

— Je vais ouvrir ! (Franklin prit Sadima par la main et la força à se lever.) C'est l'envoyé des Ferrin, chuchota-t-il en l'entraînant dans la cuisine. Somiss le paie pour qu'il nous donne des nouvelles du roi et de sa propre famille de sang royal. Restez cachée et ne faites aucun bruit.

Il serra sa main dans la sienne et courut ouvrir la porte.

Sadima se tint d'un côté de l'arche. Son cœur battait à tout rompre. Somiss avait du sang royal ? Pas étonnant que Maude le trouve si beau. Sadima avait entendu parler des rois et des reines dans certaines histoires ; la plupart du temps, cependant, ils étaient malfaisants. Elle entendit Franklin dire quelque chose. Des chaises furent tirées. Elle jeta un coup d'œil circulaire à la pièce à la recherche d'objets familiers – le poêle à bois, l'évier – afin de se calmer. La petite cuisine était crasseuse. Elle retroussa ses manches. Des carrés de tissu étaient suspendus au-dessus de l'évier. Elle ne ferait aucun bruit en essuyant la table.

Chapitre 18

Nous n'avions aucun moyen de savoir quand le soleil se levait.

Ni quand il se couchait.

Lorsque les martèlements contre la porte nous réveillaient, le pot de chambre était toujours propre. Nous nous lavions en frissonnant, utilisions le pot l'un après l'autre, faisions notre possible pour ne pas nous faire distancer par un magicien qui changeait chaque fois et qui ne paraissait pas s'intéresser à nous. Une fois, je demandai quand nous aurions le droit de manger quelque chose, mais le petit homme au crâne dégarni que nous suivions fit comme s'il n'avait rien entendu. Je lui demandai également depuis combien de temps nous étions arrivés. Il ne se donna même pas la peine de me regarder.

J'avais tellement faim. J'avais du mal à dormir sans oreiller, et je détestais le sac de chanvre dont nous étions tous vêtus. Ma peau était tout irritée, sanguinolente, endolorie, et mes pieds enflés me faisaient tant souffrir que les dix ou douze premiers pas de la journée étaient toujours une torture.

Franklin nous donna deux cours totalement absurdes, à quelques heures d'intervalle seulement, me sembla-t-il. J'étais fatigué en me couchant et encore plus fatigué lorsque les coups contre la porte nous réveillèrent. Franklin voulait que nous calmions notre esprit, soit le contraire de ce que mes professeurs me demandaient habituellement.

À la fin du deuxième cours, il nous demanda de commencer à lire un des deux livres que nous avions tous dans notre chambre : *L'Histoire et l'Objectif de l'académie de Limòri*. Ce fut une chance car le second était écrit dans une langue qui m'était inconnue. Gerrard, lui, semblait la connaître. Moi, je craignais d'avoir à l'apprendre un jour. J'avais passé les sept premières années de ma vie à parler yama jusqu'à midi, théreisti jusqu'au souper et ma langue maternelle, le ferrinide, jusqu'au coucher. Un homme capable de parler ces trois langues, disait mon père, pouvait commercer n'importe où dans le vaste monde, jusqu'aux îles situées au-delà des colonies. Cela me faisait une belle jambe, à présent. Le père de Gerrard n'était peut-être pas un Éridien. Peut-être qu'il avait décidé d'envoyer son fils dans cette académie et qu'il l'y avait préparé en conséquence.

Après le deuxième cours de Franklin, je lus la première page du livre, et mes yeux se fermèrent. À mon réveil, je n'aurais su dire combien de temps j'avais dormi ; une demi-heure, me sembla-t-il. Voire moins. Le magicien qui frappa à notre porte pour nous conduire au troisième cours suivit un itinéraire totalement inédit. Je mémorisai les six premiers tournants et ne pus qu'espérer que le tout-puissant Gerrard me permette de le suivre sur le chemin du retour. Jusque-là, il s'était montré coopératif. Heureusement pour moi. Il parlait rarement et, lorsque cela arrivait, il ne prononçait jamais plus de trois ou quatre mots. J'avais l'impression de partager ma chambre avec une chaise. Et encore. Sur une chaise, on pouvait s'asseoir.

Le troisième cours fut aussi bizarre que les deux premiers. Franklin semblait avoir oublié qu'il nous avait donné des devoirs.

Il n'y eut aucune discussion, aucun contrôle écrit, aucune liste de dates, de faits ou de lignées royales à retenir. Rien.

Les yeux rivés sur un point imaginaire situé au-dessus de nos têtes, notre professeur nous demanda de faire taire nos esprits. Le mien refusait d'être bâillonné : j'étais obsédé par la faim et par les meurtrissures que le sac qui me servait d'habit infligeait à ma peau. Je pensais également à mon père. D'une manière pour le moins embarrassante, mais pas du tout nouvelle, puisque j'y songeais depuis mon plus jeune âge. Je me voyais en train de le pousser violemment dans le dos. Il tombait et ne se relevait pas.

Mon père…

Où qu'il se trouve à cet instant, il lui suffirait de claquer des doigts pour que des serviteurs accourent et exécutent ses ordres. Peut-être était-il à table, pensai-je en observant les yeux inexpressifs de Franklin, mais en voyant à la place la cuisine de la maison. En cet instant précis, il était peut-être en train de déguster un excellent petit plat mitonné par Celia. Si ma mère s'inquiétait pour moi, si elle pleurait, il la gronderait, ou pire. Qu'avait-il dit à Aben ? Mon frère rentrerait à la maison pour la fête de l'Hiver. Comment réagirait-il en apprenant la vérité ? Il m'aimait bien, mais ne m'avait jamais compris. Évidemment. Nous étions aussi différents que le jour et la nuit.

J'entendis Franklin répéter :

— Videz votre esprit.

Pris par surprise, je m'efforçai de prendre un air absent, ce qui était à la fois stupide et impossible. J'avais peur, j'étais en colère. Et j'avais faim. Si faim. Mon esprit grouillait de pensées.

Lorsque Franklin se releva et nous dit de retourner dans nos chambres, je ne perdis pas une seconde et me préparai à suivre Gerrard dans les longs tunnels. Il me laissa faire, comme les fois précédentes, ralentissant un peu avant chaque tournant pour ne pas me semer. De retour dans notre chambre, il s'installa sur son lit, les jambes croisées, face au mur.

J'allai boire de l'eau au lavabo pour leurrer mon estomac vide avant de m'asseoir au bord de mon lit. Je voulais sortir d'ici. Je ne supportais pas de ne pas voir le ciel. J'examinai mes pieds couverts de croûtes et je les ajoutai à la liste de mes doléances. Je détestais ce labyrinthe de tunnels et les magiciens. Et mon père. Cette dernière pensée mit un terme aux vagabondages de mon esprit, et je me retrouvai les yeux rivés sur le dos de Gerrard pendant quelques secondes. Je changeai de position ; le bruissement de ma robe sur la couverture me sembla trop fort. Je me raclai la gorge ; ce fut une véritable explosion.

Le silence me rendait malade. Personne ne parlait jamais avant le début du cours, Gerrard m'adressait rarement la parole, et les murs épais empêchaient tout son extérieur de nous parvenir. Entendre des voix me manquait, de même que le bruit du vent dans les pins, à la maison.

Mes yeux me picotèrent et je me levai. Il n'y avait ni sortie, ni nourriture, ni quiconque pour se soucier de notre sort. Je voulais rentrer à la maison.

Non.

N'importe où, mais pas à la maison.

Je tirai une chaise, m'assis à mon bureau, puis me relevai. Je pris le livre d'histoire, l'ouvris sur mon lit et sentis quelque chose de chaud et humide sous mon aisselle. Je me relevai pour regarder. Le tissu rugueux de la robe m'avait écorché de si nombreuses fois qu'un liquide jaune transparent s'écoulait de mes croûtes. J'appuyai mon dos contre le mur et je tirai sur ma robe pour éloigner le tissu des endroits les plus douloureux. Alors, je commençai à lire – depuis le début – et me forçai à me concentrer sur les mots.

Le premier chapitre racontait ce que tous les écoliers savaient déjà : le Premier Âge de la magie appartenait à un passé très lointain, tellement lointain qu'au moment de la fondation de l'académie personne ne savait plus rien à son sujet et très peu de gens croyaient les histoires qui étaient parvenues jusqu'à nous sous la forme de contes pour enfants.

Le deuxième chapitre, en revanche, m'apprit quelque chose. Le Premier Âge de la magie se serait conclu sur une alliance entre des rois assoiffés de pouvoir et une population manipulée et persuadée à tort que les magiciens étaient malfaisants. Des milliers de magiciens avaient été tués de manières diverses et particulièrement primitives : décapitation à la hache, immolation par le feu, écartèlement, noyade. Leurs livres avaient été brûlés et leur grande cité de pierre vidée de toute vie lors de ce que le livre appelait la guerre des Rois.

J'arrêtai de lire et je levai les yeux. Une cité de pierre ? Où ? Ici, dans les falaises ? Je n'appellerais pas ces tunnels et salles souterraines une ville, mais peut-être s'agissait-il bien de cela. Le dernier paragraphe expliquait que les rois s'étaient également battus entre eux, que l'humanité tout entière n'avait connu que la guerre pendant des générations. Je tournai la page dans l'espoir de découvrir pourquoi les récits de ces guerres n'avaient pas été transmis comme les histoires de magie, mais je ne trouvai rien d'intéressant.

Le troisième chapitre dressait la liste des royaumes détruits au cours de ce conflit. Il s'étirait sur une vingtaine de pages car il comportait de très nombreuses cartes sur lesquelles étaient représentés ces royaumes historiques. Comme dans n'importe quel autre livre d'histoire, je trouvai également des listes de souverains et de dynasties, que j'espérais ne jamais avoir à apprendre par cœur. Non seulement je n'étais pas très fort pour cela, mais, en plus, les listes étaient très longues.

J'essayai de commencer le quatrième chapitre, mais mes paupières se firent trop lourdes. Je les laissai se fermer en écoutant les gargouillis de mon estomac. Levin avait-il lu la même chose que moi ? Lorsque nous avions sept ans, il m'avait aidé à apprendre des listes de souverains. Il m'avait aussi aidé à mettre un crapaud dans la poche du manteau du recteur. Le vieil homme ne nous avait jamais attrapés. Nous avions tous les deux gardé le secret.

Je bâillai et rouvris les yeux.

— Je me demande s'ils comptent nous donner à manger, dis-je doucement en regardant le dos bien droit de Gerrard. (Il ne répondit pas, et cela m'exaspéra.) Tu n'as pas faim, toi ?

Il se retourna et me montra partiellement son visage : il était agacé, peut-être même en colère. Sans réfléchir, je fis basculer mes pieds hors du lit et me levai.

— Tu ignores ce qu'est la faim, dit-il doucement, les yeux rivés sur le mur. Maintenant, la ferme, Hahp ! lança-t-il, le poing dressé.

Je regardai longuement son dos dans l'espoir qu'il ajoute quelque chose, qu'il me donne l'occasion de répondre avec une phrase bien sentie. Je n'étais pas très doué pour la bagarre, en dépit des cours particuliers que m'avait payés mon père quand il en avait eu assez de me voir rentrer de l'école avec des bleus et des éraflures. Si nous nous disputions et nous battions, quelle serait la réaction des magiciens ? Me renverraient-ils chez moi ? La perspective de sortir à l'air libre et de me retrouver de nouveau sur ce promontoire de pierre me fit frissonner de plaisir. Avais-je une chance d'être renvoyé ? Je fis un pas en avant avec l'intention de donner à Gerrard une tape sur l'épaule.

— À ta place, je ne ferais pas cela. Je n'hésiterais pas une seconde à te passer à tabac pour pouvoir étudier en paix, ajouta-t-il d'une voix froide et neutre.

J'eus un mouvement de recul, puis je me laissai tomber sur le lit et repoussai le livre. Je me sentais… lourd. Je m'allongeai sans avoir réellement l'intention de dormir.

Un magicien inconnu nous réveilla. Je me levai, me lavai le visage, urinai et les suivis, Gerrard et lui, dans le couloir. Par endroits, ma peau était tellement irritée que j'avais du mal à bouger. Avais-je dormi une nuit entière ? Ou bien quelques minutes ?

Une fois de plus, nous prîmes un chemin différent ; le trajet pour atteindre la salle de classe fut plus long de moitié que la fois précédente. Soit treize tournants en tout. Je n'en retins que cinq. Comme à son habitude, Franklin était assis par terre, les jambes croisées, le regard dans le vague. Gerrard et moi nous installâmes pendant que les autres arrivaient. Je me frottai les yeux, j'examinai le plafond, les murs, j'évitai de croiser les yeux morts de Franklin. Était-ce le matin ? Tout le monde semblait las, mal à l'aise. Combien de temps s'était-il écoulé depuis le départ de nos parents ? Un jour ? Trois jours ? Six ? Quelqu'un avait-il eu quelque chose à manger ?

— Je veux que vous respiriez avec moi, commença Franklin lorsque nous fûmes tous assis comme lui.

Je sentis un rire nerveux monter dans ma gorge, mais je le ravalai aussitôt. Franklin posa les yeux sur chacun de nous et s'arrêta sur moi. Toute envie de rire me quitta. Je vis de la pitié sur son visage. *De la pitié ?*

Je regardai ailleurs.

— Contrôlez votre respiration à l'aide de vos pensées, poursuivit-il d'une voix raisonnable, comme s'il énonçait une évidence.

Il inspira et nous l'imitâmes. Je fermai les yeux et me surpris à rêver. Et si j'étais le seul des dix à réussir ? J'imaginai mon père, nerveux et impressionné, et j'expirai bruyamment d'une traite. L'air avait à peine eu le temps de faire escale dans mes poumons avant d'être expulsé.

— Oui, Hahp, dit doucement Franklin, comme si j'avais fait une remarque à voix haute.

Mon regard fut attiré par son visage. Il n'avait encore appelé personne par son nom. Personne. Les garçons me considérèrent tous avec stupéfaction.

—Oui, reprit Franklin à l'attention de tous les élèves. La respiration est un processus circulaire.

Puis il reprit le cours de sa respiration en observant chacun d'entre nous. Je me tins parfaitement immobile, car je ne voulais pas me faire remarquer. L'air s'engouffra dans mes poumons, tourna sur lui-même, ressortit, et le processus recommença, encore et encore. Je fermai les yeux pendant quelques secondes, mais cela me fit un drôle d'effet; le chuchotis des élèves expirant à l'unisson était une bourrasque dans laquelle je me balançais tel un arbre.

Je rouvris les yeux et j'aperçus furtivement une robe noire et floue à la lumière des torches, derrière Franklin. Puis plus rien. Un autre magicien? Mon regard croisa celui de Levin qui, du menton, désigna le mur derrière notre professeur. Il eut un hochement de tête quasiment imperceptible. Avant que j'aie eu le temps de réagir, il referma les yeux et se concentra sur sa respiration. Ses épaules se soulevaient de nouveau en rythme.

Chapitre 19

Sadima retira ses chaussures pour ne pas faire de bruit et entreprit de frotter la table collante en essayant d'écouter ce que disaient les deux hommes, mais c'était presque impossible : Somiss et son visiteur chuchotaient. Leur conversation sembla s'étirer à l'infini. Sadima eut le temps de nettoyer presque toute la cuisine, en marchant sur la pointe des pieds et en déplaçant les objets avec circonspection. Lorsque l'homme fut enfin parti, Somiss retourna dans sa chambre, suivi de Franklin. Elle les entendit parler. D'elle ?

Mal à l'aise, elle ouvrit la porte du balcon. Le soleil était déjà très bas sur la ligne des toits. Elle prit la bassine d'eau sale dans la cuisine et la vida dehors. L'eau décrivit un arc parfait dans les airs avant d'éclabousser bruyamment les pavés déjà plongés dans le noir. Elle remplit la bassine dans la cuisine et réchauffa l'eau avec celle, fumante, qui bouillonnait dans un seau en fer sur le poêle. Le tonneau d'eau était à moitié vide ; il lui faudrait demander où se trouvait le puits.

Armée d'une eau propre et chaude, elle frotta de nouveau la table et vint enfin à bout des dernières saletés. Après s'être occupée du buffet, elle retourna sans faire de bruit dans le séjour, où elle resta immobile, prête à disparaître en courant dans la cuisine. Toutefois, la conversation se prolongea. À en juger par leurs voix étouffées, les deux garçons semblaient excités… ou peut-être étaient-ils furieux ?

Elle pivota sur ses talons, décrocha un carré de tissu et se remit au travail. Quand Franklin réapparut, elle avait récuré les lieux du mieux qu'elle avait pu en l'absence de lessive et de sable. Il lui sourit par-dessus une pile de couvertures. Il avait l'air fatigué.

— Somiss veut que vous partiez, dit-il lentement.

Sadima pinça les lèvres et désigna d'un geste du bras la cuisine propre et rangée.

Franklin hocha la tête.

— Je sais. Et je veux que vous restiez. Somiss finira par changer d'avis. Si, pour commencer, vous acceptiez de faire le ménage et de préparer nos repas…

— Bien sûr, s'empressa-t-elle de répondre en se demandant ce qu'il entendait par « pour commencer ».

Tout ce qu'elle souhaitait, c'était rester près de lui pour pouvoir lui parler de ce qu'elle était, de ses véritables pensées, au lieu de faire semblant d'être une autre personne.

Franklin lui caressa la joue et entreprit de lui préparer une couche avec les couvertures ; il en laissa une de côté pour qu'elle ait de quoi se couvrir.

— Vous avez besoin d'autre chose ? demanda-t-il quand il eut terminé.

Sadima se retint de l'embrasser sur la joue, comme elle le faisait souvent avec Micah pour lui souhaiter bonne nuit. À cette pensée, elle s'empourpra.

— Sadima, vous avez besoin d'autre chose ?

Elle secoua la tête. Il lui souhaita bonne nuit et s'en fut. Elle entendit le bruit de ses pas derrière la porte fermée de sa chambre. Elle se coucha en prenant garde de ne pas froisser les couvertures sous elle. Ce n'était pas à proprement parler un lit, mais c'était bien plus confortable que le sol irrégulier sur lequel elle avait dormi depuis son départ de la maison. Allongée, immobile, elle sentit une odeur étrange charriée par la brise qui s'infiltrait sous la porte du balcon, et elle écouta les râles des chats qui s'accouplaient, ainsi que des cris lointains. Elle finit par fermer les yeux, le corps vaincu par la fatigue accumulée durant ses longues journées de marche.

Sadima se réveilla avant le lever du soleil, comme elle en avait l'habitude. Aucun coq ne chantait, aucune chèvre ne bêlait, aucune chouette n'ululait en rentrant, exténuée, de sa nuit de chasse. Sadima mit du temps à comprendre où elle se trouvait. Elle s'assit, lissa sa robe, se leva, replia les couvertures et les rangea, avec son baluchon, dans le placard, sur l'étagère du bas.

Quand Franklin et Somiss sortirent de leurs chambres, elle s'était déjà débarbouillée, avait préparé du thé à la menthe, cuit des œufs durs et fait revenir de fines tranches de pomme de terre dans de l'huile et de l'ail. Sans prononcer un mot, elle posa les assiettes sur la table usée – mais propre – du séjour. Somiss lui jeta un regard noir, examina la nourriture fumante, prit place et commença à manger.

Après s'être assuré que Somiss ne le regardait pas, Franklin adressa un clin d'œil à Sadima, qui répondit par un sourire timide. De retour dans la cuisine, elle souleva le poêlon, le posa sur la partie froide de la plaque et ajouta un morceau de bois dans le feu pour maintenir au chaud le seau d'eau bouillante. Elle jeta un coup d'œil par-dessus son épaule et croisa le regard de Somiss. Il était en train de l'observer.

Surprise, elle rougit et retourna à son travail. Somiss se leva tandis que Franklin se resservait des pommes de terre. Sans rien dire, il laissa son assiette sur la table, disparut dans le couloir et s'enferma dans sa chambre.

— Passe-t-il le plus clair de son temps là-dedans ? demanda Sadima à voix basse.

Franklin s'arrêta de mastiquer.

— J'en ai peur, et cela m'inquiète. (Il montra la nourriture, la cuisine nettoyée.) Vous êtes aussi maligne que je l'espérais. Il s'habituera à votre présence, aux plats chauds. Évitez simplement de trop parler pour le moment.

Sadima acquiesça.

— Il lui arrive de se mettre en colère pour des détails anodins, poursuivit Franklin. Si cela devait arriver, faites-vous discrète.

Sadima acquiesça de nouveau.

— Je suis heureux que vous soyez là, reprit-il. Très heureux. J'espère que vous resterez.

— C'est ce que je souhaite. Pourquoi ne portez-vous pas votre…

Elle s'interrompit et montra du doigt une longue robe noire.

— Somiss pense que c'est une mauvaise idée de vouloir ressembler aux gens que nous espérons remplacer, répondit-il en haussant les épaules. Aux imposteurs. Aux tricheurs.

Elle opina du chef. Elle comprenait.

— Vous avez réussi à le convaincre d'étudier la communication silencieuse ?

Franklin posa son index sur ses lèvres et répondit en murmurant :

— Non. Et je n'y parviendrai peut-être jamais. Certains vieux textes la désignent comme étant la déchéance des magiciens.

Sadima soupira.

— Mais, vous et moi, nous pourrions…, commença-t-elle.

— Peut-être un jour.

Franklin souriait comme si rien n'aurait pu lui faire plus plaisir que ce qu'elle venait de dire. Avant de se mettre au travail et de continuer à classer les notes de Somiss, il lui donna quelques pièces de cuivre pour les courses. Elle se rendit au marché où, par timidité, elle n'osa se renseigner auprès de personne. En milieu de matinée, cependant, elle avait appris à se repérer dans ce dédale. Elle vit Maude, au loin ; l'air sérieux, elle lisait l'avenir d'un client. Sadima se rapprocha. Maude la remarqua, lui fit un signe de la main et la gratifia d'un sourire avant de se concentrer de nouveau sur sa tâche. Sadima lui rendit son salut. La joie qu'elle éprouvait l'étonna.

Ce soir-là, Franklin fut émerveillé par ses boulettes au poulet et au romarin. Il avala ses premières bouchées comme un affamé, ce qui amusa beaucoup la jeune femme. Puis il la remercia de nouveau d'être restée.

Somiss les rejoignit dans le séjour, silencieux, perdu dans ses pensées. Il ne parla pas, se contenta de demander du sel à Sadima, qui dut se pencher pour l'entendre. Lorsqu'il eut terminé, il recula sa chaise et se leva sans un mot. En passant à côté d'elle, il lui effleura la joue. Ses doigts étaient si froids qu'elle ne put réprimer un sursaut ; toutefois, Somiss était déjà parti et ne remarqua rien. Elle se retourna et vit que Franklin l'observait.

— Je crois qu'il a aimé son repas, dit-elle.

— Je le crois aussi, acquiesça Franklin en hochant la tête. Je lui ai expliqué que, grâce à vous, j'aurai deux fois plus de temps à consacrer à mon travail. Il trouve cela très bien. Et on dirait qu'il vous apprécie.

Et toi ? aurait-elle voulu demander. *Tu m'apprécies aussi ?* Elle se contenta toutefois de porter les assiettes dans la cuisine et de se remettre au travail.

Ce soir-là, elle prépara sa couche – une double épaisseur de couvertures pour un plus grand confort – le sourire aux lèvres. La cuisine et le ménage lui étaient aussi familiers que de vieux amis. Et rester hors du chemin de Somiss serait aussi facile qu'éviter de croiser la route de son père. Franklin était gentil, et elle aurait de nombreuses occasions de sortir pour se rendre au marché. Maude l'avait saluée comme une amie. Sadima s'endormit, heureuse.

Chapitre 20

C'était le cinquième cours – ou le sixième –, et Franklin n'était pas là pour nous accueillir. Nous attendions tous en silence, hébétés par la faim. Gerrard resta près de l'arche, à l'écart du groupe. Levin, lui, était si proche de moi que je sentais l'odeur de sa transpiration. Nous empestions tous. Impossible de se laver vraiment sans savon, penché sur un vulgaire lavabo ; et nos robes étaient en piteux état.

— Tu as mangé quelque chose ? murmura Levin, les lèvres à peine entrouvertes, comme figées.

Je secouai la tête : geste minimal, aussi imperceptible que le sien, que les mouvements de tous les élèves.

Derrière moi, les chuchotis cessèrent brusquement à l'apparition d'une forme dans l'obscurité. Levin s'éloigna instantanément de moi. Je lui tournai le dos et regardai dans le vague. Personne ne faisait plus aucun bruit. Nous avions peur. Qu'attendaient-ils de nous ?

Des gouttes de sueur froide perlèrent sur mon front. Je tâchai de contrôler ma respiration, de suivre les conseils de Franklin, mais sans succès. Je passai un doigt sous l'encolure de ma robe pour éloigner le tissu rêche de ma peau et fis un pas en arrière pour ne pas perdre l'équilibre : la faim me donnait des vertiges. Je me redressai et crus voir un autre mouvement dans l'ombre. Je battis des paupières, me frottai les yeux et scrutai les ténèbres. Trois ou quatre garçons se retournèrent. Nous voyant faire, les autres nous imitèrent. Dans cette salle, les torches étaient accrochées très haut sur les murs. Soudain, sous nos yeux, les ombres denses se modifièrent pour devenir… un magicien. Qui disparut aussitôt.

— Suivez-moi, lança une voix rauque derrière nous.

Un silence absolu se fit, bientôt brisé par le bruissement des robes des élèves qui tournaient les talons. Un des camarades de chambrée de Levin jura dans sa barbe. Le magicien s'avança dans la lumière, sa peau blanche et ses yeux de glace formant un contraste saisissant avec sa robe noire. Il se faufila entre nous comme si nous étions des buissons dans un jardin et sortit directement de la salle.

Gerrard lui emboîta aussitôt le pas, et nous nous précipitâmes derrière eux. Par habitude, la plupart des garçons se rapprochèrent de celui qui partageait leur chambre.

— Jordan ? entendis-je Levin chuchoter.

Je le vis tendre les bras pour rattraper un garçon grand et mince, aux cheveux bruns et raides et aux yeux noirs, qui venait de trébucher. *Jordan.* Un prénom. J'avais appris le prénom de quelqu'un.

Nous tournâmes à droite, puis à gauche, puis encore à droite, avant d'enchaîner plusieurs tournants qui eurent raison de ma mémoire. Je n'avais retenu que les quatre premiers virages. Nous terminâmes par une ligne droite si longue que mes jambes menacèrent de céder sous mon poids. Enfin, le magicien s'arrêta. Un sourire méprisant aux lèvres, tel un page accueillant des convives à un dîner formel, il nous invita d'un grand geste à entrer dans une salle gigantesque dotée de tables basses en pierre flanquées de bancs dépourvus de dossier. Une odeur de nourriture vint chatouiller mes narines. Ma bouche s'emplit de salive et des larmes me montèrent aux yeux.

Le magicien désigna les bancs d'un geste impatient. Quand nous eûmes pris place, il s'avança et se posta devant nous en levant le bras. Les murs de pierre s'écartèrent, ce qui ne me choquait plus. En revanche, j'écarquillai les yeux en découvrant le joyau qu'ils avaient dissimulé : il était aussi gros que l'un des navires cargos de mon père et se composait d'un nombre infini de facettes dont les arêtes n'étaient pas plus longues qu'un cil. Vingt hommes auraient pu se tenir debout à son sommet sans tomber. Il reposait sur un piédestal plat en pierre noire. Tout comme les tables et les bancs, celui-ci semblait avoir été taillé dans la roche de la montagne.

—Somiss ?

C'était la voix de Franklin. Nous tournâmes tous la tête pour le voir arriver. Mon cœur s'emballa.

Le magicien aux yeux pâles se retourna aussi, manifestement agacé.

—Oui ?

—Tu aimerais peut-être que je…

—Non. Je n'aimerais pas. Tu peux partir.

Franklin avait l'air triste, déçu. Pendant quelques secondes, ils se regardèrent sans rien dire. Puis Franklin s'en fut. Il ne s'évanouit pas, ne fit pas s'ouvrir un mur de pierre, n'usa d'aucune magie. Il partit de la même manière que nous étions arrivés.

Nous lâchâmes un soupir à l'unisson. Franklin nous enseignait des choses ridicules, mais je crois que personne ne le craignait. Moi, en tout cas, je n'avais pas peur de lui. En revanche, Somiss, le magicien aux yeux pâles, était terrifiant. Et il nous toisait, attendant que nous nous désintéressions de Franklin.

—Regardez attentivement, gronda-t-il.

Il fit face à l'impossible joyau et posa la paume de sa main sur sa surface lisse. On entendit comme un bruit de tonnerre lointain, puis un couinement aigu, comme un cri très faible. Un éclair de lumière bleuté illumina furtivement la pièce. Soudain, un plateau comparable au plus large des plateaux jamais portés par les serviteurs de mon père apparut sur le piédestal, devant la pierre précieuse. Il était chargé de fruits, de fromages, de tranches de pain noir et de pain blanc, tressé ou non. Je me couvris la bouche pour retenir le cri animal qui montait dans ma gorge.

—Vous apprendrez à vous servir de cette pierre, expliqua doucement Somiss de sa voix rocailleuse. Ou vous mourrez.

Alors, il disparut.

Chapitre 21

Sadima se déplaçait en silence dans la cuisine de façon à écouter l'entrevue.

— Répétez, dit Somiss d'un ton impatient.

Sadima jeta un coup d'œil dans le salon. Le vieil homme fronça les sourcils et recommença. Les mots qu'il prononçait étaient étranges, comme tous les vers anciens. La jeune femme se rendait compte que beaucoup de gens connaissaient ces vers, des dizaines de vers, pour certains. Alors qu'elle n'en connaissait pas un seul. Et sa mère?

Les gens qui montaient parler à Somiss étaient tous différents. La plupart étaient des femmes âgées, même si, la veille, un jeune homme avait surpris Somiss en lui expliquant qu'il fallait chanter un air particulier après un vers pour le «compléter».

Sadima touilla la soupe, appuya son dos contre le mur, juste à côté de l'arche, et écouta.

— Encore, dit Somiss. (Sadima entendit le vieil homme soupirer et Somiss donner des coups de crayon sur la table.) Encore, insista-t-il.

Le vieil homme s'exécuta. Somiss le laissa terminer et ne dit rien.

— Vous n'avez plus besoin de moi? demanda l'homme.

— Connaissez-vous d'autres vers ou dictons dans cette langue?

—Non.

—Dans ce cas, vous pouvez partir.

La porte s'ouvrit et se referma. Sadima savait que Somiss ne s'était pas levé pour raccompagner le vieillard. Les gens ne l'intéressaient pas ; seuls comptaient pour lui les vers qu'il passait ses journées à essayer de rassembler. Il ne leur demandait même pas dans quelles circonstances ils les récitaient. Et pourtant il aurait dû. Cela l'aurait peut-être aidé à les comprendre.

Sadima remua de nouveau la soupe, puis fit glisser le récipient en fer sur la plaque pour l'éloigner du feu ; elle pourrait la laisser mijoter pendant des heures, à présent. La jeune femme ouvrit la porte du balcon et se faufila dehors pour chercher Franklin du regard. La vue était dégagée sur la rue du Marché, mais il demeurait invisible. Pour l'instant. Il réapparaîtrait bientôt car il était allé acheter du papier au marché.

Elle traversa la cuisine sur la pointe des pieds et regarda derrière l'arche. Somiss n'était plus là ; il était retourné dans sa chambre. Les notes qu'il avait prises durant l'entretien étaient éparpillées sur la table, comme d'habitude. Sadima les ramassa et en fit une pile bien nette. Franklin était persuadé que Somiss était un grand savant. En tout cas, il n'était pas très soigneux. Sans Franklin et elle pour mettre de l'ordre dans ses affaires, son travail se résumerait à un tas de feuilles de papier en désordre et au contenu parfaitement incompréhensible.

—Qu'est-ce que vous faites ? demanda Somiss dans son dos, l'arrachant à ses pensées.

La jeune femme se retourna. Son cœur battait très fort dans sa poitrine.

—Je vous ai posé une question simple, insista-t-il.

—Je mets de l'ordre dans vos papiers pour aider Franklin, répondit-elle, sur la défensive. Je le fais depuis mon arrivée ici. Il apprécie.

Somiss fit un pas dans sa direction, secoua la tête et s'arrêta. Sans rien dire de plus, il s'enfonça dans le couloir et s'enferma dans sa chambre en claquant la porte si fort que la jeune femme sursauta.

Sadima retourna dans la cuisine. Elle se lava le visage, se brossa les cheveux et lissa sa robe. Elle trouva de menues choses à faire, s'interrompant régulièrement pour jeter un coup d'œil dehors. Elle vit enfin Franklin, qui remontait la rue en pente, un grand paquet coincé sous le bras. Elle descendit l'escalier en courant, se fraya un passage dans la foule et contourna un groupe d'enfants des rues. La vue de ces derniers lui brisait le cœur, même si Franklin l'avait mise en garde à leur sujet; ils n'hésiteraient pas une seconde à lui voler son châle s'ils arrivaient à le décrocher de ses épaules.

—Il y a un problème? lui demanda-t-il lorsqu'elle l'eut rejoint. C'est Somiss?

—Oui, répondit-elle en haussant les épaules. Il m'a surprise en train de ranger ses notes, et cela ne lui a pas plu.

Franklin la regarda dans les yeux.

—Il t'a crié dessus? Il t'a frappée?

Elle secoua la tête.

—Non, mais il a fait trembler le monde tout entier en claquant la porte de sa chambre.

Franklin laissa échapper un soupir.

—Ça devrait aller, alors. Somiss claque sa porte pour un rien. En plus, j'ai fait une bonne affaire en achetant ce papier; il sera content. (Il passa un bras autour d'elle et la serra contre lui. Ils synchronisèrent leurs pas.) Je tâcherai de ne plus te laisser seule avec lui. Que nous as-tu préparé pour ce soir?

Sadima leva les yeux vers lui et sourit.

—Un rôti de porc aux pommes.

Il écarquilla les yeux, ce qui la fit rire. Puis il soupira.

—Somiss préfère la volaille. Nous pourrions acheter un poulet ici, proposa-t-il en désignant l'étal d'un boucher.

—Il a aimé les boulettes au romarin, se souvint Sadima. Je peux en préparer, si tu veux.

Franklin enroula son bras plus fermement autour de ses épaules.

—Merci, Sadima. Tout est beaucoup mieux depuis que tu es là. Tout. Je n'ai jamais été aussi heureux.

Il la serra tout contre lui pendant quelques secondes, puis il relâcha son étreinte.

Chapitre 22

L e calme et le silence régnèrent dans la grande salle pendant quelques secondes, jusqu'à ce qu'un des camarades de Levin – le grand blond – fasse un pas vers la nourriture.

—Nous devrions y aller à tour de rôle, cria-t-il, avant d'avancer encore un peu.

L'instant d'après, nous avancions tous, un pas, puis un autre. Très rapidement, le groupe tout entier se rua sur le piédestal, jouant des coudes, se tortillant pour passer le premier.

Je n'arrivais pas à détourner les yeux de la nourriture.

—Nous devrions y aller à tour de rôle ! répéta le grand blond.

Je vis quelques hochements de tête et j'entendis même quelqu'un hurler son accord. Soudain, Gerrard se jeta sur le plateau ; sa robe pendait comme un rideau entre la nourriture et nous. Une deuxième salve de cris résonna sur les murs de pierre ; les voix étaient empreintes de colère, à présent. Et de désespoir. Nous exigions tous qu'il redescende et attende qu'on ait décidé de l'ordre de passage. Les cris rebondissaient sur les murs.

Comme Gerrard faisait la sourde oreille, le grand blond sauta sur lui et lui envoya un uppercut vicieux dans les côtes, qui le souleva du sol. Gerrard se ressaisit, se retourna et souleva sa robe avec sa main gauche. Se servant de son pied droit, il frappa vite, fort et bas. Le grand blond se plia en deux et s'effondra. Les cris redoublèrent d'intensité. Je balayai du regard les visages qui m'entouraient. Ils voulaient tuer Gerrard. Ce qui ne l'empêcha pas de se pencher sur le plateau.

Le grand blond se roulait par terre. Certains lui marchèrent dessus pour atteindre Gerrard, qui les évita au dernier moment. Jordan essaya de le frapper, mais Gerrard parvint à esquiver le coup, et Jordan tomba, emporté par son poing et sa colère. Je fus projeté sur le côté, et une bagarre éclata tout près de moi ; des gouttes de sang éclaboussèrent mon visage et ma robe. J'eus un mouvement de recul.

Tandis que je me protégeais le visage, je vis une prune rouler sur le sol dans ma direction. Je voulus la ramasser, mais elle se mit à scintiller et disparut.

—Ne faites rien tomber par terre ! criai-je en me redressant. Surtout, ne faites rien tomber par terre !

Mais la bagarre était devenue générale et personne ne fit attention à moi.

Je fonçai tête baissée entre les belligérants et poussai deux garçons d'un coup d'épaule. Je profitai des quelques secondes que j'avais devant moi avant de me faire agripper par le col pour attraper un morceau de fromage gros comme le poing, une tranche de pain que je coinçai sous mon bras et deux oranges. Quelqu'un me donna un cou de coude dans l'estomac. Je m'écroulai en m'accrochant à la nourriture, faisant de mon mieux pour qu'elle ne touche pas le sol.

Tout tremblant, je rampai loin de la cohue et de la bagarre… et je vis Gerrard près de la porte. Nos regards se croisèrent au moment où il tournait les talons. Je me relevai tant bien que mal dans l'intention de le suivre. Soudain, un cri d'agonie retentit derrière moi. Je me figeai maladroitement et regardai par-dessus mon épaule. Quelqu'un avait fait glisser le plateau par terre. L'objet scintillait et la nourriture rougeoyait. Puis, tout disparut. Je me précipitai dans le couloir.

Gerrard ne courait pas mais marchait très vite. Je m'efforçai de le suivre d'aussi près que possible. Il avançait à grands pas, mais son allure était moins rapide que d'habitude. Je compris pourquoi après m'être suffisamment rapproché : il tenait le devant de sa robe comme un sac. Je clignai des yeux. Pourquoi n'y avais-je pas pensé ?

Il tourna à l'extrémité de la longue ligne droite, et je lui emboîtai le pas. Puis il tourna encore sans l'ombre d'une hésitation. Le plus petit des garçons de la classe cria derrière nous. Je m'arrêtai. Gerrard, non.

—Ils se battent toujours, me dit-il une fois qu'il m'eut presque rattrapé. (Il calqua son allure sur la mienne pendant quelques pas, avant d'accélérer pour attraper Gerrard par la manche.) C'est toi qui en as eu le plus ! Moi, je n'ai rien !

Gerrard se dégagea de son étreinte et continua à avancer. Le garçon se mit à pleurer, le visage écarlate. Il était plus petit que nous. Était-il aussi plus jeune ? Je lui donnai une de mes oranges ; il s'essuya les yeux et me remercia chaleureusement. Puis il me regarda et dit :

—Je ne veux pas mourir.

—Ce n'est pas ce que Somiss veut, répondis-je. Nos parents ne le permettraient pas.

Je jetai un coup d'œil à Gerrard. Il continuait à marcher. Je l'entendis rire.

—Eh, Tally ! Attends ! cria le garçon à quelqu'un qui arrivait derrière nous dans le couloir sombre. Donne-moi un peu de nourriture, d'accord ? Juste un peu !

Je m'efforçai de rattraper le retard que j'avais sur Gerrard ; toutefois, j'entendais toujours les voix derrière moi.

—S'il te plaît, Tally! On se connaît. On était à Argent ensemble. On était amis. Tu me…

—La ferme, Will.

Trois noms de plus, pensai-je en courant pour rattraper Gerrard. Jordan, Tally et Will. Connaître ces noms était réconfortant, même si je n'avais pas très bien vu Tally dans l'ombre, entre deux torches. J'étais à peu près sûr que c'était un des camarades de chambrée de Levin, peut-être celui qui ressemblait un peu à Aben.

Et Somiss, pensai-je. À présent, je connaissais le nom du magicien qui nous effrayait le plus.

—Regardez! Il est là! Celui qui a pris plein de nourriture! cria quelqu'un derrière nous.

J'entendis Gerrard faire un bruit étrange. Riait-il encore? Il rassembla les plis de sa robe, la souleva presque jusqu'à sa taille et se mit à courir, découvrant par intermittence l'arrière de ses jambes pâles tandis qu'il s'éloignait de moi.

Je courus aussi, honteux de dépendre autant de lui, mais certain d'être incapable de retrouver le chemin de notre chambre sans son aide. Derrière moi, quelqu'un d'autre criait à Will de la fermer et d'arrêter de quémander. J'entendis aussi des bruits de pas. Quelques-uns d'entre eux, au moins, avaient pris Gerrard en chasse; il le savait, car il avait accéléré. Mon seul espoir était de ne pas le perdre de vue.

Gerrard tourna à gauche dans un étroit couloir. Il y eut trois virages très rapprochés, et les voix, derrière moi, disparurent progressivement. Nous étions de retour dans notre chambre, plus ou moins en sécurité. Et nous avions de la nourriture. Beaucoup de nourriture!

Je pris un morceau de pain et le fourrai dans ma bouche. Il était sucré, car il avait été préparé avec du miel; il était si bon que je faillis pleurer. Je posai le reste sur mon bureau: une tranche tout écrasée de pain noir, une orange et une boule de fromage dur.

Gerrard, lui, se pencha sur son bureau pour y verser le contenu de sa robe. Je ne pus m'empêcher de le regarder bouche bée. Il remarqua mon intérêt.

—Ne t'avise pas d'y toucher. Jamais.

Je me laissai tomber lourdement sur mon lit. Gerrard avait quatre tranches de pain, une demi-meule de fromage, cinq ou six oranges, un melon et quatre pommes. Il avait également un œil poché, la pommette éraflée et sanguinolente, et les phalanges de la main droite fendues.

J'avais été l'un des premiers à me tenir devant le plateau. Pourquoi n'avais-je pas pensé à me servir de ma robe ? Je savais pourquoi. Parce que j'étais incapable de penser. Ma seule obsession avait été de m'extirper de la cohue sans être blessé. Une fois de plus, la démonstration était faite : j'étais un lâche.

Sans réfléchir, je sortis dans le couloir et j'avançai en aveugle jusqu'au premier croisement. J'empruntai un tunnel transversal, puis je m'arrêtai, le dos collé à la pierre froide. Et je pleurai toutes les larmes de mon corps. Gerrard ne me regarda même pas lorsque je revins dans la chambre et me glissai dans mon lit. Il étudiait.

Chapitre 23

— **N**on, dit doucement Franklin.

Sadima se retourna, la main posée sur la poignée de la porte de Somiss.

— Je me suis dit que comme il ne serait pas de retour avant midi, je…

Elle s'était interrompue car Franklin secouait la tête.

— Non. N'entre jamais dans cette pièce. Jamais.

— Elle ne peut pas être si sale, reprit Sadima dans un sourire. Et même si c'est le cas…

— Sadima, insista-t-il. Somiss ne veut pas. Personne n'a le droit d'entrer dans sa chambre.

Elle s'éloigna de la porte.

— Pas même toi ?

Franklin lâcha un soupir.

— Pas même moi. Pas depuis que nous avons quitté la maison de son père.

— Dans ce cas, je vais aller puiser de l'eau, dit-elle en haussant les épaules. Le tonneau est presque vide. Sept pâtés de maisons à l'ouest, cinq au nord ; Somiss m'a expliqué.

Franklin secoua la tête.

— Somiss n'est jamais allé chercher d'eau de sa vie, rétorqua-t-il. Il y a un autre puits, bien plus près. Je vais te montrer.

— Tu devrais plutôt retourner à ton travail, remarqua-t-elle sans conviction.

Elle espérait qu'il insisterait. Ce qu'il fit.

Dans le hall de l'immeuble, ils croisèrent la propriétaire. Franklin accéléra en tirant Sadima par le bras et dit à Mme Terret que Somiss paierait bientôt leur loyer. Ils se hâtèrent de sortir dans la rue et bifurquèrent à l'est sans ralentir. Un demi-pâté de maisons plus tard, Sadima pencha la tête sur le côté, haussa les sourcils et demanda :

— Somiss paie toujours son loyer avec du retard ?

Il rit.

— Tu plisses toujours le nez quand tu es étonnée.

Sadima sentit ses joues se réchauffer.

— On pourrait en dire autant de n'importe quel chien de ferme !

Franklin lui tendit un des seaux vides et passa son bras libre autour de ses épaules. Ils marchaient exactement à la même allure.

— Tu ne ressembles pas du tout à un chien de ferme, dit-il.

C'était à son tour de rougir, constata-t-elle. Elle se pencha sur son épaule, et ils marchèrent l'un contre l'autre en silence. Franklin la précéda dans une allée, puis remonta une ruelle étroite avant de se faufiler entre deux bâtiments. Au sortir du passage, Sadima vit une file de gens dans la rue ; tous portaient des seaux vides.

— Tu vois ? C'est beaucoup plus près.

— Et ma question ? lui rappela-t-elle. Dans les contes, les nobles sont toujours riches.

Il hocha la tête tandis qu'ils traversaient la chaussée pavée.

— Sa famille est très riche. Son père a fait fructifier ce qui, à la base, était déjà une belle petite fortune. Toutefois, c'est sa mère qui lui donne l'argent nécessaire à ses travaux : elle-même a hérité de sa mère. Bref, l'argent n'est pas un problème. Pour Somiss, le plus difficile est de rencontrer sa mère sans que son père s'en rende compte. S'il le savait, il se mettrait dans une colère noire.

Sadima ralentit pour monter sur la passerelle en bois.

— Pourquoi?

Franklin semblait irrité.

— Parce que son père a très peur que le roi découvre les activités de son fils.

Somiss recueillait des vers écrits dans une langue que personne ne comprenait; Sadima ne voyait pas en quoi cela concernait le roi. Elle faillit le faire remarquer à Franklin, puis elle se rappela les vieilles histoires que lui racontaient Micah et Mattie Han. Les rois étaient absents de celles qui mettaient en scène des magiciens, et *vice versa*. Elle demanda à Franklin ce que cela signifiait.

— Tu as tout compris, Sadima. Il y a des histoires de rois omnipotents, et d'autres de magiciens très puissants. Somiss n'est pas certain de savoir pourquoi. Il ignore aussi lesquelles narrent les événements les plus anciens, si tant est qu'ils se soient réellement produits. En revanche, il est facile de comprendre pourquoi les rois préféreraient qu'il n'y ait pas de magiciens.

Sadima hocha la tête. C'était logique, en effet, mais cela la mettait mal à l'aise.

— Je ne veux pas que tu t'acquittes de cette corvée toute seule, reprit Franklin tandis qu'ils commençaient à faire la queue. Ces seaux sont très lourds quand ils sont pleins.

— Je suis beaucoup plus forte que tu l'imagines, rétorqua-t-elle en souriant. J'ai vécu toute ma vie dans une ferme.

— C'est vrai que tu m'avais épaté en portant ces quatre chevreaux, dit-il par-dessus son épaule en avançant dans la queue. Tu étais si petite. Et aussi mince qu'un brin d'herbe.

— Somiss est-il prêt à entendre des conseils? demanda-t-elle.

Il se retourna et prêta une oreille attentive. Elle lui expliqua que Somiss parlait à peine aux gens qui lui rendaient visite, qu'il ne leur demandait jamais à quelle occasion ils récitaient les vers ni s'ils avaient une idée de leur signification.

—Tu as raison, acquiesça-t-il en hochant la tête. Je le lui dirai.

Lorsque vint leur tour, Franklin insista pour descendre les seaux lui-même. Sadima fit un pas en arrière et salua d'un signe de tête une jeune femme à l'air sinistre qui attendait derrière eux. Celle-ci ne répondit pas. Elle était vêtue de la tête aux pieds d'un tissu couleur rouille brodé de nombreuses couleurs, et elle ne portait pas de seau mais deux gourdes en peau. Ses mains étaient couvertes de tatouages en forme d'arabesques. Elle avait les yeux rivés sur Franklin.

Sadima essaya de ne pas la dévisager. Il était tôt, et les grands bâtiments projetaient des ombres obliques sur la place carrée et le puits. Les anneaux en argent qui pendaient aux oreilles de la jeune femme se découpaient sur sa peau couleur miel. Sadima sourit et réessaya d'entamer la conversation.

—Puis-je vous demander d'où vous venez?

La femme fronça les sourcils.

—Je viens d'il y a très longtemps et de tout près d'ici.

Elle avait parlé en étirant les mots, en les chantant presque.

Cette étrange réponse fit sourire Sadima, qui attendit que Franklin ait terminé de se retourner : il faisait des mouvements lents afin de ne pas renverser les seaux.

—Je vais les porter, dit-il quand elle fit mine de les lui prendre. À partir de maintenant, je me chargerai de cette corvée. Somiss travaille si tard qu'il se lève rarement de bonne heure. Il ne remarquera rien.

Quand ils eurent traversé la rue et se furent engagés dans l'étroit passage qui serpentait entre deux bâtiments, Franklin regarda par-dessus son épaule.

—Est-ce que la bohémienne t'a parlé?

—C'était une bohémienne? s'étonna Sadima. Micah m'a dit qu'ils ne s'habillaient qu'en bleu.

—Chaque clan a sa couleur, expliqua Franklin.

Sadima lui rapporta ce que la femme lui avait dit.

—La plupart du temps, ils refusent de parler aux personnes qui n'appartiennent pas à leur clan. Somiss pense que leur langue se rapproche de celle que l'on parlait à l'époque où la magie est apparue. Selon lui, les vers anciens ont été écrits dans cette langue, mais les mots ont été déformés avec le temps.

—Dans ce cas, pourquoi ne l'a-t-il pas apprise?

—Ils refusent de nous enseigner quoi que ce soit, expliqua Franklin en secouant la tête Et pourtant, nous avons bien essayé. J'ai été passé à tabac quelques nuits après leur avoir rendu visite dans leur camp. Somiss avait réussi à s'enfuir; moi, pas.

Sadima était stupéfaite.

—Il t'a abandonné? Ils t'ont fait du mal?

Franklin la considéra un instant, puis détourna les yeux.

—J'étais sur pied deux semaines plus tard. Ils auraient pu le tuer, Sadima. C'est moi qui lui ai demandé de partir.

Ils tournèrent à un coin et s'arrêtèrent pour laisser passer un chariot tiré par un cheval. Sadima sentit l'extrême fatigue de la jument, mais s'efforça de l'oublier pour s'intéresser à Franklin.

—Ils considèrent que leur langue est sacrée, poursuivit-il. Que chacun de ses mots l'est. Cela conforte Somiss dans son idée. Il est en train de chercher un moyen d'obtenir leur aide. Si leur langue possède une forme écrite, ses travaux feront un bond colossal, mais même si ce n'est pas le cas, nous économiserons des années de travail. Nous leur avons posé la question, mais, pour l'instant, ils refusent de répondre.

Sadima passa devant lui pour lui ouvrir le portail, puis le suivit dans l'escalier. Il s'arrêta devant la porte verte et posa doucement les seaux par terre. Il mit un doigt sur ses lèvres.

—Je crois que je l'entends, chuchota-t-il. Il est rentré plus tôt pour voir ce que nous faisions. Prends l'eau et entre la première. J'arrive dans quelques minutes.

Sadima hocha la tête et attendit qu'il soit redescendu pour ouvrir la porte et porter les seaux dans la cuisine. Somiss se tenait derrière la table, près d'une chaise tirée. Il la regarda verser l'eau dans le tonneau.

—Ce matin, je me suis surpris à me demander ce qu'il y aurait à manger ce soir, commença-t-il doucement.

Déstabilisée par son regard, Sadima eut un sourire forcé.

—Je n'y ai pas encore réfléchi. Vous avez une préférence?

Il secoua la tête.

—Vos plats sont de toute façon bien meilleurs que ce à quoi Franklin et moi étions habitués. Vous l'avez vu? Je pensais le trouver ici en train de travailler sur les copies dont j'ai besoin.

Sadima le contourna avec les seaux vides, qu'elle posa sur le balcon.

—Ils sécheront mieux ici, dit-elle.

Elle scruta la foule dans la rue, repéra Franklin qui s'éloignait, et se sentit libérée d'un poids. Elle s'avança jusqu'à la balustrade et mit ses mains en porte-voix autour de sa bouche.

—Franklin! cria-t-elle. Somiss me demandait justement si je t'avais vu!

Il pivota sur ses talons.

—J'arrive!

Sadima se retourna et faillit percuter Somiss, qui se dressait en travers de son chemin. Elle attendit, les yeux rivés sur lui, son pouls de plus en plus rapide. Après quelques secondes, il fit un pas sur le côté.

Chapitre 24

J e terminai mes réserves de nourriture le lendemain. Tout ce que j'avais.

Je m'étais promis de ne manger qu'un petit morceau de fromage et juste assez de pain pour calmer mon estomac affamé, mais je n'avais pas réussi à m'arrêter. Plus tard, quand Gerrard me tourna le dos pour étudier, je m'installai au pied de mon lit pour pouvoir regarder sa nourriture. J'étais à peu près certain qu'il n'y avait pas touché. Ma bouche s'emplit de salive tandis que je recomptais les pommes et les oranges. Mon père importait souvent des oranges de Levern. Celia les préparait en salade ou en compote. Elle faisait également des tartes à la confiture dont mon père raffolait.

Je m'allongeai et me forçai à lire. Après les royaumes et les successions, il y avait un chapitre sur la création de l'académie. Son Fondateur avait commencé à travailler sur la langue ancienne très jeune ; il y avait passé tout son temps, s'interrompant à peine pour manger. À l'époque, Limòri était beaucoup plus petite qu'aujourd'hui. Beaucoup moins sûre, aussi. Les rues grouillaient d'enfants qui mendiaient : des orphelins, pour beaucoup, dont les familles avaient éclaté à cause des guerres incessantes déclarées par le roi. Ils avaient tellement faim qu'ils étaient prêts à tuer. Et puis, il y avait les bohémiens, qui venaient souvent en ville pour voler les gens, attaquer les femmes ou kidnapper des bébés qu'ils élevaient comme des esclaves.

En ce temps-là, le roi ne faisait rien pour améliorer la situation, ni pour nourrir ces pauvres orphelins. Le Fondateur de l'académie était de sang royal. Il aurait pu devenir roi lui-même, mais il avait préféré créer cette école. Sa famille, qui pensait qu'il s'était fourvoyé, avait d'ailleurs tenté de le faire assassiner à plusieurs reprises.

Je fermai les yeux, le livre ouvert sur la poitrine, et me demandai si le Fondateur haïssait son père comme je détestais le mien. Je restai longtemps éveillé à regretter de n'être pas né dans une famille pauvre du quartier sud, de n'être pas comme Gerrard. Si j'étais né pauvre, je ne serais pas là où j'étais désormais, ou alors j'aurais de bien plus grandes chances de survivre. Apprendre ou mourir, avait dit Somiss. *Mourir.* Mon père était-il au courant ?

Le matin suivant, Gerrard mangea une pomme et un morceau de fromage. Il prit son repas assis à son bureau, en me tournant le dos. Je m'efforçai de ne pas regarder dans sa direction, j'essayai même de lire, en vain. Je sentais le parfum de la pomme. Je n'avais jamais eu faim de ma vie, jamais plus de quelques minutes. À la maison, quand je voulais manger quelque chose, il me suffisait d'appeler Celia. Si elle n'avait pas déjà préparé ce dont j'avais envie, elle se mettait aussitôt au travail. Dans les écoles que j'avais fréquentées, nous mangions trois repas complets par jour, et il y avait des paniers de fruits et d'aliments simples à la disposition des élèves qui travaillaient tard. Et aussi de ceux qui grimpaient sur le toit pour regarder les étoiles et discuter avec des amis. J'avais montré à la moitié de ma classe comment grimper sur le toit. Apparemment, ils avaient tous un père plus gentil que le mien, puisqu'ils n'avaient jamais ressenti le besoin de s'enfuir. Je m'abîmai dans la contemplation du plafond en pierre. Combien de temps allait-il s'écouler avant que je puisse de nouveau m'asseoir sur un toit ? Aurais-je encore cette chance ?

Je dus m'endormir, car je me réveillai quand un magicien frappa à notre porte. C'était un homme grand et mince à la voix aiguë. Je me demandais pourquoi nous avions droit à un magicien différent chaque fois. Je ne me l'expliquais pas. Peut-être tiraient-ils à la courte paille celui qui guiderait les élèves ?

Franklin nous donna un autre cours ridicule ; il nous enseigna une nouvelle technique, nous demanda de sentir l'air qui entrait puis sortait de nos poumons. Nous étions incapables de nous concentrer. En tout cas, moi, je n'y arrivais pas. Savoir qu'il y avait de la nourriture dans ma propre chambre puante et que je n'avais pas le droit d'y toucher était une véritable torture. Gerrard, lui, semblait en pleine possession de ses moyens. Il était calme, serein. Rien de plus normal, puisqu'il pourrait manger quand il le souhaiterait.

À la fin du cours, Will leva le doigt comme si nous étions dans une classe ordinaire.

—Oui ? fit Franklin en l'invitant à parler d'un geste de la main.

—J'ai faim, dit-il la gorge serrée, en proie au désespoir.

—Je sais, répondit notre professeur en hochant la tête. Vous avez tous faim. (Il hésita, déplia ses longues jambes et se leva.) Somiss vous a-t-il expliqué comment créer de la nourriture ?

Nous secouâmes tous la tête. Franklin se tenait parfaitement immobile. Son visage était lisse et calme, mais je crus voir de la colère dans ses yeux.

Il rompit le silence :

—Après le prochain cours, je vous montrerai.

Mon cœur menaçait d'exploser dans ma poitrine. J'avais hâte qu'il nous emmène dans la salle au joyau, qu'il fabrique de la nourriture, qu'il nous laisse manger sans que nous ayons à nous battre, puis qu'il nous enseigne patiemment à produire nous-mêmes de quoi nous alimenter. Je jetai un regard aux autres. Leur visage reflétait des émotions que je ressentais moi aussi : la trahison, la peur. Pourquoi devrions-nous attendre ? Franklin, qui nous avait semblé plus gentil que Somiss, se moquait-il du fait que nos estomacs étaient vides ?

De retour dans notre chambre, Gerrard mangea un peu, puis se retourna et me regarda.

— Tu devrais étudier, me conseilla-t-il d'un ton neutre. Plus tu penseras à ton estomac, plus il te fera souffrir.

Il reprit son livre d'histoire et s'enfonça dans son lit.

Je regardai alternativement mon voisin et la nourriture empilée sur son bureau. Il avait très peu mangé – la majeure partie de ce qu'il avait volé se trouvait encore là –, mais il avait mangé quand même.

— Je n'ai pas besoin de tes conseils, lâchai-je, tandis qu'une colère bouillonnante enflait dans ma poitrine. Toi, tu ne crèves pas de faim. Tu as pris bien plus que ta part, et maintenant tu…

Gerrard bondit sur moi comme un animal, les yeux plissés, le visage à seulement quelques centimètres du mien.

— Tu ne sais rien de moi, petite pourriture gâtée.

Il leva le poing droit, et je crus qu'il allait me frapper, mais il n'en fit rien. Il abaissa lentement le bras, une étrange expression sur le visage.

— Tu ne comprends donc rien ? reprit-il. Les magiciens ne font pas semblant. Tout est prévu. Ils n'hésiteront pas à nous laisser mourir. Ils veulent que nous nous battions.

Je lui jetai un regard noir.

— Alors, c'est qu'ils sont complètement fous, dis-je calmement.

— Non, ils ne sont pas fous, rétorqua-t-il en secouant la tête. Toutes les souffrances qu'ils nous infligent ont un but. Toutes. Le premier jour, quand nous nous sommes perdus dans cette pièce, poursuivit-il en désignant les murs d'un geste du bras. Le fait de nous priver de nourriture, les cours de Franklin…

— Les cours de respiration ?

— Bien sûr, insista-t-il, les yeux plissés. C'est un peu comme ramper avant de…

Il secoua la tête, me tourna le dos et ne dit plus un mot. Malgré mon esprit affamé et lent, je compris qu'il s'était interrompu au milieu d'une phrase de peur de m'en dire trop. Il ne voulait pas m'aider.

Chapitre 25

S adima fut réveillée par une légère pression sur son épaule. Franklin était penché sur sa paillasse.

—Somiss sera absent pendant la moitié de la journée, dit-il. Son père n'est pas là ce matin, et il va tenter de persuader sa mère de l'aider.

Sadima écarta ses cheveux de son visage. À vrai dire, elle comptait sur leur absence à tous les deux pour prendre un bain et laver sa robe.

—J'aimerais te montrer quelque chose, poursuivit Franklin. Dépêche-toi.

Sadima roula ses couvertures et se lava. Peut-être avait-il prévu de l'emmener voir la mer ? Elle s'essuya le visage, regarda derrière l'arche et sentit ses espoirs s'envoler. Non, elle ne verrait pas la mer ce jour-là. Franklin l'attendait, assis à la table. À côté de lui étaient posés une pile de feuilles blanches, deux plumes d'oie et un encrier. Deux plumes d'oie. Sadima sentit ses cheveux se dresser sur sa nuque.

—Essaie de recopier ça, dit-il lorsqu'elle se fut installée à côté de lui.

Il traça trois courbes rapides sur le papier.

Sadima prit la plume. Son contact lui sembla étrange, incongru, mais aussi familier. Elle avait à peu près les mêmes dimensions que les pinceaux que Micah lui avait apportés un par un, les cachant dans ses poches. Une douleur fugace lui parcourut le corps. La peinture lui manquait, son frère lui manquait. Elle repensa aux artistes de la place du marché. Elle avait plusieurs fois eu envie d'aller à leur rencontre, de leur parler, mais il y avait toujours des chemises à laver, des repas à préparer…

— Sadima ? Tu veux bien essayer ?

Elle observa la forme dessinée par Franklin et la reproduisit. Il parut étonné.

— C'est parfait. Maintenant, essaie celle-ci. C'est un « s », la première lettre de ton prénom.

La jeune femme recopia la lettre, puis deux autres. Elle recommença sans attendre qu'il la pousse ou l'encourage ; elle espérait le faire sourire.

Franklin l'attira à lui, l'embrassa sur le front, puis la laissa reprendre sa place.

— Essaie ceci.

Il écrivit plus vite cette fois-ci ; sous ses doigts, la plume traça de minuscules boucles et ponts. Sadima regarda tour à tour la feuille de Franklin et la sienne, recopiant les lettres à mesure qu'il les écrivait.

Franklin sourit.

— C'est incroyable ! Tu pourrais commencer à produire des copies acceptables dès aujourd'hui, alors que tu ne sais même pas lire ! C'est la première fois que je vois quelqu'un écrire avec autant de précision, dès la première fois. (Il écrivit le prénom de la jeune femme, puis le sien, et lui laissa le temps de les recopier.) Comment se fait-il que tu y arrives si bien ?

—Je peins, répondit-elle, encouragée par ses compliments. Enfin, je peignais. Rien d'extraordinaire, ajouta-t-elle, modeste. Les fleurs, la forêt, le ciel. Et des portraits de mes chèvres.

Il lui donna une nouvelle feuille et alla chercher dans le placard une page de notes griffonnées par Somiss. Elle les recopia en prenant bien soin de laisser un espace après chaque point, comme l'avait fait Somiss.

Franklin hochait la tête et souriait.

—Maintenant, Somiss ne voudra plus te laisser partir! Il déteste recopier ses notes et il n'est pas très satisfait de mon travail. Reste assise, je vais préparer le petit déjeuner. Aujourd'hui, vous avez gagné le droit d'être servie, mademoiselle.

Sadima éclata de rire. Après qu'il fut parti chercher de l'eau, elle considéra la feuille de brouillon, avant de la ranger dans la boîte où elle conservait sa peinture. Son prénom et celui de Franklin, côte à côte. Elle les recopia de nouveau en les prononçant lentement. La deuxième et la dernière lettre de son prénom à elle étaient identiques. Elle le prononça encore une fois en observant les lettres qui le composaient. Y avait-il une lettre pour chaque son?

Ils venaient tout juste de commencer leur repas quand la porte d'entrée s'ouvrit violemment. Le visage de Somiss était déformé par l'émotion, mais il ne dit rien.

Sadima voulut se lever pour se réfugier dans la cuisine, mais Franklin se redressa au même moment, et ils se bousculèrent. La jeune femme se rassit, tandis que Somiss arpentait la petite pièce tel un taureau dans un paddock trop étroit. Enfin, il se décida à parler.

—Mon père se doute de quelque chose. Ma mère lui a raconté que j'étais parti, mais qu'elle ignorait où, peut-être à Yamark ou à Théreistine. J'espère vraiment qu'il a cru son histoire. (Il se couvrit la bouche et le menton de la main. Son regard passait alternativement du plafond à Franklin.) Elle dit qu'elle ne peut plus prendre le risque de m'aider, qu'il va la faire surveiller par une dizaine de personnes. (Il lâcha un soupir, et courba les épaules.) Il nous reste un travail colossal à accomplir… (Il releva la tête et ajouta :) Elle n'avait que quelques pièces dans sa chambre. Juste de quoi payer le loyer. Il ne nous reste rien pour la nourriture et le reste.

— Je peux travailler, intervint Franklin.

— Où ? l'interrompit Somiss, comme si leur situation était sans espoir. Et qui se chargera des copies si tu es obligé de travailler ? Je ne pourrai pas tout faire tout seul.

Sadima se tourna vers Franklin. Leurs regards se croisèrent, et ils se comprirent aussitôt. Elle hocha la tête.

— Je voudrais te montrer quelque chose, dit Franklin.

Incrédule, Somiss regarda son ami écrire une série de lettres, puis tendre la plume à Sadima. La jeune femme recopia les caractères et observa longuement Somiss dans l'espoir de lire sur son visage une réaction enthousiaste. Il parut plus étonné que satisfait.

— Elle sait lire ? demanda-t-il, comme si Sadima n'était pas là. C'est interdit par l'ancien décret, Franklin… ou bien tu as omis de me dire qu'elle était issue d'une grande famille.

Franklin secoua la tête.

— Elle ne sait pas lire, mais regarde la qualité de cette copie. C'est la première fois qu'elle essaie, Somiss. Avant ce matin, elle n'avait jamais tenu une plume. Je voulais voir de quoi elle était capable. Grâce à elle, tu pourrais… nous pourrions nous concentrer sur autre chose que la copie.

— Elle est incapable de déchiffrer ce qu'elle écrit ? insista Somiss en ne le quittant pas des yeux.

Franklin confirma d'un signe de tête.

— Je pourrais lui apprendre et…

— Non. Tu ne lui apprendras rien. Pourquoi enfreindre la loi royale, si nous pouvons l'éviter ? Je passe la moitié de mon temps à copier, à comparer mes notes, à les annoter, afin de sauvegarder mon travail, expliqua-t-il à Sadima. Et c'est la même chose pour Franklin. (Son expression se durcit.) Sans compter que cela nous coûte de l'argent ; il y a le papier et la location du coffre dans un bureau de change.

Sadima les regarda sans rien dire. Somiss parlait comme un enfant inquiet. Franklin le prit par l'épaule et lui chuchota des mots rassurants, comme l'aurait fait un père. Il lui murmura à quel point il le trouvait intelligent et capable. Sans qu'elle sache pourquoi, la jeune femme sentit son cœur se serrer.

— Avec un peu d'entraînement, je pense que je pourrais me charger de ce travail, dit-elle doucement.

Ils se retournèrent tous les deux pour la regarder. Somiss plongea son regard dans le sien.

— Vous devrez continuer à faire semblant d'être notre servante, insista-t-il. Toujours. La loi royale interdit aux roturiers d'apprendre à lire et à écrire. Je préfère ne pas avoir à convaincre un magistrat de votre illettrisme.

— Je vous donne ma parole, promit Sadima. Je ne dirai rien à personne.

— Vous continuerez à faire la cuisine et le ménage, ajouta-t-il.

Elle acquiesça d'un signe de tête.

— Je l'aiderai à accomplir ses corvées, intervint Franklin.

Le ton de sa voix la fit rougir. Elle se retira dans la cuisine pour préparer une troisième assiette. Pendant qu'elle faisait frire des pommes de terre, Somiss s'assit au bout de la table et parla à Franklin à voix basse. Lorsqu'elle lui apporta son repas, il releva la tête, la prit par le poignet et la regarda dans les yeux.

— Vous resterez avec nous, mais vous devrez garder pour vous tout ce que vous apprendrez et que nous découvrirons. Pas seulement les écrits, tout. Pas un mot à quiconque. Jamais. Jusqu'à votre mort. Vous devez le jurer.

Sadima jeta un regard furtif à Franklin. Celui-ci eut un sourire joyeux et se hâta de baisser les yeux. À cet instant, Sadima comprit quelque chose d'extraordinaire. Il avait craint que Somiss l'oblige à partir. Il souhaitait désespérément qu'elle reste.

— Je le jure, promit Sadima. Pas un mot à qui que ce soit.

Il tendit la main et lui effleura la joue.

— Sur votre vie, ajouta-t-il.

— Sur ma vie, répéta Sadima sans hésiter.

Du coin de l'œil, elle vit Franklin sourire.

Somiss se leva, partit dans le couloir et s'enferma dans sa chambre. Franklin prit Sadima dans ses bras, la souleva et la fit tourner dans la pièce.

— Nous allons changer le monde, lui murmura-t-il à l'oreille en la reposant sur sa chaise, le visage illuminé par l'espoir et la foi. Les pauvres auront de quoi manger ; les malades guériront ; aucune femme ne mourra plus en couches comme ta mère. (Son visage semblait rayonner de l'intérieur.) Il n'y aura plus de charlatans, Sadima ! La magie sera authentique !

Alors Sadima pencha la tête en arrière, et il l'embrassa.

Chapitre 26

— **A**pprochez, dit Franklin.

Nous lui obéîmes. Je sentis l'odeur de la nourriture : viande rôtie, fruits, gâteaux. La salle embaumait comme la cuisine de Celia au matin de la fête de l'Hiver. J'en fus presque pris de vertiges ; mes pieds meurtris me semblèrent bien légers sur la pierre. Ma bouche s'emplissait constamment d'une salive amère que je devais ravaler. Nous avions joué des coudes au moment où il avait fallu déterminer notre ordre de passage. Nous étions tous faibles et chancelants ; tous sauf Gerrard.

Je me tenais, les jambes écartées, près de l'extrémité de la queue. J'essayais de conserver mon équilibre et de garder les idées claires. Je devais à tout prix apprendre à produire de la nourriture. À tout prix. Je croyais Gerrard, tout comme j'avais confiance en mes propres yeux. Somiss pensait tout ce qu'il disait, et Franklin ne pouvait pas ou ne voulait pas nous aider. Mes yeux s'emplirent de larmes, et je me retournai pour que les autres ne me voient pas.

Quelques secondes plus tard, je vis que Levin se tenait à ma droite, juste derrière moi, avec ses camarades de chambrée.

Le grand blond était là aussi, droit, raide, les joues aussi mouillées que les miennes.

—Tu te sens bien, Luke? lui demanda Levin à l'oreille.

Le garçon hocha la tête. Levin me jeta un regard furtif. Je me mordis la lèvre inférieure et me retournai à temps pour voir Franklin agiter la main en direction des torches accrochées très haut sur les murs. Celles-ci s'embrasèrent, et la salle s'illumina comme en plein jour.

Je battis des paupières et mis ma main en visière au-dessus de mes yeux. Tout paraissait irréel. Franklin semblait plus vieux que le temps lui-même. Le joyau scintillait tandis que la lumière des torches dansait sur ses facettes, et le plafond était beaucoup plus haut que je l'aurais cru. Soudain, mes pensées s'éparpillèrent comme des feuilles sèches emportées par le vent. Après tout ce temps passé dans la pénombre, cette lumière vive était presque insupportable.

Je me frottai les yeux et considérai les garçons qui m'entouraient en plissant les paupières. Nous formions des groupes relâchés, répartis en un demi-cercle irrégulier autour du joyau. Ils avaient tous l'air malades, effrayés, et se balançaient d'un pied sur l'autre en se passant la langue sur les lèvres. Instinctivement, je glissai une main dans mes cheveux emmêlés; nous étions crasseux, nos yeux étaient cerclés de rouge. Will et ses trois amis regardaient la pierre monstrueuse, les yeux vides et mi-clos dans la lumière intense. Levin, Jordan, Luke et le garçon qui devait être Tally constituaient un groupe compact. Gerrard se tenait à l'extrémité de la file, un peu à l'écart. Les bras croisés sur la poitrine, il semblait impassible. Il ne paraissait ni effrayé ni désespéré, et je le haïs pour cela.

Franklin était silencieux, comme s'il attendait quelque chose. Mais quoi? Que nous mourions debout? Je me frottai de nouveau les yeux. Cette lumière était douloureuse.

—Commencez, dit-il enfin.

Nous mîmes en pratique la technique qu'il nous avait enseignée, inspirant à l'unisson. Les lèvres pincées et légèrement entrouvertes, nous expirâmes lentement, régulièrement, maintenant presque en continu cette boucle d'air. Le rythme de notre respiration couvrait le silence de la pierre comme une couverture un lit. Je fermai les yeux, rassuré par ce bruit auquel nous étions tous habitués. La salle de classe de Franklin était le seul endroit où je me sentais en sécurité.

Mes muscles se détendirent. Alors, sans raison particulière, je vis ma mère en esprit : elle se tenait devant la porte fermée et verrouillée du bureau de mon père, l'oreille collée contre le bois. Ce qu'elle entendait la faisait pleurer. Je me vis en train de descendre la grande courbe de notre escalier. Je n'avais que quatre ou cinq ans, mais je savais que le moment était venu de me cacher. Mon père détestait que ma mère pleure. Celia n'était ni devant son plan de travail ni dans le garde-manger caverneux. Elle n'apparut dans la cuisine que bien plus tard, les cheveux décoiffés et les joues rouges. Je la voyais comme lorsque j'avais cinq ans, comme si je me tenais devant elle, dans cette pièce. J'ouvris les yeux pour faire cesser ce défilé d'images, puis je les refermai à cause de la lumière intense. Sans en avoir eu l'intention, pour la première fois de ma vie, j'avais compris à quel point mon père avait été cruel avec ma mère et pourquoi cette dernière détestait Celia.

—Hahp ? dit la voix de Franklin. Calme ton esprit.

Je le regardai furtivement. Franklin nous tournait le dos. Je battis des paupières et m'efforçai de rejoindre les autres, de reprendre le bon rythme. C'était la seule chose à faire, me semblait-il. Mon seul salut.

—Ferme les yeux, ajouta Franklin à voix haute, sans se retourner.

J'obtempérai, et le crépuscule, derrière mes paupières, me fut d'un grand réconfort. Je tournai et retournai dans ma tête ce que je venais de comprendre à propos de la colère et de la tristesse de ma mère, à propos de Celia. Y en avait-il eu d'autres? Pourquoi pas? Il y avait toujours eu des servantes dans la maison, très souvent jolies.

Avec circonspection, j'entrouvris les yeux et je vis Franklin, à l'autre extrémité de la file, les mains posées sur les larges épaules de Luke. Il était penché sur le garçon, et j'aurais juré qu'il lui murmurait à l'oreille. Luke hocha la tête et fit un pas en arrière. Franklin resta quelques secondes à le regarder. Je fis basculer mon poids sur mon autre jambe. Je me sentais faible et je risquais de perdre l'équilibre à chaque instant. Franklin passa au garçon suivant, et ainsi de suite. Lorsque vint mon tour, il ne prononça que trois mots :

— Tu le peux.

Après nous avoir murmuré à tous les mêmes paroles d'encouragement, il reprit à voix haute :

— Ouvrez les yeux. (Il nous regarda chacun à notre tour.) Vous devez imaginer la nourriture dans sa totalité, dans les moindres détails, avant de toucher la Pierre de Patyàv.

Il se tourna vers le joyau, se figea le temps de quelques battements de cœur et se mit de profil pour nous permettre de voir ses deux mains posées sur les facettes. Il y eut un éclair de lumière blanc-bleu et un étrange gémissement, comme lorsque l'on frotte du métal contre de la pierre.

Sans m'en rendre compte, je poussai un cri et j'entendis d'autres voix autour de moi. Nous nous penchâmes et vîmes apparaître un plateau chargé de mets encore plus variés que ceux que Somiss avait créés la première fois. Inconsciemment, je fis un pas en avant.

— Vous devez produire votre propre nourriture, reprit Franklin d'un ton neutre et las.

Il fit tomber le plateau du piédestal de pierre noire. Pommes, parts de gâteaux, fromages et viandes rôties s'éparpillèrent sur le sol avec force étincelles. Un instant plus tard, il ne restait plus rien ; tout avait disparu.

—Non, entendis-je Levin murmurer.

Un silence douloureux s'installa dans la salle. Franklin semblait triste, et ses rides paraissaient plus profondes ; en revanche, il avait les épaules bien droites et, lorsqu'il reprit la parole, sa voix ne flancha pas.

—Vous pouvez apprendre à faire la même chose. Fermez les yeux. Tous. Et ne les rouvrez pas.

J'obéis, comme tout le monde, sans doute. J'avais mal à l'estomac. J'écoutais avec mes oreilles, mon cœur, mon corps tout entier.

—Imaginez un jouet que vous aimiez quand vous étiez petits. Choisissez-en un avec lequel vous avez souvent joué et que vous avez observé pendant des heures.

Je me balançai sur mes pieds et sentis mon épaule cogner celle d'un camarade. Je n'ouvris pas les yeux. Un jouet ? Les ténèbres de mes paupières étaient vastes, vides. Soudain, je me souvins de mon cheval bleu. Mon père me l'avait ramené de l'un de ses voyages ; je ne me rappelais plus sa provenance ni à quelle occasion il me l'avait offert. En revanche, je n'avais pas oublié son contact. La pierre dans laquelle il avait été sculpté était lourde et froide, même en plein été. Le cheval se cabrait, et le crin de sa queue déployé en cascade formait un trépied avec ses pattes postérieures. Ainsi, il pouvait rester debout aussi bien sur une surface en terre que sur le sol de la maison ou sur un tapis épais, ses petits sabots levés bien haut vers le ciel. Je l'avais souvent fait galoper en courant entre les pins. Je revoyais avec précision le petit éclat qui était apparu après que je l'eus fait tomber dans l'âtre. Ce soir-là, j'avais pleuré, et mon père m'avait frappé jusqu'à ce que je me taise.

Je me rendis compte que Franklin n'avait rien dit depuis un long moment. Je voulus ouvrir les yeux mais je n'y arrivai pas. Cela me fit peur ; heureusement, le rythme régulier et solide de la respiration de mes camarades m'aida à me calmer.

Je ne me lassais pas de ce cheval. Je me revoyais lâchant un cri aigu et enragé, imaginant que le cheval venait au secours de ma mère quand mon père se mettait en colère contre elle, qu'il se dressait entre elle et lui, se cabrait et le transperçait de son regard bleu, le dissuadait de la toucher.

—Hahp ?

C'était la voix de Franklin. Un instant plus tard, je sentis ses mains sur mes épaules et j'ouvris les yeux.

— Te rappelles-tu un jouet ?

J'acquiesçai d'un signe de tête.

—En détail ?

Je hochai de nouveau la tête.

Il me guida jusqu'au joyau, manœuvra mon corps de plomb jusqu'à ce que la pierre soit à portée de mes mains. De près, je vis que chacune des facettes du joyau était elle-même composée de facettes. Comment était-ce possible ? Je savais qu'on taillait les diamants – j'avais vu le joaillier de mère à l'œuvre –, mais qui aurait pu tailler une pierre aussi énorme ?

— Hahp ? (Mes pensées se dispersèrent comme des oiseaux apeurés.) Imagine un jouet, murmura Franklin. Quand tu le verras en détail, quand tu l'entendras, le sentiras, le goûteras complètement, tu toucheras la pierre.

Étrangement porté par la faim qui me tenaillait, je remontai le temps suffisamment loin pour jouer de nouveau avec mon cheval, pour le tenir dans mes mains, le presser contre mon nez et ma bouche. J'entendais le bruissement lisse de ma tunique en soie, les craquements des aiguilles de pin sous mes pieds, tandis que je le faisais galoper dans tout le jardin. Je me souvenais de son goût bizarre de pierre mouillée : je voulais vérifier s'il avait un goût de myrtille...

Alors, sans ouvrir les yeux, je tendis les bras et posai mes mains sur la surface de l'énorme joyau. Elle était glaciale. Il y eut un éclair de lumière, des bruits étranges. Le petit cheval était là, devant moi, sur le piédestal noir. Je le regardai bouche bée, les oreilles emplies d'un bruit que je finis par reconnaître.

Les autres applaudissaient.

Je me tournai vers Franklin.

Il avait disparu.

Chapitre 27

Sadima avait passé la majeure partie de la matinée à arpenter les passerelles très fréquentées du nord de Limòri où elle avait découvert une réalité douloureuse : nombreux étaient les enfants des rues affamés qui nettoyaient ou transportaient de lourdes charges pour le compte des commerçants en échange d'un modeste repas. Beaucoup d'enfants avaient tendu vers elle leurs mains crasseuses en chantant : « *S'il vous plaît, madame, s'il vous plaît, madame…* »

Sadima lâcha un soupir ; elle regrettait de n'avoir rien à leur donner. Elle n'avait déjà pas suffisamment d'argent pour leur acheter de la nourriture, à Somiss, Franklin et elle. Les huit derniers jours, ils n'avaient presque pas mangé, se contentant d'une assiette de pudding gluant et d'un bol de soupe claire. Elle devait à tout prix trouver un travail. Mais pourquoi un commerçant l'embaucherait-il, alors qu'il avait à sa disposition des centaines de gamins prêts à travailler pour presque rien, et dont la situation était plus touchante que la sienne ? Franklin n'avait rien trouvé non plus.

Somiss était tout le temps en colère. On aurait dit qu'il était incapable de comprendre ce que le manque d'argent impliquait.

Franklin lui avait expliqué que Somiss n'avait jamais eu faim plus d'un quart d'heure dans sa vie.

Lasse, l'estomac dans les talons, Sadima se demanda combien de temps elle allait encore pouvoir avancer. À la sortie d'un tournant, elle se figea. Les gens qui marchaient derrière elle la contournèrent. Elle entendit une voix d'homme, grave et agacée, mais elle ne répondit pas. Vingt pas devant elle, la rue débouchait sur la mer. L'étendue bleue et infinie commençait derrière les planches du quai et s'étirait jusqu'à l'horizon. Les navires amarrés étaient magnifiques, plus grands que la maison qui l'avait vue naître ; le bois sombre et usé de leur coque était un camaïeu de couleurs terre. Très loin derrière roulaient des montagnes d'eau surplombées d'écume blanche. Des vagues. Il y avait des vagues dans l'une des histoires que Micah lui avait racontées. Elle voyait enfin la mer de ses propres yeux.

Un deuxième coup dans l'épaule lui rappela qu'elle s'était arrêtée au milieu d'une passerelle fréquentée. Elle se remit en route et, au prix d'un effort de volonté, détacha les yeux de l'eau et se concentra sur les devantures des magasins. Elle examina les enseignes et se rappela ce que lui avait expliqué Franklin.

Seules six ou sept enseignes de cette rue ne comportaient que des lettres ; les boutiques en question étaient donc réservées aux nobles et à leurs amis marchands fortunés. Celles de la plupart des magasins comportaient à la fois des lettres et des dessins qui illustraient ce que les clients trouveraient à l'intérieur. Quelques-unes ne présentaient que des dessins, ce qui signifiait qu'elles vendaient des biens moins coûteux, du pain plus sombre, moins délicat, des viandes plus coriaces et filandreuses, et des œufs moins frais.

Sadima se dirigea vers la devanture d'un fromager. Une clochette en argent tinta lorsqu'elle poussa la lourde porte. Le parfum de fromage frais fit immédiatement réagir son estomac vide.

À l'intérieur attendait une femme qui portait une sorte de casquette serrée aux broderies en forme de fleurs et de feuilles de vigne. Des mèches de cheveux gris dépassaient autour de ses oreilles.

— Accepteriez-vous que je nettoie votre local ou que j'effectue d'autres tâches pour vous ? lui demanda Sadima.

La marchande secoua la tête.

— Les orphelins font cela très bien, rétorqua-t-elle d'une voix étrangement rythmée. (Elle regarda Sadima de la tête aux pieds, et prit un air intéressé.) Une fille de la campagne ? Vous savez faire du fromage ?

Sadima sourit et se prit à espérer.

— Oui, madame.

La femme l'examina de nouveau, ce qui la mit mal à l'aise. Sadima savait que sa robe était non seulement grossière, mais en mauvais état. Elle avait mis ses plus beaux habits en vue de chercher du travail ; toutefois, ils étaient pires que la plus laide des robes portées par les femmes de cette ville, si on laissait de côté les haillons des mendiantes de la place du marché.

— Racontez-moi, commença la femme en retirant son tablier. Racontez-moi ce que vous savez sur la fabrication du fromage.

Sadima hocha la tête.

— Au lait de chèvre ou de vache ? Avec ou sans présure ?

La femme afficha un léger sourire.

— Les deux. Ma famille possède une ferme à l'extérieur de la ville. Mon père m'apporte le lait caillé deux fois par semaine. Habituellement, nous travaillons avec de la présure. Les fromages à pâte dure rapportent beaucoup plus.

Elle croisa les bras, haussa les sourcils et attendit.

Sadima commença en prenant son temps. Lorsqu'elle en fut au lait caillé et au pressage, elle remarqua que la femme hochait la tête à presque tout ce qu'elle disait, et semblait étonnée ou intéressée par certains détails.

—Pourquoi chauffer le lait caillé deux fois ? demanda-t-elle quand Sadima eut terminé.

—Mon père a appris cette technique de ma mère et me l'a enseignée. Je n'ai jamais essayé de chauffer le lait une seule fois, mais j'imagine que cela donne un fromage plus mou.

La femme opina du chef.

—Ma sœur cadette est enceinte ; elle a perdu son dernier bébé, aussi lui interdisons-nous de nous aider. Nous avons besoin de quelqu'un pour la remplacer. Si vous pouvez venir tous les jours en milieu de matinée et rester tard un ou deux soirs par semaine…

Sadima s'empressa de hocher la tête.

—Nous sommes des Éridiens, poursuivit la femme. Nous avons juré d'être honnêtes ; pour nous, le travail est sacré. Nous travaillons dur, et j'attendrai de vous que vous suiviez la cadence.

Sadima acquiesça ; la religion et les serments prêtés par la famille de la fromagère ne l'intéressaient pas.

—Combien pouvez-vous me payer ?

Son franc-parler fit rire la fromagère.

—Trois pièces de cuivre par semaine en attendant que vous fassiez vos preuves.

Sadima accepta et lui dit son nom.

—Moi, c'est Rinka, répondit la femme dans un sourire.

Le marché fut conclu par une poignée de main. Puis Sadima s'en fut d'un pas lent pour mémoriser son itinéraire.

Elle croisa Franklin dans l'entrée de leur immeuble.

—J'ai convaincu Maude de m'en donner deux, commença-t-il en sortant de sa poche une pomme jaune et luisante. (Il la lui donna et la regarda croquer dans le fruit.) Et toi, tu as trouvé quelque chose ?

Sadima lui raconta tout.

—Je continuerai à t'aider la plupart des soirs et tous les matins.

Franklin repoussa une mèche de cheveux de l'épaule de Sadima.

—Tu nous sauveras, murmura-t-il en effleurant son oreille de ses lèvres.

Elle leva la tête pour qu'il l'embrasse, mais il la lâcha et fit un pas en arrière.

—Merci infiniment, Sadima, reprit-il. (Puis il poursuivit en chuchotant :) Moi aussi je travaille, demain.

Sadima attendit qu'il en dise davantage. Comme il ne semblait pas pressé de continuer, elle pencha la tête sur le côté et lui demanda :

—Tu travailles où ?

—Je ne te le dirai pas. Somiss m'en voudrait beaucoup, et je ne veux pas qu'il se mette en colère contre toi. (Il se pencha vers elle.) Somiss est heureux, aujourd'hui. Il a trouvé une vieille bohémienne qui affirme connaître une bonne dizaine de chansons.

Sadima acquiesça et regarda Franklin dans les yeux. Il souriait.

—Que se passe-t-il, Franklin ?

—Somiss va mieux, répondit-il en lui caressant la joue. Ses colères se sont calmées. Nous mangeons mieux, l'appartement n'est plus crasseux ni en désordre, et la façon dont tu chantonnes en travaillant semble le calmer, même s'il ne l'avouera jamais. (Il la serra fort contre sa poitrine.) Je suis si heureux que tu nous aies rejoints.

Sadima se sentait si bien contre lui. Elle avait l'impression qu'ils étaient les deux composantes d'un seul et même être, enfin réunies après une longue séparation. Elle leva de nouveau le menton pour qu'il l'embrasse, mais il la lâcha, s'éloigna et se retourna, une expression étrange sur le visage.

Tard, ce soir-là, Sadima se noua les cheveux en arrière et, armée d'une chandelle, se pencha sur le tonneau empli d'eau pour se regarder. Elle avait les joues moins rondes que dans son souvenir et le cou plus long. Était-elle jolie ? Micah et Mattie Han lui avaient toujours dit que oui, mais était-ce la vérité ? Était-elle suffisamment jolie pour occuper les pensées de Franklin davantage que Somiss ?

Elle entendit des pas dans le couloir, souffla sa bougie et se glissa dans son lit de fortune. Elle fit semblant de dormir lorsque Somiss fit son apparition, une chandelle à la main. Elle entrouvrit un œil et le regarda entre ses cils. Il était habillé comme en plein jour et murmurait dans sa barbe. Il paraissait agacé, mais elle ne comprenait pas ce qu'il disait.

Il plongea une tasse dans le seau, but un peu d'eau et retourna dans sa chambre. Sadima entendit sa porte se refermer. Elle attendit, tendant l'oreille, mais seuls lui parvenaient les bruits de la rue, en contrebas : le cri de quelqu'un au loin, les stridulations des grillons. Somiss travaillait-il encore ? Chaque matin, il lui donnait au moins dix pages à recopier. Non seulement il ne dormait pas beaucoup, mais, ces derniers temps, il ne mangeait plus beaucoup non plus. Franklin apprécierait sans doute de savoir que Somiss veillait tard, mais elle décida de ne rien lui dire.

Chapitre 28

Dès que tout le monde eut compris que Franklin nous avait laissés, Luke se précipita sur moi et me poussa loin du joyau. Je faillis tomber et lâchai le cheval en agitant les bras pour ne pas perdre l'équilibre. La statuette rebondit, glissa sur la pierre lisse et, comme la nourriture que Franklin avait créée pour nous tenter, nous encourager ou je ne sais quoi d'autre, elle cracha des étincelles tel un morceau de fer frotté contre du silex et disparut. Mes yeux se remplirent de larmes. Ce petit cheval était un de mes souvenirs les plus chers.

Et il n'était plus.

J'entendis un bruit et je me retournai à temps pour voir Luke repousser un garçon qui faisait mine de prendre sa place : c'était Jordan, un des camarades de chambrée de Levin, le grand maigrichon aux cheveux noirs et raides, aux yeux sombres et à la peau blanche.

— Moi d'abord, dit Luke. Recule.

— Tu veux toujours passer en premier, se plaignit Jordan. Pour te laver, pour pisser, pour tout. Cette fois-ci, je passerai avant toi. Je…

Luke le repoussa en plaquant une main ouverte sur sa poitrine. Jordan fit un pas en arrière, avant de passer en force sur le côté. Emporté par son élan, Luke tomba à genoux.

—Faites la queue! criait Levin. Ceux qui veulent se battre n'ont qu'à aller faire ça ailleurs, loin de ceux qui voudraient juste manger!

Il y eut un murmure général d'approbation, et une file se forma – on se bouscula un peu, mais aucun coup ne fut donné. Gerrard était le dernier. Je me positionnai derrière lui, furieux que Luke m'ait fait lâcher mon cheval. Je m'en voulais d'être resté si longtemps immobile devant le joyau et je me demandais avec quoi les abrutis dans son genre pouvaient jouer quand ils étaient petits. Lorsque Luke finit par poser les mains sur la pierre, rien ne se produisit. Rien.

—J'y étais presque, se plaignit-il en agitant le bras. Laissez-moi…

—C'est mon tour, maintenant, lâcha Jordan.

Luke serra les poings. Jordan n'était pas aussi grand que lui, mais il était prêt à en découdre; c'était visible à sa façon de se tenir, à son menton levé bien haut, à ses pieds fermement ancrés dans le sol. Il était faible, mais il n'avait pas peur de se battre.

—Tu feras la queue comme tout le monde! cracha-t-il d'une voix grave et sèche. Si tu refuses, je m'occuperai de toi. Puis ce sera le tour de Tally, de Joseph, et des autres.

Je regardai le garçon qui se tenait derrière Jordan. Tally. Je ne m'étais pas trompé, sauf qu'il ne ressemblait plus vraiment à Aben; son visage était plus maigre, ses cheveux ébouriffés et crasseux. Joseph devait être dans la même chambre que Will, alors. Il était presque aussi grand que Luke, mais il avait toujours les épaules et la tête basses.

—Va-t'en, Luke, supplia Will. (Il pleurait et ne cherchait pas à le cacher.) Tally? Oblige-le à refaire la queue.

—Dégage! siffla Tally. Laisse-nous passer. Nous battre de nouveau serait stupide.

— Ils ont raison, dit Levin d'un ton neutre.

Plusieurs autres approuvèrent.

J'observai Luke, et je lus le désespoir dans ses yeux. Avait-il englouti ses réserves dès le premier jour, comme moi ? Avait-il réussi à attraper quoi que ce soit avant que le plateau dégringole par terre ? Il laissa échapper un grognement, mais finit par s'écarter et se dirigea en traînant les pieds vers l'extrémité de la queue. Jordan se rapprocha de l'énorme joyau.

Il essaya, échoua et vint se positionner derrière Luke tandis que Tally s'avançait. Puis ce fut le tour de Joseph. J'assistai avec nervosité à ce spectacle en espérant que quelqu'un réussirait à fabriquer de la nourriture ; pas forcément pour avoir quelque chose à manger, mais pour me prouver que c'était bel et bien possible. Je fermai les yeux et m'efforçai de visualiser de la nourriture avec la même précision que mon cheval…

Je revoyais les crêpes épaisses de Celia, je sentais leur odeur, leur goût, leur texture dans ma bouche. J'entendais le crépitement du beurre dans la poêle, sous la couche de pâte.

Chaque fois que j'entendais les autres avancer, j'ouvrais les yeux, je faisais un pas, puis j'abaissais les paupières et tâchais de me rappeler le moindre détail au sujet de ces crêpes : leur surface soyeuse, uniformément brune, l'intérieur humide et constellé de bulles. Je salivais comme un chien devant un os à moelle.

Je me tournai vers Gerrard. Il se tenait à l'écart, à un pas de la queue, les yeux rivés sur la pierre. Puis je regardai par-dessus mon épaule et me rendis compte que les autres me dévisageaient. Ils pensaient – ou du moins espéraient – que je réussirais. J'avais bien l'intention de faire mon possible.

Soudain, je pensai à ce qui se produirait si je faisais apparaître un plateau couvert de crêpes épaisses. Il y aurait une nouvelle bagarre. Je serais certainement blessé, et je ne serais pas le seul.

Un des camarades de Will échoua et retourna faire la queue. J'avançai encore d'un pas. Plus que deux personnes avant moi. J'entendis quelqu'un chuchoter :

— Bonne chance, Rob.

Rob. Je n'ouvris pas les yeux pour mettre un visage sur ce prénom. Cela ne m'intéressait pas. Tout ce que je voulais, c'était manger ; cependant, je savais que si je réussissais à produire de la nourriture, quelqu'un me la prendrait. La moitié des garçons étaient plus grands que moi. Luke et Joseph me dépassaient d'une tête. J'eus un frisson à l'idée de retourner me coucher le ventre vide après avoir été passé à tabac.

Je transpirais ; ma sueur était âcre, odorante, elle puait la peur. Maudits magiciens : je les haïssais de nous avoir transformés en animaux. Celui d'entre nous qui réussirait sa formation finirait-il comme les chevaux volants capables de prodiges étranges, mais dont les yeux étaient froids et morts, comme s'ils avaient été changés en autre chose ?

Un jour, je m'étais caché derrière des caisses de pommes succulentes, dans notre verger. Mon père avait fait venir un magicien pour s'occuper des poulains. Je regardais de loin. Je n'étais pas très grand, j'avais cinq ou six ans. Mon père m'avait interdit de m'approcher des écuries quand un magicien était là ; tout le monde le savait, et je risquais de recevoir une belle correction.

J'étais resté accroupi entre les caisses pleines de pommes, captivé, persuadé d'être sur le point d'assister à un phénomène extraordinaire. Toutefois, le jeune bai s'était contenté de tourner autour du magicien, de secouer la tête comme pour chasser des mouches et de traîner les sabots. Il paraissait malade, et j'avais ressenti de la tristesse pour lui, de la pitié.

Le poids de mes souvenirs me fit vaciller sur mes jambes. J'avais tellement le vertige que mes pensées me semblaient trop vives et chargées de sens. Je sentais l'odeur des pommes, je voyais le ciel bleu et le poulain qui tournait en rond. L'herbe fauchée entrait dans mon pantalon, mais j'étais parfaitement immobile. Je voulais tellement voir la magie qui rendait les chevaux capables de voler.

J'entendis des pas et un murmure déçu, et j'ouvris les yeux. C'était au tour de Gerrard. Il se tenait devant moi, les jambes écartées. Il mit bien plus de temps que les autres pour prendre position devant le joyau et y apposer ses mains. Encore une fois, rien ne se produisit. Il courba les épaules, se retourna et marcha vers l'extrémité de la file sans regarder personne.

C'était mon tour.

—Allez, Hahp, entendis-je quelqu'un murmurer derrière moi.

Levin ? Je n'en étais pas sûr. En tout cas, on ne me demandait pas seulement de me dépêcher, on me suppliait de réussir. Je repensai à ce que Franklin m'avait dit, et j'eus une nouvelle bouffée de chaleur. Si je réussissais à produire de la nourriture, il y aurait des bagarres ; mais il y en aurait peut-être aussi si j'échouais : désespérés comme ils l'étaient, ils m'en voudraient sûrement d'avoir failli.

J'avançai, fermai les yeux et tâchai de penser aux crêpes de Celia. Soudain, dans les ténèbres de mes paupières baissées, je vis très clairement des caisses pleines de pommes.

Des pommes.

Parfaites.

Il était tôt, l'atmosphère était fraîche, et des corneilles tournoyaient dans le ciel. La peau rouge et dorée des fruits était couverte de rosée. Je remarquai la courbure parfaite des pédoncules et je me rappelai avoir effleuré à l'aide de mon pouce ce qui restait de la fleur, à la base du fruit. Je les voyais, je sentais leur parfum, leur goût, et je me rappelais très clairement le bruit qu'elles faisaient quand je croquais dans leur chair… un bruit que le magicien aurait pu entendre. Je rassemblai toutes ces pensées et les gardai à ma portée. Je fis un pas en avant, les yeux fermés.

Je posai mes mains à plat sur les facettes du joyau, dont la froideur intense me surprit comme la première fois. Je vis un clignotement à travers mes paupières. J'ouvris les yeux, tout tremblant.

Une caisse de pommes trônait sur le piédestal.

Après un long moment de silence, tout le monde se rua sur les fruits en criant et en riant. Il y avait assez de pommes pour que nous en prenions une dizaine chacun. Je soulevai le devant de ma robe pour y mettre ma part, puis je me retournai et vis Gerrard, qui se tenait à l'écart, les mains vides. J'ouvris la bouche pour parler, pour lui dire que je voulais qu'il ait sa ration comme tout le monde, lorsque j'aperçus Somiss, sous l'arche, à l'entrée de la salle.

Les rires s'évanouirent.

—Imbéciles! cracha Somiss. Vous croyez qu'il veut vous aider? Ou plutôt s'assurer que vous resterez faibles?

Il me regarda droit dans les yeux.

Et il disparut.

Chapitre 29

—T u te sens bien ? demanda Franklin à Sadima, tandis qu'ils s'apprêtaient à descendre l'escalier dans la pénombre, un seau vide à la main. Je n'ai jamais eu si faim. Quel est le menu pour aujourd'hui : encore une demi-pomme de terre ?

Son estomac gargouilla, ce qui la fit sourire.

—Les enfants de fermiers apprennent à se contenter d'un peu de neige et de navets en hiver.

Il hésita au sommet des marches et la laissa passer devant lui.

—C'est Somiss qui m'inquiète le plus, reprit-il. Et tu travailles très dur ; tu te lèves très tôt, tu te couches très tard…

Sadima ne répondit pas. Elle se réveillait avant l'aube pour copier quelques pages pendant une heure ou deux avant de préparer le petit déjeuner, de faire un peu de ménage et de se rendre à son travail. Ses soirées étaient tout aussi chargées.

—Je vais recevoir ma paie dans quelques jours, dit-elle. À en croire Somiss, nous n'aurons bientôt plus besoin de travailler.

—Si seulement c'était vrai. (Il ouvrit le portail, et ils sortirent dans la rue déjà très animée.) Quand nous étions petits garçons, son père le détestait déjà. Même s'il ne découvre pas la nature de nos activités, Somiss n'osera plus jamais demander de l'aide à sa mère.

Sadima cligna des yeux.

—Comment un père peut-il haïr son propre fils ?

—C'est une très longue histoire qui ne ferait que t'ennuyer, répondit Franklin en ralentissant un peu. Et pourtant, c'est la vérité. (Il eut un sourire pincé et désabusé.) Son père déteste beaucoup de gens.

Ils s'écartèrent pour laisser passer le chariot d'un marchand. Sadima secoua la tête.

—C'est vraiment triste.

—En effet. Mais il y a encore plus grave. Certaines personnes pourraient penser que notre travail représente une menace pour le roi ; à leurs yeux, Somiss risquerait de passer pour un traître. Évidemment, son père serait suspecté aussi.

—Pour quelle raison le roi ne voudrait-il pas que ses sujets mangent à leur faim et soient en bonne santé ?

—Parce que le peuple suivrait ses nouveaux bienfaiteurs et se détournerait de lui, et il ne serait plus vraiment le roi. Notre souverain sait cela.

—Est-ce là ce que Somiss désire ? Devenir roi ?

Franklin secoua la tête.

—Non, il veut juste que les gens l'admirent et reconnaissent ses bonnes actions.

Sadima ralentit à l'approche du premier croisement.

—En es-tu certain ?

Franklin plongea son regard dans le sien tandis qu'ils tournaient dans une rue transversale.

—Oui. Quand nous nous sommes connus, j'avais trois ans et lui deux et demi. Il a toujours voulu accomplir quelque chose d'incroyable pour que son père soit fier de lui. Il donnerait tout pour être aimé de son père.

Sadima ne répondit pas. Elle comprenait. Avant de venir à Limòri, tout ce qu'elle souhaitait, c'était que son père l'aime pour ce qu'elle était, mais il n'en était pas capable. À présent, elle désirait quelque chose d'infiniment plus complexe.

— Si le père de Somiss découvrait la vérité, lui dit-il à l'oreille, s'il prenait au sérieux notre travail, nous serions tous en danger. Si jamais nous en arrivions là, tu n'aurais d'autre choix que de retourner chez toi.

Prise de court, Sadima secoua la tête et parla sans réfléchir :

— Ma place est ici, avec toi.

Franklin sourit et passa un bras autour de ses épaules.

— Nous te sommes tous les deux très reconnaissants de nous aider, mais nous ne voulons pas qu'il t'arrive quelque chose.

Sadima tourna la tête pour dissimuler sa colère. « Nous » ? Somiss ne lui était reconnaissant de rien du tout, et il se moquait bien de ce qui pourrait lui arriver, tout comme il se moquait de ce qui pourrait arriver à Franklin. Un chat jaillit d'une allée et lui frôla la jambe. Elle sentit l'urgence de sa course – trouver une bonne cachette avant que les chiens se réveillent –, et sa propre peur en fut accentuée. Combien de temps leur restait-il avant que Somiss les mette en danger ?

— Interroge-t-il des gens tous les jours ? demanda Sadima.

— La bohémienne vient demain, répondit Franklin en haussant les épaules. Sinon, il reste enfermé dans sa chambre presque toute la journée.

— Dans quelques jours, j'aurai de quoi acheter de la nourriture.

Franklin hocha la tête.

— Une fois de plus, tu nous sauveras la vie. (Elle sourit, et il lui caressa la joue.) Je serai bientôt en mesure d'aider, moi aussi. Somiss ne cessera pas de travailler, mais il fera sans doute preuve d'une plus grande prudence.

—Maude continue-t-elle à raconter à tout le monde que vous voulez apprendre des chants et des vers anciens? demanda Sadima.

—Non. Je lui ai demandé d'arrêter pour l'instant. Certaines personnes ont entendu parler de nous et savent ce que nous faisons, mais elles ignorent encore pourquoi.

—Le père de Somiss ne risque-t-il pas de le deviner tout seul?

—Pas forcément. Il se dira *a priori* que nous perdons notre temps en études inutiles. Somiss a toujours aimé les langues étrangères. Il en parle six. C'est un érudit né dans une famille d'hommes d'affaires impitoyables. C'est d'ailleurs en partie pour cela que son père ne peut pas l'aimer.

Sadima le précéda dans un passage étroit.

—Ne peux-tu donc rien me dire de ton nouveau travail? Ton activité est-elle si secrète?

Franklin rit.

—Selon Somiss, elle doit le rester. Il ne me pardonnerait pas de t'en avoir parlé. (Son estomac gargouilla de nouveau.) Quelle torture, pour toi, de faire du fromage en étant affamée…

Sadima secoua la tête tandis qu'ils débouchaient dans la lumière.

—Les mauvaises années, nous réservions la moitié de notre orge pour les semis. On s'habitue à la faim.

Franklin remplit les deux seaux, et ils se remirent en route.

—Ton courage est remarquable.

Une vingtaine de pas plus loin, la voyant frissonner dans l'air frais du matin, il posa les seaux par terre et retira sa veste pour lui couvrir les épaules.

—Quand nous aurons terminé avec l'eau, ça te dirait de m'accompagner? proposa-t-il.

Sadima le regarda dans les yeux et y remarqua une lueur qu'elle ne lui connaissait pas. Elle acquiesça d'un signe de tête.

—Si tu veux.

—Oui, je le veux. J'ai parlé à Somiss de ton idée, du fait qu'il serait plus facile de comprendre les chansons si nous savions dans quelles circonstances elles sont utilisées. (Dans la rue de leur immeuble, il l'attira contre lui et attendit que passe une voiture tirée par six chevaux dont les naseaux rejetaient des volutes de vapeur.) Il l'a trouvée brillante.

—Vraiment? s'étonna Sadima.

Franklin acquiesça.

Ils montèrent les marches à la hâte, laissèrent les seaux dans l'appartement et repartirent sur la pointe des pieds.

—Tu dois me promettre de ne jamais révéler à Somiss ce que je fais, reprit Franklin lorsqu'ils furent dans l'escalier. Ni maintenant ni dans cinq ans. Jamais.

Sadima hocha la tête d'un air solennel.

—Je te le promets. Je ne dirai rien.

Franklin lui sourit et pressa le pas.

Il la précéda sous une tente en toile ornée de croissants de lune et d'ellipses.

—Non! s'exclama Sadima, stupéfaite.

—Eh si! Je lis très bien l'avenir. Entre, je vais te le prouver.

Maude Parlevrai était assise sur une chaise couverte de tissu. Elle se leva et bâilla.

—Bonjour, dit-elle à Franklin. (Puis elle fronça ses sourcils maquillés et examina Sadima.) Il t'a fait jurer de garder le secret, n'est-ce pas?

La jeune femme confirma d'un signe de tête. Maude sourit.

—Un serment à vous glacer le sang…

—Somiss ne me le pardonnerait jamais, se justifia Franklin. Il déteste tout ceci : lire dans les pensées des gens, deviner qui ils sont en sondant leurs yeux et leur cœur… (Il attendit que Maude s'éloigne un peu, puis reprit à voix basse :) C'est presque de la communication silencieuse.

Sadima hocha la tête et s'efforça de cacher son malaise. Maude était une de ces magiciennes que son père et Micah détestaient tant ; elle gagnait sa vie en feignant d'avoir des pouvoirs magiques.

—Viens, poursuivit Franklin. Assieds-toi.

Il désigna une seconde table, beaucoup plus petite que la première, à l'arrière de la tente. Maude lui facturait-elle cet emplacement ? Sans doute, autrement, il aurait déjà ramené de l'argent à la maison. Franklin devait leurrer ses clients, s'arranger pour qu'ils reviennent régulièrement. Elle remarqua un chapeau à large bord suspendu au dossier de sa chaise. Il suivit son regard.

—Je le porte toute la journée. Personne ne prend la peine de me dévisager.

Sadima s'installa là où les clients s'assiéraient dès que le marché serait plein. Elle s'agita, glissa en avant, s'assit au bord de la chaise.

Franklin lui prit la main, ce qui la fit aussitôt rougir ; toutefois, son trouble s'évanouit lorsqu'il tourna sa paume vers le haut.

—Qu'est-ce que tu fais ?

—Maude lit dans les lignes de la main. Je suis en train d'apprendre.

Derrière Sadima, Maude rit.

—Je ne lis dans les lignes de la main que parce que les gens veulent que je lise dans quelque chose.

—Il n'empêche que ce que tu m'as dit hier était vrai, l'interrompit Franklin sans la regarder. Le vieil homme dont la ligne de vie présentait une interruption a eu un accident qui a failli lui coûter la vie quand il était enfant.

Maude parlait à voix basse. Sadima regarda par-dessus son épaule et la vit qui discutait avec une fillette de dix ou onze ans vêtue d'une superbe robe. Le client était roi… Sadima se demanda ce qu'une diseuse de bonne aventure lui aurait dit, à Ferne, lorsqu'elle avait l'âge de cette fillette. Qu'elle avait besoin d'amis ? Cela n'aurait rien changé. Son père ne l'aurait jamais laissé sortir.

—Sadima ? (C'était la voix de Franklin, une voix empreinte de pitié.) Quand je t'ai rencontrée la première fois, je n'imaginais pas à quel point tu étais seule.

Il posa sur elle un regard intense. Sadima libéra sa main. Franklin eut un sourire hésitant et se pencha tout près pour lui murmurer à l'oreille.

—Il m'arrive d'entendre tes pensées. Jamais parfaitement et pas très souvent, mais cela m'arrive.

La jeune femme le considéra avec des yeux ronds. Qu'avait-il entendu d'autre ? Souvent, elle pensait à lui…

—Je dois y aller, lâcha-t-elle. On m'attend de bonne heure au magasin.

—Je croyais que tu voudrais en apprendre davantage sur la communication silencieuse, protesta Franklin en clignant des yeux, que nous pourrions…

—En fait, non, l'interrompit-elle sur un ton puéril.

—Laisse-moi terminer.

Il voulut la prendre par la main, mais elle se leva et eut un mouvement de recul. Il lui demanda pardon, tenta de la persuader de rester, mais elle s'éloigna d'un pas rapide. Lorsqu'elle fut à mi-chemin, elle se demanda si Somiss aussi avait des pensées inavouables, si c'était là la véritable raison de son aversion pour la communication silencieuse.

Chapitre 30

Trois cours avec Franklin se succédèrent, et j'étais toujours le seul à manger, semblait-il. Au bout de trois autres cours, je perdis le compte. J'ignorais si chaque cours avait lieu un jour différent; à vrai dire, j'étais presque certain que les intervalles entre deux séances n'étaient jamais les mêmes. Toutefois, plusieurs jours s'étaient certainement écoulés. Plusieurs, mais combien? En tout cas, tout le monde maigrissait.

Je sentais que les autres me regardaient en cachette. Ils se demandaient si je faisais apparaître des canards rôtis et des crèmes à l'orange quand personne n'était là pour me voir. Ce n'était pas le cas. Je ne mangeais que des pommes. J'avais essayé de produire de vrais repas – des crêpes, du pain, du fromage – et j'avais échoué, même si j'avais une idée assez précise de la manière dont il fallait procéder. Tout était une question de détails. À moins de les visualiser, de les recréer parfaitement en pensée, rien ne se produirait lorsque je toucherais le joyau.

Nous défilions tous dans la salle sous les yeux des uns et des autres. Levin, Jordan, Tally et Luke s'y rendaient presque toujours ensemble. C'était également le cas de Will et de ses camarades de chambrée. Certains d'entre eux avaient peut-être les mêmes problèmes que moi : je n'étais toujours pas certain de pouvoir retrouver mon chemin sans l'aide de Gerrard. Je me rappelais l'itinéraire pour venir jusqu'à la salle ; après, je mélangeais tout.

Lorsque je surprenais des élèves dans la salle du joyau, j'attendais qu'ils aient terminé – et qu'ils soient repartis – avant d'approcher la pierre. Cependant, ils traînaient toujours les pieds, en profitaient pour m'observer. Plus personne ne parlait à présent, même pour prononcer quelques mots. Je me débrouillais quand même pour passer avant Gerrard, de peur qu'il s'en aille et me laisse retrouver notre chambre tout seul dans ce dédale de tunnels.

Après avoir ramassé ma demi-douzaine de pommes, j'attendais près de l'entrée que Gerrard procède à ses cinq ou six tentatives habituelles, toujours infructueuses. C'était à n'y rien comprendre car il s'entraînait constamment ; il s'asseyait sur son lit, les yeux fermés, et pratiquait ses exercices de respiration. Mais quand il posait ses mains sur les facettes du joyau, rien ne se produisait.

Évidemment, je ne fis plus apparaître de caisse de pommes. En général, j'en créais six à la fois, que je cachais dans les manches de ma robe – ainsi, personne n'avait l'idée de me passer à tabac pour me voler – et pourtant, j'avais toujours faim. Sans compter que ce régime à base de pommes n'était pas très bon pour mes intestins. La moitié du temps, j'avais la diarrhée, et les crampes d'estomac m'empêchaient souvent de dormir. J'avais l'esprit engourdi, je ne me sentais pas très bien. J'étais trop las pour penser.

Franklin persistait à nous faire classe comme si nous allions bien, comme s'il n'y avait aucun problème. Je le haïssais pour cela. À plusieurs reprises, je me rendis compte qu'il m'observait. Observait-il tout le monde de la même manière ?

C'était ce qui me dérangeait le plus : Franklin se comportait comme si tout était normal, comme s'il ignorait que nous mourions de faim.

—Maintenant, commença-t-il de sa voix douce, utilisez la troisième séquence : une inspiration-expiration lente, suivie de deux rapides, puis d'une lente. Allez-y.

C'était idiot. Nous en étions à la quatrième séquence et, la plupart du temps, j'avais tellement le vertige que je ne me rendais même pas compte de ce que je faisais. Plus le temps passait, plus je me surprenais à observer Franklin sans ciller, l'esprit complètement embrumé.

—Monsieur ? intervint Will à la fin d'un cours.

—Oui ? répondit Franklin avec un calme qui me rendait fou.

Will se racla la gorge. Il avait tellement maigri qu'il ressemblait à un gamin de six ans.

—Dans combien de temps nous donnerez-vous quelque chose à manger ?

Franklin ne répondit pas.

Will s'éclaircit de nouveau la voix. Tout le monde le regardait, sauf Franklin ; son regard était rivé sur le mur opposé, comme s'il n'avait rien entendu.

—Will se demande dans combien de temps nous pourrons manger, répéta Joseph. Somiss a dit que nous risquions de mourir, mais la plupart de mes camarades et moi pensons que c'était juste une… exagération, ajouta-t-il d'une voix plus faible.

—Ce n'en était pas une, Joseph, répondit Franklin si doucement que je n'étais pas sûr d'avoir bien entendu.

Alors je vis les visages de mes camarades se décomposer, et aucun doute ne fut plus permis. Je me tournai vers Gerrard. Il faisait peur à voir. Il avait les yeux enfoncés, et ses épaules larges semblaient squelettiques sous sa robe.

— Si nos pères avaient su, reprit Joseph, ils ne nous auraient jamais envoyés ici.

— Nous leur avons expliqué qu'ils risquaient de ne plus jamais vous revoir, répliqua Franklin d'un ton neutre et dépourvu d'émotion.

Il se leva, et la lumière des torches révéla son profil. Il était si vieux que j'avais l'impression de contempler un cadavre au champ des Mendiants, à la différence près que des larmes coulaient sur ses joues. Puis il disparut sans nous laisser le temps de réagir.

Nous restâmes assis tous les dix, les yeux dans le vague, incrédules. J'ignorais ce que les autres avaient dans la tête ; pour ma part, je me laissai submerger par la haine farouche que m'inspirait mon père. Cela me réconforta.

Chapitre 31

Comme d'habitude, Sadima rinça soigneusement le lait caillé avant de l'envelopper dans le tissu très fin qui le protégerait des mouches. Rinka chantonnait doucement tout en travaillant. Rincer, envelopper, presser, suspendre. Une centaine de crochets pendaient au-dessus de la cuve en cuivre. Sadima accrochait chaque nouvelle série à droite de la précédente. La dernière de la journée serait nouée avec un cordon rouge afin que Rinka puisse évaluer l'âge de ses fromages et le volume de la production d'un simple coup d'œil. Les plus vieux étaient ensuite salés et plongés dans de la cire.

—Chez moi, on utilise aussi des plantes aromatiques, expliqua Sadima.

—J'aimerais beaucoup essayer, mais nous ne pouvons pas nous le permettre.

—Pourquoi? s'étonna Sadima. (Elle posa les fromages entre deux planches, qu'elle lesta avec des pierres plates.) La marjolaine et le romarin ne doivent pas coûter très cher. Je sais où nous pourrions en…

—Non, l'interrompit Rinka. Le monopole des herbes aromatiques est détenu par une famille de la noblesse. En importer dans les murs de la ville est illégal.

—C'est absurde! s'exclama Sadima, les yeux écarquillés.

Rinka s'assura qu'il n'y avait aucun client dans la boutique.

—Cela permet aux familles nobles de s'enrichir, dit-elle à voix basse.

La jeune femme était stupéfaite. À Ferne, les gens cultivaient leurs propres herbes ou les cueillaient dans la nature. Elle était heureuse d'en avoir apporté dans ses bagages. Sans elles, elle aurait bien du mal à cuisiner. Elle expliqua à Rinka qu'elle avait confectionné des sachets d'herbes pendant son voyage.

La femme haussa les épaules et sourit.

—Il y a peu de chance que le roi envoie des archers et des gardes fouiller ta cuisine. Cette loi est mauvaise. Les Éridiens pensent que les fruits de la terre et de l'esprit appartiennent à tout le monde.

Sadima détourna les yeux de la cuve en cuivre et de la série de fromages qu'elle venait de rincer.

—Érides était une femme très sage, ajouta Rinka dans un sourire.

—Est-elle morte?

—Oui, elle est morte il y a trois cents ans, il y a très longtemps et tout près d'ici; toutefois, sa parole et son cœur subsistent.

Pendant ce temps, Sadima n'avait cessé de s'activer, enveloppant soigneusement les fromages, les plaçant sous la presse. Elle était sur le point de demander à Rinka si la femme de la voiture avait dit vrai, si les Éridiens faisaient venir à Limòri des filles de la campagne pour les marier de force, quand ses pensées s'éparpillèrent.

—«Il y a très longtemps et tout près d'ici»…, répéta-t-elle. Une bohémienne m'a répondu la même chose lorsque je lui ai demandé d'où elle venait.

Rinka sourit.

—Une bohémienne éridienne? C'est très rare. Tu as dû lui plaire. Les Éridiens ne partagent la sagesse de notre prophétesse qu'avec ceux qui peuvent l'entendre.

Sadima sourit, mais ne dit rien. Elle était perdue dans ses pensées. *« Il y a très longtemps et tout près d'ici. »* Cela signifiait peut-être que les mauvaises choses du passé risquaient de se reproduire. Cette idée la rendit triste.

Rinka se remit à chantonner, ce qui arracha Sadima à ses sinistres réflexions. Cette fois-ci, il s'agissait d'une mélodie étrange et apaisante, qui suivait un schéma répétitif et habile.

— Ce morceau a-t-il des paroles ? demanda Sadima.

— Des paroles incompréhensibles, répondit Rinka. (Elle les chanta d'une voix claire et juste.) C'est un peu comme ces vieilles chansons que nos mères nous apprenaient. La mienne m'en chantait pour m'endormir, et moi, pour endormir mes propres filles. Cette chanson a quelque chose de spécial ; ma mère ne jurait que par elle. C'était une bohémienne. Elle était très belle.

— Était-elle éridienne ?

— Non, non, pas elle, dit Rinka en riant. C'était une vraie bohémienne. Elle ne reconnaissait l'autorité d'aucun homme, dieu ou prophète. Seul son clan lui importait.

— J'aimerais beaucoup apprendre ces chansons.

Franklin préférerait enseigner une nouvelle chanson à Somiss plutôt que d'avaler un copieux dîner.

— Et celle-ci, tu la connais ? demanda Rinka, avant d'entonner une autre chanson d'une voix douce et haut perchée.

Sadima acquiesça d'un signe de tête.

— Oui, je l'ai déjà entendue, mentit-elle, car elle ne voulait pas avoir à expliquer à Rinka qu'elle avait grandi sans sa mère. J'adore ces vieilles chansons. Vous voudriez bien m'en apprendre ?

— Du moment que cela ne ralentit pas notre travail. Ma mère disait qu'elle en connaissait au moins dix, mais elle ne m'en a appris que trois. Écoute la première…

C'était une très jolie mélodie, et Sadima la chantonna avec Rinka jusqu'à ce qu'elle l'ait bien en tête. Ensuite, elle apprit les paroles étranges que la fromagère tenait de sa mère. Elles les chantèrent ensemble une dizaine de fois, puis Sadima poursuivit seule à voix basse en terminant de suspendre les boules de fromage et en versant le lait dans les pots à cailler pour préparer une nouvelle fournée. Après cela, la jeune femme voulut apprendre une deuxième chanson. Elles travaillèrent jusqu'à l'apparition de la lune dans le ciel, et continuèrent encore quelques heures. À la fin de cette longue journée de travail, Rinka tendit cinq pièces de cuivre à Sadima. Cinq. Sadima la remercia, transportée de joie. Elle n'en espérait que trois.

— Tu les mérites bien. Dis-moi si tu as besoin d'argent avant la fin de la semaine prochaine ; je ne veux pas que tu aies faim.

En partant, Sadima fut prise de vertiges. Fatiguée comme elle l'était, elle dégringola presque en bas de la passerelle de bois. En chemin, elle persuada un commerçant occupé à laver le plancher de sa boutique de lui ouvrir ses portes. Elle lui acheta un poulet plumé et prêt à rôtir, trois grosses patates douces et une demi-motte de beurre blanc. Elle se glissa dans l'appartement sur la pointe des pieds, alluma un feu, mit une grande marmite d'eau à bouillir et couvrit le feu avec précaution. Lorsqu'elle se réveilla le lendemain matin, le poulet était prêt : la viande tendre se détachait des os. Les patates douces étaient cuites elles aussi, prêtes à être beurrées. Franklin fut le premier à se lever, et Sadima éclata de rire en le voyant écarquiller les yeux devant ce repas.

— Rinka m'a donné plus que prévu.

Franklin huma la vapeur qui s'élevait de la marmite, puis souleva la jeune femme et la fit tournoyer dans la cuisine. Il l'embrassa ; leurs lèvres se touchèrent furtivement.

— Je n'ai jamais eu aussi faim, lui chuchota-t-il à l'oreille. Somiss a dépensé l'argent que j'ai gagné en papier et en encre.

La porte de Somiss s'ouvrit. Franklin reposa Sadima par terre et fit un pas en arrière. Ils se tournèrent en même temps vers le couloir. La jeune femme regarda Franklin du coin de l'œil. En le voyant repousser une mèche de cheveux de son front et s'essuyer les lèvres du revers de la main, elle comprit à quel point il craignait que Somiss découvre qu'ils comptaient l'un pour l'autre.

— Sadima nous a préparé quelque chose à manger ! s'enthousiasma-t-il tandis que Somiss les rejoignait.

Une expression étrange déforma brièvement le visage de ce dernier. Sadima l'examina sans rien dire, stupéfaite par sa maigreur. Depuis combien de temps ne l'avait-elle pas vu ? Cinq jours ? Six ? Il avait toujours été mince ; à présent, il avait les joues anguleuses, la peau tendue. Ses yeux, en revanche, brillaient.

— Jeûner m'aide à réfléchir, expliqua-t-il. Quand j'ai faim, le travail ne me demande aucun effort. (Il leur sourit à tous les deux.) Je mangerai peut-être demain, ajouta-t-il tel un enfant content de lui. Ou le jour suivant.

Il se remplit une tasse d'eau, leur sourit de nouveau et retourna dans sa chambre.

Chapitre 32

Je rêvais de nourriture chaque fois que je fermais les yeux, avant de me réveiller confus et faible pour découvrir un Gerrard aux joues creuses et à la peau pâle assis bien droit derrière son bureau, en train de lire son livre d'histoire ou de mettre en pratique les enseignements de Franklin.

Je me demandais comment il arrivait à se concentrer. Pour ma part, j'avais de plus en plus de mal à parler et à penser : il m'était impossible de manger plus de deux pommes par jour. Quelque chose avait tourné dans mes entrailles ; j'avais l'impression de boire du vinaigre. Je souffrais de crampes d'estomac insupportables, mais, au moins, je ne mourais pas tout à fait de faim. Pas encore. Néanmoins, je savais que je n'aurais bientôt plus la force de marcher.

Chaque jour – si on peut dire –, j'assistais au cours de Franklin l'estomac retourné, un goût de cendres dans la bouche. Ensuite, il me fallait attendre que Gerrard se décide à se rendre dans la salle du joyau, ce qui m'obligeait à rester éveillé si je voulais éviter qu'il reparte sans moi. Pourquoi n'arrivais-je pas à mémoriser cette maudite succession de tournants ?

Un soir – s'il s'agissait bien du soir –, après le cours de Franklin, je regardais Gerrard qui lisait depuis une éternité, quand il se décida enfin à quitter notre chambre. Comme d'habitude, je lui emboîtai le pas et, comme d'habitude, il fit comme si je n'étais pas là, vingt pas derrière lui, à essayer de ne pas me laisser distancer.

Lorsque nous arrivâmes enfin, trois garçons étaient déjà à l'intérieur. Tally se tenait devant le joyau, les épaules voûtées. Joseph et le garçon dont j'ignorais toujours le nom étaient assis. Joseph avait la tête posée sur ses bras, comme s'il dormait. Inquiet, je passai devant lui et constatai qu'il avait les yeux ouverts. Je continuai donc à avancer et m'adossai à un mur.

Tally se concentra, fit un pas en avant et toucha la pierre. Rien ne se produisit. Il pivota sur un pied et s'éloigna, le visage déformé par la tristesse. Joseph se leva et se mit en position devant le joyau.

Je m'assis par terre, le dos appuyé contre le mur. Des pommes. J'en étais venu à les détester, même si j'étais conscient d'avoir plus de chance que les autres, qui n'avaient rien du tout. Je serrai les paupières de toutes mes forces, puis les rouvris. L'autre garçon chuchotait quelque chose à l'oreille de Joseph. Gerrard les observait, l'air contrarié. Je bâillai, fermai les yeux et pensai qu'une fois qu'ils auraient terminé, je pourrais tenter ma chance avant Gerrard, puisque j'étais plus près de la pierre.

Et ce fut ma dernière pensée. À mon réveil, je n'aurais su dire combien de temps il s'était écoulé. Gerrard et les autres s'étaient sans doute succédé devant le joyau pendant que je dormais, avant de partir un à un. En revanche, une chose était certaine : j'étais bel et bien tout seul.

Cela me terrifia.

—Il faut qu'il revienne, m'entendis-je dire à voix haute.

Oui, il le fallait, mais quand ? En général, nous venions peu de temps après la classe. Que m'arriverait-il si je manquais un des cours de Franklin ? Cela ne s'était encore jamais produit. Quelle serait la réaction de Somiss ?

Je me mis à pleurer. S'il y avait eu quelqu'un avec moi, je me serais peut-être retenu, mais, comme j'étais seul, je laissai couler mes larmes pendant un long moment. Après cela, je commençai à tourner en rond en m'efforçant d'arrêter de renifler. Gerrard reviendrait. C'était certain. Il ne pouvait pas faire autrement. À moins qu'il ait réussi à faire apparaître de la nourriture, le salaud devait être affamé. Pendant des jours, j'avais laissé une ou deux pommes sur mon bureau dans l'espoir qu'il les prendrait, en vain. J'avançai jusqu'à l'arche de l'entrée et je jetai un coup d'œil dans le couloir, des deux côtés. Entre les taches de lumière émises par les torches, les ténèbres étaient insondables. Était-ce la nuit ? Tout le monde dormait-il ?

Je fis apparaître trois pommes et en mangeai une. Je sentis mon estomac se tordre, mais mon esprit s'éclaircit et je distinguai mes pensées comme une mare perçoit la présence d'un poisson dans ses eaux. Mes pensées… J'aurais justement voulu les maîtriser ou du moins les ralentir. Quelqu'un d'autre avait-il mangé ? Allions-nous tous mourir ? Était-ce possible ?

La tête embrumée, tout tremblant, je retournai près de la pierre et produisis une cinquantaine de pommes. Je passai un bon moment à les disposer le long du couloir, à la limite des premières taches de lumière, où quelqu'un les verrait peut-être. Puis je les ramassai et les jetai une à une par terre, où elles disparurent avec force étincelles.

Merde.

J'étais trop lâche pour aider qui que ce soit ; je n'étais même pas capable de m'aider moi-même. J'avais désespérément besoin de manger quelque chose qui me calerait, qui mettrait un terme à ma souffrance. Le cheval de pierre et les pommes avaient-ils quelque chose de spécial ? Comment expliquer que je sois incapable d'imaginer autre chose avec la même clarté ? Je me forçai à réfléchir.

Petit garçon, j'étais persuadé que le cheval possédait des pouvoirs magiques. Grâce à lui, mon imagination galopait dans tous les sens. Aucun exploit héroïque, aucune prouesse n'était hors de sa portée. Chaque fois que je jouais avec lui, je rêvais de choses magiques.

Je repensai au jour où je m'étais caché dans le verger. J'avais peur que le magicien me découvre, mais je craignais encore plus mon père. Pourquoi alors n'étais-je pas rentré à la maison ? Le risque valait-il la peine d'être pris ? J'expirai longuement. J'étais resté parce que je voulais voir le magicien à l'œuvre. Pas juste la lumière froide des lampes, ni le vent qui tombait pour permettre à la flotte de rentrer au port en toute sécurité, ni même le sourire de ma mère lorsque son terrible mal de tête s'évanouissait. Je voulais voir de la magie, de la vraie magie, et j'étais sûr d'en voir…

Je me retournai et me dirigeai vers le joyau tandis qu'une idée fragile se formait dans mon esprit. J'imaginai le verger, j'essayai de ressentir les émotions qui m'avaient submergé ce jour-là, puis je changeai de cible et me représentai une assiette couverte de crêpes épaisses et fumantes, le parfum du sirop d'érable et du beurre doux, le crépitement de l'huile de friture dans la poêle, le souffle de l'air qui s'échappait de la pâte, tel un soupir, lorsqu'on posait la crêpe sur une assiette. Je m'avançai et touchai le joyau, convaincu que j'allais voir de la magie, non pas des crêpes, juste de la magie.

Il y eut un éclair, des bruits, et les crêpes se matérialisèrent. Fumantes. Beurrées. Parfaites. Je jetai un coup d'œil vers l'arche de l'entrée. J'étais seul. La vue brouillée par les larmes, je me jetai sur la nourriture comme un chien du quartier sud ; j'engloutis tout sans reprendre ma respiration, au point que je faillis vomir. Quand j'eus terminé, je jetai l'assiette, les miettes et la fourchette par terre et j'essuyai la table avec l'ourlet de ma robe. Puis je pris mes deux pommes, je sortis dans le couloir et je m'assis contre le mur pour attendre Gerrard.

Au début, j'avais l'estomac tout retourné, mais il finit par se calmer. Je m'endormis et me réveillai plusieurs fois. J'entendis le bruissement léger de pas sur la pierre et j'ouvris les yeux. C'était Gerrard. Il était seul. Lorsqu'il fut plus près, je le vis humer l'atmosphère comme un chien. Avait-il senti l'odeur des crêpes ?

— Franklin est-il venu ici ? me demanda-t-il.

— Peut-être, répondis-je en haussant les épaules. Je me suis endormi.

Il hocha la tête, passa devant moi, et je le vis prendre position devant le joyau. Il posa les mains sur sa surface, et rien ne se passa. Alors il tourna les talons et sortit de la salle, marchant à vive allure, comme d'habitude, pour garder de l'avance sur moi.

— Merci d'être venu me chercher, murmurai-je lorsque nous fûmes de retour dans notre chambre.

Il ne répondit pas. M'avait-il entendu ? Rien n'était moins sûr, mais je n'osai répéter ma phrase. Je n'avais aucune raison particulière de croire qu'il avait voulu m'aider. Sans doute était-il revenu pour essayer de faire apparaître de la nourriture. Je posai les pommes sur mon bureau en espérant qu'il en prendrait une. Il n'en fit rien.

Comme je ne m'étais pas senti aussi bien depuis très longtemps, j'ouvris mon livre d'histoire. Après avoir feuilleté rapidement les pages relatives aux royaumes et à leur géographie, je parvins à un chapitre consacré au Fondateur, six pages écrites dans une langue ampoulée qui disaient en substance ceci : le Fondateur était le seul à avoir prêté une valeur quelconque à la magie, le seul à avoir eu le courage de l'étudier au péril de sa vie pour lui rendre son statut de force phénoménale du bien. Il était le seul à avoir eu foi en elle, et il avait traversé des épreuves terribles pour donner corps à son rêve. Personne n'y serait parvenu à sa place. Il était brillant, honorable et admirable. Sa famille avait tenté de l'arrêter ; ses parents étaient trop égocentriques pour comprendre son œuvre, trop égoïstes pour l'apprécier.

Je refermai le livre en me disant que des milliers de personnes admiraient mon père comme l'auteur de ce livre admirait le Fondateur. Ils étaient très peu à l'aimer, en revanche. Personne ne voulait savoir ce que ma mère et moi, Celia ou Gabardino, et tous les serviteurs de la famille qui vivaient dans de vulgaires cabanes, été comme hiver, et qui travaillaient jour et nuit pour avoir de quoi se nourrir, pensions de lui. Je me demandai ce que la famille et les amis du Fondateur auraient dit de lui s'ils avaient été encore vivants.

Chapitre 33

Lorsqu'elle reçut sa paie la semaine suivante, Sadima alla s'acheter une nouvelle paire de chaussures. Quel plaisir de sentir du cuir solide et épais entre ses pieds et les pavés ! Elle les érafla un peu pour qu'elles n'aient pas l'air neuves. Franklin et Somiss, s'ils les remarquèrent, pensèrent sans doute qu'elle les avait apportées dans ses bagages. En tout cas, ni l'un ni l'autre ne dirent quoi que ce soit.

Sur le chemin de la boutique ou de l'appartement, elle récitait les chansons que Rinka lui avait apprises. Elle avait également demandé à la marchande à quelles occasions et pour quelles raisons sa mère les lui chantait, et sa réponse avait été intéressante. Lorsqu'elle fut certaine de les connaître par cœur, elle les chanta à Somiss pendant que Franklin servait la soupe qu'elle avait préparée pour le dîner.

—Celle-ci calme les enfants à l'heure du coucher, expliqua-t-elle après avoir chanté la première.

Il lui demanda de la rechanter plus lentement et la transcrivit. Puis elle chanta la deuxième.

—On chante celle-là aux grains d'orge et de maïs avant les semis.

—Ta famille en connaissait-elle de similaires? demanda Somiss en regardant alternativement le visage de la jeune femme, le plafond et la chandelle posée entre eux, au milieu de la table.

—Non, répondit Sadima. Celles-ci ne sont chantées que par les bohémiens et…

—«Les bohémiens»?

Il poussa la chandelle sur le côté, se pencha en avant et lui agrippa l'avant-bras.

—Oui, confirma-t-elle en hochant la tête. La mère de Rinka était bohémienne. C'est une des raisons pour lesquelles j'ai pensé qu'elles t'intéresseraient.

Un mouvement furtif attira son regard. Franklin se tenait derrière Somiss et secouait la tête. Elle ferma la bouche et se sentit bête. Évidemment. Somiss serait en colère d'apprendre que Franklin lui avait parlé de la langue des bohémiens. Comme ils échangeaient rarement plus de trois mots, elle n'était pas habituée à lui cacher quoi que ce soit.

Somiss se pencha un peu plus vers elle.

—Chante-la encore une fois. Très lentement.

Sadima lui dicta la chanson, sans quitter des yeux la plume d'oie qui dansait sur le papier. Quand ils eurent terminé, il écarta la feuille.

—Tu en connais une autre? C'est aussi une chanson bohémienne?

Sadima acquiesça.

—C'est sa mère qui les lui a apprises. Elle a épousé le père de Rinka contre l'avis de son clan. Personne n'est jamais venu lui rendre visite, pas même quand…

Somiss donna un coup sur la table pour la faire taire.

—À quelle occasion était-elle chantée?

Sadima se mordit la lèvre inférieure, en proie à la colère. Puis elle vit le visage inquiet de Franklin; Somiss était si maigre, si fatigué.

— Quand quelqu'un mourait, répondit-elle. D'après Rinka, elle permettait de garder l'esprit du défunt à proximité.

— Chante, la pressa-t-il avec un geste d'impatience.

Sadima s'exécuta et la chanta encore et encore, jusqu'à ce que Somiss soit certain d'en avoir transcrit les paroles correctement.

— Merci, Sadima, lui dit Franklin, lorsque Somiss fut reparti dans sa chambre sans même un regard pour elle.

Sadima secoua la tête en entendant sa porte claquer.

— Il a besoin de manger.

Franklin haussa les épaules.

— Je suis presque sûr qu'il mange un peu, mais qu'il ne veut pas l'avouer. À mon avis, il se lassera vite de jeûner. C'est un passionné ; quand il se lance dans un projet…

Il s'interrompit et n'eut pas la force de reprendre.

— Mais on dirait qu'il s'égare, qu'il part à la dérive, de plus en plus loin, dit Sadima. La moitié du temps, il ne remarque même pas notre présence.

— Son esprit fonctionne de plus en plus vite, acquiesça Franklin. Si seulement je pouvais le forcer à manger. Il est trop maigre.

— Toi aussi. Il t'a convaincu de jeûner ?

Franklin admirait le ciel à travers la porte de la terrasse.

— Demande à Rinka de te libérer un jour prochain. On pourrait le sortir un peu, l'emmener marcher dans la forêt, comme lorsque nous étions petits, lui et moi. Peut-être que son appétit l'emporterait sur sa volonté.

Sadima hocha la tête en contemplant son profil à la lueur de la grosse chandelle.

— Franklin, dis-moi que tu ne te prives pas de nourriture pour lui faire plaisir.

Il se tourna vers la cuisine.

— Somiss m'a demandé de jeûner pendant huit jours pour voir de quelle manière cela m'affecte.

Sadima bondit sur ses pieds, furieuse.

—Et alors, ça marche ? Ou bien tes vertiges sont-ils uniquement dus au manque de nourriture ?

—Ce qui est intéressant, reprit-il en remuant les oignons dans le bouillon, c'est que, passé un certain cap, on oublie qu'on a faim.

—Depuis combien de temps n'as-tu rien mangé ? demanda Sadima sans hausser le ton.

—Seulement quatre jours, répondit Franklin dans un sourire, mais j'ai bien envie de manger un bol de cette soupe, ajouta-t-il en désignant la casserole fumante sur le poêle. C'est exactement comme l'a décrit Somiss ; mon esprit s'envole littéralement.

Sadima le fit asseoir, remplit deux bols de soupe et beurra du pain.

—Mange, ordonna-t-elle en le regardant dans les yeux. De toute façon, il ne ressortira pas de sa chambre tant que nous ne serons pas couchés ; c'est toujours la même chose…

Franklin sembla examiner le morceau de pain, puis il prit la cuiller, la porta à sa bouche et aspira une toute petite gorgée de bouillon.

Sadima se pencha sur son bol en espérant qu'il mangerait davantage si elle ne le surveillait pas. La cuisine était plongée dans le silence, et les bruits qu'ils faisaient en mangeant lui rappelèrent le mutisme de son père et l'ambiance de la maison. Elle lâcha un soupir. Micah lui manquait.

—Parle-moi de ton frère, l'encouragea Franklin.

Sadima leva la tête, étonnée.

—Quand j'étais jeune, chuchota-t-il, c'était très vague… Toutefois, dire la bonne aventure m'a permis de m'entraîner. J'entends un mot par-ci par-là, je ressens une émotion. Rien de plus.

—J'ai l'impression que… (Elle secoua la tête et chercha les mots les plus à même de lui faire comprendre ce qu'elle ressentait.)

C'est comme si tu m'espionnais de derrière un rideau, comme si tu m'observais en cachette.

— Je suis vraiment désolé, s'excusa-t-il, sincère. Cela ressemble sans doute à ton expérience avec les animaux. J'ai juste perçu que ce silence t'était familier. Et puis, j'ai entendu son nom.

Sadima hocha lentement la tête. Il aurait pu se pencher au-dessus de la table et l'embrasser pour se faire pardonner. Il aurait pu… Elle se demanda s'il poserait de nouveau ses lèvres sur les siennes. Elle lui toucha la main.

— S'il te plaît, dit-elle, essaie de ne plus recommencer.

Il acquiesça d'un signe de tête et se remit à manger sa soupe.

— Micah me manque, reprit-elle. Il ne me pardonnerait jamais s'il savait. (Elle désigna d'un geste vague les notes empilées à l'extrémité de la table, la porte close de la chambre de Somiss et le reste.) Tu n'imagines pas à quel point il déteste les magiciens.

Franklin leva les yeux de son bol.

— Ma mère est morte quand j'avais neuf ans. J'ai assisté à ses funérailles, et j'ai vu tous les membres de ma famille geindre et pleurer. Aucun magicien ne nous a volés ; ils ont juste refusé de nous venir en aide.

— Pourquoi ? s'étonna Sadima, les yeux ronds.

— Les familles du quartier sud n'ont pas les moyens de s'offrir leurs services, répondit-il en haussant les épaules. Même en vendant leurs…

Il s'interrompit. Sadima le regarda sans rien dire.

Franklin secoua la tête et aspira une cuillerée de bouillon. La jeune femme poussa l'assiette de pain vers sa main, et il se servit sans réfléchir.

— Franklin ?

C'était la voix de Somiss. Sadima reposa sa cuiller et regarda Franklin, dont le visage était devenu tout blanc.

— Qu'est-ce que tu fais ? J'avais dit huit jours, non ?

Franklin considéra son morceau de pain et le lâcha aussitôt, comme s'il venait de découvrir une crotte de chien. Il repoussa son bol de bouillon.

—Je mangeais juste un peu et…

Somiss se rapprocha, le regard rivé sur la table couverte de miettes.

—« Un peu » ?

Il prit le bol et le jeta contre le mur.

—Il devrait crever de faim juste parce que tu…, commença Sadima avant de s'interrompre.

Si elle avait renoncé à terminer sa phrase, ce n'était pas à cause de la rage qui déformait le visage de Somiss, mais à cause de la détresse de Franklin. Elle se leva et s'en fut dans la cuisine, les laissant seuls. Assise dans la pénombre sur sa paillasse, les bras enroulés autour de ses genoux, elle entendait la voix de Franklin, grave et sérieuse, tandis que celle de Somiss était aussi froide qu'une journée d'hiver. Ils discutaient toujours lorsqu'elle s'allongea et ferma les yeux ; mais le sommeil fut très long à venir.

Chapitre 34

J'assistai au cours de Franklin les yeux fermés. Ses leçons étaient devenues idiotes. J'étais capable d'effectuer tous ses exercices sans même y penser. En revanche, je souffrais de nouveau ; j'avais enfin réussi à faire apparaître autre chose que des pommes, mais Gerrard n'était pas retourné dans la salle du joyau depuis deux jours, si l'on partait du principe qu'il s'écoulait une journée entre chaque cours. En tout cas, il n'y était pas retourné pendant que j'étais éveillé. Voulait-il me tuer ? Mince alors. À présent que je savais produire de la nourriture, je n'avais plus l'occasion de me rendre au réfectoire.

— C'est très bien, Hahp, dit Franklin.

J'ouvris aussitôt les yeux. Je ne voulais pas être le seul élève qu'il appelait par son prénom. Je ne voulais pas non plus être le seul à manger. Je jetai un coup d'œil à Gerrard, assis à l'écart, comme à son habitude. Ses paupières étaient fermées. Comme celles de Levin. Peut-être que personne n'avait entendu Franklin. Ou alors ils en étaient arrivés au stade où plus rien ne comptait. Chacun était concentré sur son estomac endolori. C'était aussi mon cas. Je fermai les yeux et respirai en rythme avec les autres.

Très vite, l'air décrivit une boucle qui passait dans mon nez et mes poumons.

Lorsque nous eûmes travaillé les six techniques qu'il nous avait enseignées, Franklin se leva et disparut. Il avait pris cette habitude depuis que nous avions commencé à réellement souffrir de la faim. J'avais cessé de me demander si le spectacle de notre faiblesse grandissante lui faisait mal, ou s'il se moquait complètement de notre sort. Cela n'avait aucune importance. Dans tous les cas, il n'aidait personne, et je le haïssais pour cela.

Après son départ, personne ne bougea pendant un long moment. Je m'arrangeai pour être le quatrième ou le cinquième à me lever, lentement. Personne ne parlait. La classe se divisa en deux groupes de quatre. Je suivis Gerrard, comme d'habitude. Sur le chemin du retour, nous dépassâmes Levin et ses camarades de chambrée, ce qui n'arrivait presque jamais. Ce faisant, j'entendis Levin marmonner une phrase incompréhensible :

— De grands et dodus garçons dansent et se dandinent dans de distantes gargotes défraîchies…

Je clignai des yeux et me demandai s'il n'avait pas perdu l'esprit. À moins que ce soit moi. Je suivis Gerrard d'une flaque de lumière à l'autre et j'entrepris d'écouter mes propres pensées. Elles étaient trop bruyantes, elles résonnaient contre les parois de mon crâne. Si les autres mouraient tous de faim, serais-je choisi pour être magicien ? Cela semblait fou, comme tout le reste, ici. Pourquoi Franklin ne nous avait-il pas simplement rappelé ce que nous ressentions pour nos jouets quand nous étions petits, ce besoin si simple et si pur ?

Gerrard tourna à droite. Comme il avait manifestement des difficultés à maintenir son avance sur moi, je ralentis. La faim l'avait affaibli. Que ferais-je lorsqu'il serait trop faible pour bouger ? Il tourna à gauche, et je le suivis. Étais-je le seul à être incapable de retenir cet itinéraire ? J'entendis en pensée Levin réciter son vers de mirliton : « *De grands et dodus garçons dansent et se dandinent dans de distantes gargotes défraîchies…* » Gauche, droite, gauche, droite, droite… Comprenant enfin, je me figeai. Levin avait trouvé un moyen de ne pas oublier.

— Gerrard ? appelai-je doucement.

Comme il ne daigna pas se retourner, je pressai le pas pour le rattraper.

Quand nous fûmes dans notre chambre, il alla directement à son bureau, prit place et ouvrit son lourd livre d'histoire. Soudain, il se leva et ressortit dans le couloir. Je le suivis.

Les quelques premiers tournants étaient faciles. Droite, gauche, droite, puis encore à gauche après une descente. *Douze garçons derrière Gerrard…* Venaient ensuite deux virages à droite, aussi j'allongeai ma phrase : *Douze garçons derrière Gerrard, et douze donzelles.* Je la répétai trois ou quatre fois et sentis le poids de ma peur diminuer dans ma poitrine. Puis il y eut deux virages à gauche très rapprochés. *Douze garçons derrière Gerrard, et douze donzelles grandes et grosses.* Je complétai ma phrase au fur et à mesure jusqu'à la longue ligne droite qui me confirma que nous étions proches du but. J'avais le vertige et j'étais affamé, mais j'avais moins peur, et mon esprit voletait.

Alors je compris ceci : si je voulais continuer à manger en cachette, je devais suivre Gerrard comme je l'avais fait jusque-là, à l'aller comme au retour, et ne rentrer dans notre chambre qu'avec deux pommes. Il me faudrait ensuite trouver des occasions de me rendre au réfectoire seul, pour y manger des repas complets sans que personne le sache. Ainsi, je ne serais pas tenté de partager avec les autres et je ne risquerais pas de m'attirer les foudres de Somiss. Je n'étais pas fier de cette dernière pensée, mais je n'y pouvais rien : Somiss me fichait la trouille.

Gerrard avança directement jusqu'au joyau. Je restai en retrait. J'étais prêt à passer mon tour cette fois. De toute façon, je reviendrais plus tard. Je m'affalai contre le mur, tandis qu'il s'arrêtait devant la pierre, rigide et inflexible comme la roche qui nous entourait. Il la toucha. Rien.

Il poussa un râle qui me fit peur. Je me levai aussitôt. Il avait le visage trempé de larmes.

—Vas-y! cracha-t-il. Ne te gêne pas, moque-toi de moi!

Je secouai la tête.

—Jamais. Tu m'as permis de te suivre.

Il leva les yeux au plafond, et resta longtemps dans cette position avant de s'intéresser de nouveau au joyau.

—Ce n'est pas juste, dit-il d'une voix si faible que je dus faire quelques pas dans sa direction pour l'entendre. Enfant, je n'avais pas de jouet.

Je ne répondis pas. Je ne savais pas quoi dire.

—Un jour, j'ai trouvé un morceau de tissu brodé d'argent, poursuivit-il à l'attention de la pierre, semblait-il. Les grands me l'ont volé. Je l'ai possédé une demi-matinée, pas plus.

—Mais tu t'en souviens, n'est-ce pas? lui demandai-je alors que je n'avais pas l'intention de parler.

Il secoua la tête sans me regarder.

—À peine.

—Qu'est-ce que tu aimais, quand tu étais petit?

Ses épaules se mirent à tressauter, et je crus qu'il pleurait, mais il riait, d'un petit rire désespéré.

—La nourriture. Des miettes, des déchets: ce que les autres jetaient parce que c'était pourri. Tu t'es déjà rendu dans le quartier sud?

—Oui, répondis-je.

Je savais au fond de mon cœur qu'il ne mentait pas; mais s'il était un enfant des rues et non le fils d'un riche Éridien, comment avait-il atterri ici?

Il leva le menton, mais ne se retourna pas.

— J'ignore qui était ma mère, et je ne parle même pas de mon père.

Il expira longuement et se redressa. Il essaya de nouveau de toucher la pierre, sans plus de succès. Je vis ses poings se serrer.

— Quel est le meilleur repas que tu aies fait ? demandai-je.

Le silence qui s'ensuivit dura si longtemps que je crus qu'il ne répondrait pas. Alors il dit :

— Un jour, une femme riche m'a payé un ragoût de poisson. Elle l'a acheté à un marchand, dans la rue. Elle s'est penchée vers moi ; je pouvais sentir son parfum. J'ai pris le ragoût et je suis parti en courant avant que les grands me voient. C'était le soir et je me suis caché entre deux caisses, sur le port.

— Du poisson ? Avec un bouillon ?

Il hocha la tête.

— Un bouillon clair, un peu rouge. Il était succulent. Il y avait des oignons. Des pommes de terre.

— Fais comme si tu étais là-bas, entre ces caisses. Imagine la vapeur du bouillon dans tes narines, chuchotai-je. Tu t'apprêtes à le goûter.

Alors je me tus et me tins immobile.

Gerrard desserra lentement les poings.

— Le joyau est magique, repris-je. Touche-le. Tu verras un éclair de lumière, et la nourriture apparaîtra, je te le promets.

Après un autre long moment, il fit un pas en avant et posa les mains sur le joyau. Un instant plus tard, il y eut un éclair, et un bol en fer rempli de ragoût de poisson apparut sur la pierre noire. Il se jeta dessus. L'entourant de ses manches pour se protéger de la chaleur, il le posa sur la table et souffla pour le refroidir. Il le porta à sa bouche et avala une gorgée brûlante, avant de souffler de nouveau.

Je m'avançai rapidement et fermai les yeux en arrivant devant le joyau. J'imaginai la ménagère en argent qui avait appartenu à mon arrière-grand-mère et dont ma mère était si fière, en songeant plus précisément aux cuillers à la courbe gracieuse, finement ouvragées. Il y avait assez de couverts pour deux cents invités et, une fois par mois, ma mère faisait recompter les pièces par les serviteurs pour s'assurer qu'aucune n'avait été volée. J'avais joué avec ces cuillers dès que j'avais été capable de me promener à quatre pattes dans la cuisine. Celia me laissait mélanger les œufs et la crème pour préparer des boulettes. Le souvenir de ces dernières m'emporta soudain, mais je me forçai à penser aux cuillers. Lorsque je m'en représentai une assez clairement, je tendis les mains vers le joyau. Il y eut un éclair.

Je donnai la cuiller à Gerrard, qui me remercia. Les yeux embrumés, il buvait son bouillon en continuant à souffler dessus. Je retournai à la pierre et tentai de faire apparaître un poulet rôti. J'échouai, mais je réussis tout de même à produire un bol de soupe : de la soupe à la queue de bœuf, comme la préparait Celia, bien sûr. Je posai la soupe et une cuiller sur la table et m'installai en face de Gerrard. Il vida le premier bol très vite et en fit apparaître un autre. Je mangeai plus lentement. Il releva la tête, et nos regards se croisèrent.

— Merci, Hahp, murmura-t-il.

Je hochai la tête. Soudain, je regardai par-dessus son épaule, vers l'entrée. *Merde.* Somiss se précipita sur nous et nous fit les gros yeux. La tête penchée sur le côté, il considéra la main droite de Gerrard, lâcha un grognement de dégoût et disparut.

Gerrard m'agita la cuiller sous le nez.

— Il sait que ce n'est pas moi qui l'ai fait apparaître. Il *sait.*

Chapitre 35

—Tu es prête ? chuchota Franklin en sortant du couloir. Je l'entends qui fait les cent pas dans sa chambre.

Sadima acquiesça. Ces neuf derniers jours, Somiss avait accepté de prendre un petit déjeuner léger. Franklin aussi. Ce n'était pas assez. Ils étaient tous les deux beaucoup trop maigres. Somiss était persuadé de travailler plus vite et plus efficacement que jamais ; il pensait que la faim améliorait les performances de son esprit. Sadima trouvait cette idée stupide. Si la faim rendait plus malin, pourquoi les enfants des rues ne trouvaient-ils pas le moyen de se passer de mendier ou de voler ?

Sadima regarda Franklin vérifier pour la énième fois les paquets de nourriture avant de les ranger dans le sac qu'elle avait préparé.

—Prends ta peinture, dit-il.

Il semblait enthousiaste, il avait le regard intense. Il ouvrit un tiroir et en sortit quatre feuilles de papier : ce papier-là était différent de celui qu'ils utilisaient pour recopier les chansons. Il était plus épais, sa surface était texturée comme celle d'un tissu. Elle lui adressa un regard étonné. Il sourit.

—J'ai demandé conseil aux artistes de la place du marché.

Sadima lui donna un rapide baiser sur la bouche, sans lui laisser le temps de la repousser ni de s'inquiéter de la présence éventuelle de Somiss. Elle prépara sa boîte de pinceaux et de couleurs, et confectionna un cadre avec des brindilles destinées à l'allumage du feu pour que ses feuilles ne se plient pas dans son sac.

—Somiss ? appela Franklin.

Une réponse inarticulée leur parvint. Franklin s'avança jusqu'à la porte du balcon et l'ouvrit, révélant un carré de ciel bleu. Ils attendirent en silence pendant un long moment. Alors, Franklin lâcha un soupir, retourna dans le séjour et insista :

—S'il te plaît, Somiss !

Sadima entendit une porte s'ouvrir violemment puis des pas dans le couloir. Elle se prépara au pire, mais Somiss paraissait plus renfrogné qu'en colère.

—D'accord, qu'on en finisse, dit-il d'une voix neutre en se dirigeant vers la porte.

Franklin jeta le sac de nourriture sur son épaule et lui emboîta le pas. Somiss ne se retourna pas une seule fois dans le large couloir qui menait à la sortie.

Franklin fit quelques pas en courant pour le rattraper, et Sadima en fit autant, agacée ; jamais elle n'avait vu Somiss marcher aussi vite.

—J'ai pensé à un endroit, commença Franklin. (Somiss ne ralentit pas et fit comme s'il n'avait pas entendu.) Un endroit que tu ne seras pas près d'oublier.

Toujours aucune réaction.

Sadima allongea sa foulée.

—Où allons-nous ? demanda-t-elle assez fort pour que Somiss l'entende.

Franklin lui jeta un regard reconnaissant.

—Nous allons sortir de Limòri et…

—«Sortir de Limòri»? (Somiss s'arrêta et fit face à son ami.) Franklin, non. Je n'ai pas de temps à perdre en…

—Il le faut, insista Franklin. Continue ainsi et tu mourras avant la fin de l'année. (Il prit Somiss par l'épaule et le regarda droit dans les yeux.) Tu m'as promis une journée entière sans penser au travail.

Somiss n'était pas convaincu.

—D'accord, mais pas aujourd'hui.

Franklin tint bon.

—Tu m'as promis. Une journée sans étudier.

Somiss secoua la tête de droite à gauche, tandis que Franklin la hochait de haut en bas. Ils rirent tous les deux. Sadima vit leurs regards se croiser et comprit que quelque chose était passé entre eux, un souvenir d'enfance, celui d'une époque, plus douce et plus simple, où ils jouaient ensemble.

—Cela faisait bien longtemps que je n'avais ri, dit Somiss.

—Et moi donc, acquiesça Franklin en poussant un soupir.

Somiss leva la tête vers le ciel ; le soleil lui fit plisser les yeux. Sadima le vit de nouveau croiser le regard de son ami et eut un mouvement de recul. Elle avait l'impression d'être une intruse.

—Tu es beaucoup trop maigre, dit Franklin à Somiss.

—Tu crois ? sembla s'étonner celui-ci.

—Je vais acheter un miroir. Ainsi, tu pourras t'en rendre compte par toi-même.

—Un morceau de métal poli ne me montrera rien que je ne sache déjà. Je sais que je suis mince ; mon pantalon me l'a dit ce matin.

Sadima rit, puis porta la main à sa bouche. Elle ne l'avait encore jamais entendu plaisanter. Somiss la regarda.

—Je suis désolée, s'excusa-t-elle.

—C'était une plaisanterie, et tu as ri. C'est à Franklin de demander pardon, car il n'a même pas souri.

206

Il esquissa un léger sourire, mais celui-ci parut étrange au milieu de son visage décharné et osseux.

Ils se remirent en marche. Sadima ne fut pas mécontente qu'il se détourne d'elle. Elle se rendit soudain compte qu'elle ne l'avait encore jamais vu à l'extérieur de la maison. Dans la lumière vive du soleil, ses cheveux avaient la couleur de la paille en automne, et ses yeux étaient bien plus clairs.

—C'était encore une plaisanterie, ajouta-t-il par-dessus son épaule. Franklin n'a pas vraiment besoin de demander pardon.

Franklin jeta un regard à Sadima, avant de lâcher un rire idiot, haut perché, et manifestement feint. Somiss lui reprocha d'avoir si peu ri et surtout trop tard. Franklin se confondit en excuses et expliqua qu'il aurait ri bien plus tôt si la plaisanterie avait été drôle. Somiss lui donna un coup dans l'épaule qui le déséquilibra.

Sadima assista à ce spectacle sans y participer ; elle marchait en retrait. Elle n'avait jamais vu Somiss faire preuve d'humour, et Franklin très rarement, c'était la première fois qu'elle les voyait tous deux s'amuser et se comporter de la sorte. Sans s'arrêter de marcher, ils s'insultèrent comme deux garçons de dix ans. Franklin courut sur quelques mètres, forçant Somiss à accélérer pour le rattraper, puis il ralentit brusquement, rendant leur collision inévitable. Franklin se retournait régulièrement pour s'assurer que Sadima les suivait. Elle lui fit un signe de la main, et il sourit. Elle n'avait plus aucun mal à les imaginer enfants, jouant ensemble tels des frères.

—Quoi ? entendit-elle Somiss demander. Qu'as-tu dit, Franklin ?

Franklin se pencha pour lui répondre à l'oreille, et ils éclatèrent tous les deux de rire. Leur avance sur Sadima s'accrut, tandis qu'ils s'enfonçaient dans des ruelles étroites situées dans une partie de la ville que la jeune femme ne connaissait pas.

Franklin tourna à droite entre deux bâtiments, et ils débouchèrent sur une grande étendue verte. De l'autre côté, l'herbe céda la place à de grandes dalles de pierre ; ils arpentèrent une rue si large que Sadima voyait de loin toutes les maisons auxquelles elle conduisait ; elle voyait même la falaise sombre et massive qui surplombait la ville au nord.

Tandis qu'ils entamaient une longue montée, Somiss et Franklin ralentirent pour marcher à sa hauteur. Les maisons étaient plus grandes que celles qu'elle avait vues jusque-là, protégées par de hautes clôtures en fer, construites à l'ombre d'arbres gigantesques. Sadima voulut s'arrêter pour les admirer, mais Franklin lui chuchota à l'oreille :

— Nous sommes tout près de l'endroit où nous avons grandi : les coteaux de Ferrin. (Il désigna l'ouest du doigt.) Sa famille habite de l'autre côté.

Sadima suivit du regard la direction qu'il indiquait. Les maisons y étaient encore plus grandes que celles qui flanquaient cette rue ; elles étaient également beaucoup plus éloignées les unes des autres et entourées de vastes pelouses et de jardins fleuris.

— Le roi habite-t-il ici ? lui demanda-t-elle quand Somiss les eut devancés de quelques pas.

Franklin secoua la tête.

— Le roi possède trois résidences : une au bord de la mer, une dans les montagnes et une de l'autre côté de cette colline, pas très loin de la maison des parents de Somiss. Celle du roi est la plus grande, évidemment. À côté des demeures qui l'entourent, celles de ce quartier sont minuscules.

Sadima plissa les yeux, persuadée qu'il devait plaisanter, mais ce n'était pas le cas. Franklin accéléra le pas, et ils rattrapèrent Somiss.

Certaines propriétés possédaient des bassins. Sadima vit un couple de cygnes décrire de lents cercles dans l'un d'eux.

Ils étaient de belle taille, d'un blanc immaculé, magnifiques, et tristes aussi. Leurs ailes avaient quelque chose d'anormal ; elles portaient la marque d'une blessure infligée par l'homme. Ces cygnes ne voleraient jamais. Sadima regarda Franklin ; il faisait le clown pour amuser Somiss et jubilait de voir son ami heureux. Des larmes emplirent les yeux de la jeune femme. Elle battit des paupières pour les chasser avant qu'il s'en aperçoive. Elle ne gâcherait pas sa journée.

Il y avait un bois ombragé au bout de la route, loin derrière les maisons. Des chemins sinueux aux courbes gracieuses le traversaient. Somiss s'arrêta brusquement et se tourna vers Franklin.

—Je sais où nous allons ! Là où nous avons passé la nuit le soir où j'ai voulu m'enfuir.

Franklin sourit.

—Tu te souviens de la chute d'eau ?

Somiss hocha la tête, et ils pressèrent le pas.

Il ne leur fallut pas longtemps pour retrouver l'endroit. Ils étalèrent la nourriture sur une pierre plate, au bord d'un bassin alimenté par une petite chute d'eau située sur la rive opposée. Ils prirent le temps de déguster leur repas sous un soleil d'été lumineux et chaud. Somiss mangea tout ce que lui avait servi Franklin et en redemanda. Ce dernier croisa le regard de Sadima et sourit, avant d'articuler un « merci » silencieux.

Les pies jacassaient dans les arbres, et Sadima vit un écureuil courir sur une branche épaisse. Elle perçut son empressement, le sentiment d'urgence qui l'animait. Elle inspira profondément, laissa l'atmosphère qui agitait le feuillage se déverser dans ses poumons, y effectuer une boucle avant de ressortir. Cet exercice apaisa son cœur et son esprit. Cet endroit était magnifique. Et si calme.

Lorsqu'ils eurent terminé de manger, Franklin et Somiss s'étendirent dans l'herbe, les mains derrière la tête, et discutèrent. Sadima retira ses chaussures et s'enfonça dans les bois. Elle vit des ratons laveurs, une biche et un long serpent noir qui pensait à sa tanière confortable et sûre, pas très loin de là.

Elle s'assit un moment, pensa à Micah, et se demanda si les labours s'étaient bien passés. Les frères de Laran l'aideraient, maintenant que leur père n'était plus là pour les renvoyer chez eux. Micah leur rendrait la pareille au moment des moissons. Ses enfants auraient Mattie Han pour grand-mère. La fête de l'Hiver serait désormais une époque joyeuse à la ferme. Les anniversaires seraient célébrés et non redoutés.

Franklin et Somiss parlaient toujours lorsqu'elle les rejoignit dans la petite clairière. Apparemment, leur conversation était devenue sérieuse.

— Tu viens te promener avec nous ? lui demanda Franklin en relevant les yeux quelques minutes plus tard.

Sadima comprit qu'il n'avait même pas remarqué son absence. Elle déclina l'invitation.

— Non, je vais rester ici pour peindre.

Franklin acquiesça d'un signe de tête, et ils s'en furent, la laissant toute seule. Sadima prépara ses pinceaux avec une certaine fébrilité. Être dehors, pouvoir peindre, c'était extraordinaire. Elle choisit un vieil arbre à la silhouette étrange – il avait été frappé par la foudre, mais s'en était remis – et entreprit d'en faire le portrait. Son travail était déjà sec lorsqu'elle entendit Franklin et Somiss se rapprocher. Le temps qu'ils rallient la clairière, son œuvre et son matériel étaient rangés dans son sac.

— J'ai trouvé un escalier, déclara Franklin. Taillé dans la roche même.

— Un escalier très ancien, renchérit Somiss.

— Tellement ancien que la pluie en a poli les marches. Il est couvert de mousse et de plantes grimpantes. On ne sait pas jusqu'où il monte, mais je dirais au moins jusqu'à la moitié de…

— Comme la falaise a un profil arrondi, il est difficile de voir le sommet d'aussi près, l'interrompit Somiss.

— Une bonne dizaine de personnes nous ont parlé d'une cité de pierre, et nous…

Somiss lui agrippa l'avant-bras pour le faire taire.

— Vous devez jurer tous les deux de ne jamais parler à quiconque de cet endroit. Jamais.

Franklin posa la main sur son cœur.

— Je le jure. Je me tairai jusqu'à ma mort.

Sadima répéta ses paroles, mais n'alla pas jusqu'à poser la main sur son cœur. Elle vit Somiss jeter un regard à Franklin, mais elle s'en moqua. S'entendaient-ils parler ? On aurait dit deux petits garçons trop sérieux jurant de ne révéler à personne l'existence de leur royaume imaginaire.

Chapitre 36

Franklin était souvent là lorsque nous arrivions, mais ce n'était pas systématique. Parfois, mal à l'aise et silencieux, nous attendions une éternité avant qu'il daigne montrer le bout de son nez.

Nous sentions terriblement mauvais, mais nous ne nous en souciions plus guère. J'étais presque heureux ; aussi fou que cela puisse paraître. Je commençais à croire que je pourrais survivre ici, au moins un certain temps. Je me débrouillais de mieux en mieux dans ces tunnels. Et je mangeais bien. Très bien, même.

Je m'arrangeais pour manger seul. Gerrard aussi. Son haleine sentait le poisson presque tous les jours. Après les cours de Franklin, cependant, nous nous rendions dans la salle du joyau avec les autres, et je faisais semblant de le suivre, comme avant. Je feignais également d'essayer de faire apparaître de la nourriture et d'échouer lamentablement, après quoi je repartais avec deux pommes.

Gerrard et moi n'avions jamais abordé le sujet, mais nous nous comprenions. Nous ne voulions pas que ceux qui ne mangeaient pas sachent que nous nous débrouillions mieux qu'eux. Pour moi, c'était très simple : je ne voulais pas qu'ils sachent parce que j'avais honte de ne pas avoir le courage de les aider. Les raisons de Gerrard devaient être plus complexes ; il avait sans doute une stratégie pour devenir le meilleur d'entre nous.

Et puis un jour, une nuit, ou peut-être un matin – je n'aurais su le dire –, je remarquai que Levin se portait un peu mieux. Je croisai son regard lorsqu'il entra dans la salle de classe et je me touchai le ventre, comme pour lisser ma robe. Il hocha la tête : geste imperceptible pour qui ne l'attendait pas. Je souris tout aussi discrètement. Levin cligna deux fois des yeux et se détourna. Nous apprenions petit à petit à communiquer sans parler.

Je regardai autour de moi. Jordan et Luke paraissaient eux aussi moins absents que ces derniers temps. Les camarades de chambrée de Levin s'étaient-ils entraidés ? Avaient-ils désobéi à Somiss ? En proie à un mélange de peur et d'espoir, j'eus soudain la chair de poule. Alors je vis Tally traîner les pieds derrière eux, et ma joie s'évanouit. Il avait les yeux mi-clos, le visage abattu. Je regardai ailleurs, tandis que mon sang battait bruyamment dans mes tempes.

Merde. Comment pouvaient-ils dormir dans la même pièce que lui et le regarder devenir chaque jour plus faible sans rien faire ? Ou bien était-ce lui qui avait refusé leur aide, comme l'avait fait Gerrard avec moi ? À moins qu'ils aient essayé et que Somiss les ait découragés de continuer.

Will entra à son tour. Ses joues étaient plus colorées : lui aussi était devenu plus fort. Contrairement à ses camarades. Rob n'avait plus que la peau sur les os, et Joseph marchait avec la lenteur et la circonspection d'un vieillard. Quant au quatrième de la bande, il était dans un état des plus critiques.

Je détournai le regard pendant qu'ils prenaient tous place et je priai pour que Franklin se hâte d'arriver et nous donne l'occasion de faire autre chose que nous examiner mutuellement. À la place de Franklin, ce fut Somiss qui sortit du mur, pareil à de l'eau traversant un tissu. Nous nous redressâmes tous et lui fîmes face. Il nous regarda droit dans les yeux, chacun à notre tour. Je me raidis quand vint le mien. Lorsqu'il eut terminé, il s'éclaircit la voix.

—Cessez de vous venir en aide, murmura-t-il de sa voix enrouée. Si vous voulez survivre…

Je battis des paupières et découvris en les rouvrant que Somiss avait cédé la place à Franklin. Il s'assit par terre à sa manière habituelle et gracieuse, croisant les jambes de façon à nous montrer la plante de ses pieds nus.

—Premier exercice, dit-il. Lentement. Lentement…

Las et obéissant, je fermai les yeux. Tous les exercices me calmaient, mais j'affectionnais particulièrement celui-ci, le premier et le plus simple. Je sentis l'air emplir mes poumons avec la lenteur d'un escargot, puis faire demi-tour, décrire une boucle lente. Mes pensées ralentirent aussi, avant d'être réduites au silence. Ne plus avoir peur était délicieux. J'avais l'impression de flotter sur de l'eau chaude.

—C'est très bien, ajouta-t-il d'une voix calme.

Sauf qu'il ne s'était pas adressé à nous, mais à moi seul. Quand j'ouvris les yeux, Franklin était assis juste à côté de moi sur la pierre froide. Il me jeta un regard oblique et, avant que j'aie eu le temps d'ouvrir la bouche, posa son index sur ses lèvres.

—Tu ne peux pas les voir, mais ils sont toujours autour de nous, reprit-il.

Il me parlait, mais ses lèvres ne bougeaient pas, et son regard restait rivé au mien. Derrière lui, je voyais un portail en fer forgé et, au-delà, des arbres. Le ciel, le vent, les arbres : mon cœur souffrait tant de ne plus les voir.

Franklin.

—Mieux vaut ne pas penser à ce qui te manque, reprit-il. (Cette fois-ci, ses lèvres bougèrent bel et bien.) Manges-tu, Hahp ?

Je voulus répondre, mais il m'en empêcha en levant la main.

—Contente-toi de hocher ou de secouer légèrement la tête, comme tu le fais avec les autres.

J'acquiesçai d'un signe de tête imperceptible, geste que toute la classe avait appris à déchiffrer.

—Gerrard aussi?

Je lui fis signe que «oui».

—Je vous attendais depuis longtemps, poursuivit-il. Tous les deux.

J'aurais voulu lui demander ce qu'il entendait par là, mais mon esprit était lent, difficile à contrôler. Franklin disparut sans me laisser le temps de marmonner ma question. Les arbres et le portail en fer se diluèrent dans le néant. Je me redressai, clignai des yeux, me réveillai. J'étais de retour dans la salle. Les autres avaient les yeux fermés et continuaient à s'exercer. Le visage de Franklin était aussi calme qu'un étang un jour sans vent. Je sentis un bâillement soulever ma poitrine, mais je le réprimai. Jamais auparavant je ne m'étais assoupi au milieu d'un cours, et j'étais heureux que Franklin n'ait rien remarqué. Je savais que j'avais rêvé, mais je ne me souvenais de rien.

Je recommençai l'exercice et me surpris à regarder mes camarades. Si je survivais à tout ceci, je trouverais un moyen de rentrer chez moi et je tuerais mon père. Puis les leurs. Cette pensée émergea trop vite, elle ne se laissa pas contenir; mon cœur bondissait dans ma poitrine, et j'avais les poings serrés. Une sorte de paix intérieure se nicha dans mon ventre, ce qui me fit peur. Je me concentrai de toutes mes forces, et j'effaçai mes pensées avec férocité. Toutes mes pensées.

Chapitre 37

Sadima essora le carré de tissu, et l'eau froide la fit frissonner. Rinka ne l'attendait pas avant midi, et Franklin et Somiss n'étaient pas là. Elle avait un nœud dans le ventre et son inquiétude la mettait mal à l'aise. Cela ne l'avait toutefois pas empêchée d'utiliser jusqu'à la dernière goutte d'eau chaude pour se préparer un bain. Ses vêtements étaient propres et séchaient au-dessus du poêle. Elle tâta l'ourlet de sa plus belle robe. Il était à peine humide. Elle décrocha le vêtement, l'enfila par-dessus sa tête et entreprit de démêler ses cheveux. Lorsqu'elle eut terminé, que ses cheveux furent soigneusement tressés, elle sentit le nœud dans son estomac se serrer davantage.

Somiss lui avait dit qu'ils ne seraient pas de retour avant la mi-journée, et il ne lui avait rien donné à recopier en leur absence. Il lui avait paru distrait, nerveux. Elle avait donc demandé à Franklin où ils allaient, et il lui avait menti.

C'était aussi simple que cela.

Franklin avait dit qu'il ne savait pas ; toutefois, elle les avait épiés pendant qu'ils descendaient l'escalier. Somiss avait demandé à Franklin s'il connaissait le chemin, et ce dernier avait répondu qu'il le connaissait parfaitement. Sadima eut la chair de poule.

Où allaient-ils donc ? À la falaise ? Pourquoi ? Pour chercher une cité de pierre mentionnée dans des contes ? Sans doute. Pourquoi en irait-il autrement, puisque son existence justifierait le travail qu'ils avaient entrepris ?

Depuis leur balade dans les bois, l'état de Somiss n'avait cessé de s'améliorer ; il dormait et mangeait plus, il était plus gentil avec Franklin. Il lui arrivait même d'adresser quelques mots à Sadima, et elle ignorait si elle devait ou non s'en réjouir. À plusieurs reprises, elle l'avait surpris en train de la regarder, ce qui l'avait mise mal à l'aise. Franklin lui avait dit de ne pas s'en inquiéter ; selon lui, cela signifiait juste qu'il l'aimait bien, qu'il commençait à l'accepter. Elle l'espérait. Il était temps.

Sans réfléchir, elle ouvrit la porte du balcon et sortit dans la lumière matinale. Comme il n'y avait personne dans la rue, elle vida l'eau de son bain et resta longtemps au soleil, profitant de l'atmosphère revigorante. Puis elle retourna dans la cuisine pour faire un peu de ménage et passer le balai. Quand elle eut terminé, elle se rendit dans le couloir et s'arrêta devant la porte de Somiss.

Elle tendit le bras et toucha la poignée. Elle la serra entre ses doigts et se figea un moment : aurait-il un moyen de savoir qu'elle l'avait ouverte ? Elle lâcha la poignée, la reprit, puis la lâcha de nouveau. S'il découvrait quelque chose, il la chasserait de l'appartement. Elle soupira et se demanda si ce ne serait pas préférable. Mais cela signifierait ne plus jamais revoir Franklin... Elle fit un pas en arrière.

Quelqu'un frappa doucement, précautionneusement à la porte du logement, et elle sursauta. Les mains tremblantes, elle lissa sa robe et retourna dans le salon en se réprimandant mentalement. Somiss ne frapperait pas avant d'entrer. Et il était incapable de voir à travers les murs.

Elle ouvrit la porte. Une femme épaisse au visage rond cligna des yeux et se racla la gorge.

—On m'a dit de demander Somiss, commença-t-elle d'un ton sec.

—Il est absent, répondit Sadima. Pourriez-vous repasser demain?

La femme secoua la tête.

—Maude m'achète du miel, et elle m'a dit de venir lui chanter les vieilles chansons quand j'aurai le temps. J'ai une heure devant moi et pas une minute de plus.

Sadima ouvrit la porte en grand et se présenta.

—Moi, c'est Hannah, répondit la femme en lui serrant douloureusement la main. (Elle avait une poigne de fer et Sadima eut mal aux doigts.) J'en connais six. Vous voulez entendre laquelle en premier?

Sadima s'écarta et invita Hannah à entrer. Celle-ci avisa la table et, sans se faire prier, tira une chaise et s'y installa.

—Il nous faut marcher près de trois heures pour venir en ville, reprit-elle sans cérémonie. Les poneys portent les pots de miel, mais nous, nous marchons.

Sadima comprenait; elle aussi avait déjà eu mal aux jambes à force de marcher.

—Je ne pourrai pas en apprendre six en seulement une heure, mais je veux les apprendre toutes. Je vous paierai chacune d'elles une demi-pièce de cuivre, si vous acceptez de revenir pour me laisser le temps de les retenir.

Hannah se redressa.

—D'accord. Je reviendrai vous chanter celles que vous n'aurez pas retenues aujourd'hui. On commence par laquelle?

—Dites-moi à quoi elles servent.

Hannah leva la main et compta sur ses doigts.

—Il y en a une contre les maux de ventre, une pour allonger la durée de la vie, une pour les accouchements, une pour faire germer les graines, une pour soigner les poneys boiteux, et...

(Elle s'interrompit pour réfléchir et haussa les sourcils.) Et une qui agit comme un philtre d'amour. Ma mère dit que c'est grâce à elle qu'elle a séduit mon père. Mais bon, elle l'aurait séduit de toute façon, ma mère est une femme têtue.

Le ton affectueux de Hannah fit sourire Sadima.

—Il y en a une pour allonger la durée de la vie ?

—Ma mère a soixante-quatre ans, répondit Hannah en hochant la tête, et elle chante cette chanson tous les matins. Sa mère à elle affirme avoir quatre-vingt-deux ans ; c'est très rare d'atteindre cet âge. Elles jurent toutes les deux que mon arrière-grand-mère est morte à plus de quatre-vingt-dix ans.

Sadima ne laissa rien voir de ce qu'elle pensait. Personne ne vivait aussi vieux ; toutefois, la plupart des femmes préféraient se rajeunir…

—Celle contre les maux de ventre fonctionne-t-elle ?

Hannah éclata de rire.

—Je ne sais pas. En tout cas, la chansonnette vous fait penser à autre chose. Ma sœur et moi n'avons jamais eu de problème pour accoucher, et chaque fois notre mère était là pour chanter à nos côtés. (Hannah sourit de nouveau.) J'aime toutes ces chansons. Alors, vous voulez commencer par celle qui soigne les maux de ventre ?

—Non, celle qui allonge la durée de la vie.

Hannah chanta la mélodie d'une voix claire et aussi juste que celle d'une alouette. Puis, sans que Sadima le lui demande, elle recommença. Après avoir chanté la mélodie cinq ou six fois, elle ajouta les paroles.

La chanson était longue – bien plus longue que celles de Rinka – et Sadima regretta de n'être pas capable d'écrire les mots comme le faisait Somiss. Elle s'efforça de rester concentrée et garda les yeux fermés tandis que Hannah chantait encore et encore. La quatrième fois, Sadima se joignit à elle et parvint à réciter les premiers vers avant de s'emmêler les pinceaux. Au bout de la vingtième fois, elle était capable de chanter les quatre couplets, à condition que Hannah l'aide au début de chacun. À la fin de la trentième fois, elle connaissait la chanson entière par cœur. Après qu'elle l'eut chantée toute seule deux fois, Hannah posa les mains sur la table et se leva.

—Je ferais mieux d'y aller.

Sadima la raccompagna, puis passa le restant de la matinée à fredonner la chanson tout en travaillant. Lorsque le soleil fut proche de son zénith, elle ouvrit la porte du balcon pour regarder dehors. Comme Franklin et Somiss n'arrivaient toujours pas, elle partit travailler sans cesser de chanter.

Rinka rit quand elle lui raconta sa rencontre avec Hannah.

—Les marchands de miel. Oui, je les connais un peu, je leur en achète parfois. La famille tout entière est un peu bizarre, mais ce sont des gens honnêtes qui travaillent dur.

—Cela ne vous dérange pas si je la fredonne en travaillant? demanda Sadima.

—Chante-la cent fois si tu veux, s'amusa Rinka. Peut-être vivrons-nous plus vieilles toutes les deux!

Plus tard, pendant qu'elles suspendaient les fromages, Sadima repensa à Hannah, à la façon dont elle avait parlé de sa mère. Elle se tourna vers Rinka et lui demanda :

—Vous êtes mariée?

La femme acquiesça d'un signe de tête.

—Je l'ai été. À un homme bon. Il est décédé il y a cinq ans.

—Vous voulez bien me parler d'amour...? demanda doucement la jeune femme.

Rinka leva les yeux, étonnée.

—Ma mère est morte en me mettant au monde, expliqua Sadima. (En parler lui était très douloureux.) Je n'ai jamais demandé à personne...

Elle ne savait pas par où commencer. Rinka sourit et lui parla d'une voix douce où se mêlaient l'amour et la tristesse. Elle répondit avec franchise, sans fausse pudeur ni embarras aux questions de Sadima.

— C'est Franklin, n'est-ce pas ? voulut-elle savoir.

La jeune femme hocha la tête.

— Comment avez-vous deviné ?

— Quand tu parles de lui, même très brièvement, ta voix se radoucit.

En rentrant du travail ce soir-là – il était tard –, elle rencontra Franklin devant le portail de l'immeuble.

— Somiss est d'une humeur massacrante, commença-t-il.

Ce n'était donc pas le moment de lui ouvrir son cœur.

— Où êtes-vous allés, ce matin ?

Franklin secoua la tête tandis qu'ils entraient dans le bâtiment.

— Il m'a interdit d'en parler à qui que ce soit.

Sadima gravit les marches de l'escalier sans se retourner et s'arrêta devant la porte verte.

— Franklin, ta loyauté envers lui…

— Je sais que c'est difficile à comprendre, pour toi, répondit-il en se hâtant de la rejoindre pour qu'elle puisse l'entendre. Somiss est tout ce que j'ai.

— Non, rétorqua Sadima. Ce n'est pas vrai.

Pour la deuxième fois, elle l'embrassa. Ils restèrent un moment immobiles, jusqu'à ce que Franklin lui dépose un baiser sur le front et fasse un pas en arrière. Elle eut le temps de voir des sentiments divers traverser ses yeux noirs avant qu'il la contourne pour entrer dans l'appartement sur la pointe des pieds. Elle lui emboîta le pas et le vit regarder plusieurs fois vers le couloir et la chambre de Somiss.

Pendant qu'elle préparait un ragoût et ravivait le feu, Sadima lui parla de la chanson. Franklin apporta du papier et une plume, et transcrivit les mots qu'elle avait mémorisés. Elle le regarda travailler avec beaucoup d'attention. Il y avait un caractère par son, parfois deux et, très rarement, trois. La lettre correspondant à un sifflement avait la forme d'un serpent en train de ramper. C'était la première lettre de son prénom, ainsi que la première et la dernière de celui de Somiss, pensa-t-elle.

—Merci, murmura-t-il lorsqu'ils eurent terminé. (Il se pencha vers elle, inspira profondément, puis s'éloigna, un sourire aux lèvres et les yeux humides. Pleurait-il?) Tu sens le savon. Tu as utilisé toute l'eau?

Sadima acquiesça d'un signe de tête.

—J'irai en chercher dès…

—Non, je m'en occuperai ce soir, l'interrompit Franklin. (Il désigna la porte de la chambre de Somiss.) Il voudra peut-être boire quelque chose un peu plus tard. Tu pourrais recopier ceci? Cela lui ferait un beau cadeau.

Sadima lâcha un soupir et secoua la tête.

—Combien d'exemplaires?

Franklin hésita.

—Disons trois. Deux à annoter et un pour les archives.

Franklin parti chercher de l'eau, Sadima se posta dans le couloir et écouta. La chambre de Somiss semblait plongée dans le silence. Peut-être dormait-il. Elle décida de se mettre au travail; toutefois, elle ne produisit pas trois, mais quatre copies. Elle en cacha une, soigneusement pliée, dans sa boîte de peintures. À son retour, Franklin prit une des copies pour la montrer à Somiss.

Une fois Franklin couché, Sadima alluma une chandelle, s'assit sur sa paillasse et examina la quatrième copie. Elle connaissait les mots et leur prononciation. Elle les chuchota en examinant chaque groupe de lettres avant de ranger la feuille de papier dans sa boîte. Elle mit très longtemps à trouver le sommeil. C'était mensonge pour mensonge, secret pour secret, mais cela ne la consola nullement.

Dans les ténèbres, elle fut réveillée par des bruits de pas dans le salon, des bruissements de papier et la lumière vacillante d'une bougie. Elle se leva et longea le mur en silence, tendant l'oreille. Retenant sa respiration, elle se pencha légèrement pour jeter un coup d'œil dans le salon, puis recula. Somiss? Un long moment plus tard, elle entendit la porte de sa chambre se refermer et elle alluma sa propre chandelle.

Les trois copies de la chanson destinée à allonger la durée de la vie étaient posées sur la table, sur la pile de copies terminées par Franklin. Pourquoi Somiss les avait-il sorties à cet instant précis, au beau milieu de la nuit?

Sadima examina les feuilles de papier, pivota sur ses talons et retourna dans la cuisine pour chercher son exemplaire. Toute tremblante, elle le posa à côté des autres. Somiss avait recopié la chanson en trois exemplaires tous identiques, mais légèrement différents du sien. Il l'avait modifiée. Mais pourquoi? Pour les priver, Franklin et elle, de la vraie version?

Chapitre 38

Manger devint plus difficile. Non pas faire apparaître de la nourriture, mais manger. Produire de quoi m'alimenter m'était désormais très facile ; j'étais capable de faire apparaître cinq ou six de mes plats préférés sans trop de problèmes. En revanche, j'avais du mal à me convaincre que j'avais le droit d'y goûter.

Dès qu'ils sortaient de la salle de classe, les garçons qui ne mangeaient pas se ruaient dans la salle du joyau. Tally et tous les camarades de chambrée de Will restaient assis, le regard éteint, et se levaient de temps en temps pour tenter leur chance devant la pierre. Ils ressemblaient à des épouvantails.

Passer devant eux, faire apparaître de quoi manger, puis ressortir de la salle sous leurs yeux, alors que leur bouche s'emplissait d'une salive amère, était une véritable torture pour moi. Je cessai donc de manger. Toutefois, deux cours de Franklin plus tard, cette attitude me sembla stupide ; je ne soulagerais personne en jeûnant.

À la fin du cours suivant, je courus jusqu'à la salle du joyau. Elle était vide. Tout transpirant et nerveux à l'idée d'être rejoint, je fis apparaître du fromage et des fruits. Je mis le tout dans ma robe, que j'agrippai d'une main par l'ourlet à la manière d'un sac, puis je filai vers ma chambre en découvrant mes jambes, comme j'avais vu Gerrard le faire.

Il me regarda entrer d'un air bizarre. Il se leva, se lava les mains et le visage, et s'en fut. Ne pas le suivre me fit un drôle d'effet, mais je n'avais plus aucune raison de faire semblant.

J'étalai la nourriture sur mon bureau. Il n'y avait ni souris ni insectes dans ces tunnels. Gerrard n'y toucherait pas, et si d'aventure quelqu'un trouvait le chemin de notre chambre et me prenait ce fromage et ces fruits, je ne serais pas vraiment mécontent.

Je me contentais donc de ces réserves pendant quelque temps. Je pensais constamment à ceux qui mouraient de faim, mais au moins n'étais-je pas obligé de les voir, ce qui était un soulagement bien égoïste.

À la fin du cours suivant, pour une raison que je ne saurais expliquer, je m'enfonçai dans un tunnel que je n'avais jamais exploré et je courus tout droit en comptant les boyaux transversaux que je dépassais afin de pouvoir retrouver mon chemin. Le sol se mit à monter, et j'accélérai jusqu'à ne plus pouvoir avancer du tout. Alors je m'adossai au mur et j'examinai mes pieds.

Le fait de courir avait fait tomber mes croûtes. Ma peau était presque guérie, rose et brillante. Mes pieds étaient devenus aussi résistants que des sabots. Mon épiderme s'était épaissi au contact de la robe. Je n'avais mal nulle part. Mes yeux s'emplirent de larmes. Être capable de courir, me sentir fort me faisait un bien fou.

De retour devant la porte de la chambre, j'appuyai douce-ment sur la poignée en forme de poisson. Gerrard était là. Il ne bougea pas ; on aurait dit qu'il ne m'avait pas entendu. J'allumai ma lampe, puis je m'étendis sur mon lit et m'abîmai dans la contemplation du plafond en pierre sombre.

Nous étions six à manger. Nous étions six à devenir plus forts chaque jour : Gerrard, Will, Jordan, Levin, Luke et moi. Peut-être que si je les persuadais d'aider les autres, si nous cachions tous un peu de nourriture partout... Je pourrais leur parler et... Mais quand ? Et où ? La salle du joyau n'était pas un endroit sûr, et j'ignorais où se trouvaient leurs chambres. Des gouttes de sueur froide perlèrent sur mon front. Était-ce pour cette raison que les magiciens nous avaient séparés, et que l'un des leurs – mais jamais le même – nous accompagnait systématiquement en classe ? *Merde.* L'académie était ancienne, le système bien rodé.

Je m'allongeai sur le côté pour parler à Gerrard, mais il me tournait le dos et lisait, comme à son habitude. Les magiciens possédaient sûrement un moyen de nous écouter. Peut-être même nous voyaient-ils. Je me sentis bête et secouai la tête. Pourquoi nous surveilleraient-ils ? Ils savaient à quel point nous avions peur. Je me levai et fis deux pas en direction de la porte pour le voir de profil. Avait-il les yeux fermés ou bien s'était-il réfugié dans le silence de ses pensées ?

Gerrard lisait *Les Chants des Anciens*, le livre écrit dans une langue que je n'avais jamais vue. Il bougeait légèrement les lèvres et, tandis que je le regardais, il tourna la page.

Je retournai à mon lit et m'y assis, puis je finis par m'allonger et je m'endormis. Je fis des rêves horribles, où des gens aux joues creuses et aux dents noires en piteux état mendiaient de la nourriture.

Un magicien frappa à notre porte. Je me levai, j'urinai, je me lavai le visage et le suivis dans le couloir, heureux d'échapper à mes songes. Dans la salle de classe, Will et ses camarades de chambrée au regard morne formaient un groupe compact. Jordan, Levin et Luke étaient là aussi. Mais pas Tally. Les yeux de Levin étaient rouges et enfoncés.

—Troisième exercice, dit Franklin.

Nous lui obéîmes comme des chiens bien dressés. Je fermai les yeux et tentai de tout effacer. Cette fois-ci, cependant, je n'y parvins pas. Je me tournai vers Gerrard. Avait-il seulement remarqué quelque chose ?

Chapitre 39

— S'il vous plaît, madame, s'il vous plaît…

Le petit garçon avait une voix dure et enrouée.

Sadima l'observa. Il ne l'avait pas encore vue. À présent qu'elle avait quelques pièces dans les poches de sa robe, elle ne se sentait plus capable d'ignorer les supplications des enfants. Celui-ci l'attendrissait particulièrement. Il avait un comportement joyeux et une cicatrice terrible. Quelqu'un avait essayé de lui trancher la gorge ; le petit s'était débattu, et le couteau avait glissé derrière son oreille.

Leurs regards se croisèrent un instant. Le garçon sourit et trotta dans sa direction d'une démarche un peu raide. Sadima hocha imperceptiblement la tête, fit semblant de l'ignorer et continua vers le pâté de maisons suivant. Il la suivit, la main tendue, en chantonnant ses supplications. Sans s'arrêter, elle fouilla dans sa poche et trouva une demi-pièce de cuivre qu'elle déposa dans la main du garçon.

En un clin d'œil, il inclina sa paume, fit glisser la pièce dans sa main gauche et la tint tout contre son ventre. La main droite toujours tendue, sans cesser de mendier, il escamota la pièce dans la poche de son pantalon. Il adressa un clin d'œil à Sadima et la suivit encore sur un demi-pâté de maisons. La jeune femme feignit de lui donner un coup de pied et de lui faire les gros yeux. Il tourna les talons et s'éloigna en traînant les pieds, l'air déçu. Il était très malin. Franklin lui avait expliqué que les enfants plus âgés surveillaient les petits, aussi avait-elle appris à jouer la comédie pour lui.

Sadima accéléra, se retint de regarder par-dessus son épaule et tourna dans une rue qui ne lui était pas familière. Chaque jour, elle prenait un chemin différent pour rentrer, s'enfonçait plus profondément dans le quartier commerçant du nord de la ville, avant de bifurquer vers la place du marché. Les enseignes des boutiques lui permettaient de s'exercer. Elle était capable d'en déchiffrer quelques-unes, et, chaque jour, elle en mémorisait une nouvelle, qu'elle mettait par écrit de retour à l'appartement.

Une fois Franklin et Somiss couchés, elle sortait de sa cachette son exemplaire de la chanson destinée à allonger la durée de la vie pour tenter de déduire la prononciation de chaque lettre. Elle avait rencontré quelques mots récalcitrants, mais ils n'étaient pas nombreux.

Sadima examina les enseignes, de l'autre côté de la rue. L'une d'entre elles comportait un grand nombre de caractères écrits en tout petit. Elle traversa la chaussée et se faufila entre les chariots de deux marchands. Le second siffla entre ses dents en la regardant passer, mais elle fit comme si de rien n'était et garda les yeux rivés sur l'enseigne. Une fois les lettres mémorisées, elle jeta un coup d'œil à l'intérieur de la boutique par la porte entrebâillée.

C'était une boutique pour riches, aucun doute là-dessus. Il n'y avait pas d'étagères chargées de tuniques et de pantalons grossièrement confectionnés, pas de boîtes pleines de savons modelés à la main ni de piles de vieux vêtements vendus pour presque rien, juste une lourde table en bois sombre sur laquelle trônaient quelques gâteaux et du thé, ainsi que des chaises en cuivre finement ouvragées. La marchandise, probablement de grande valeur, était sous clé, quelque part dans l'arrière-boutique, et elle n'en connaîtrait pas la nature tant qu'elle ne serait pas capable de déchiffrer les caractères inscrits sur l'enseigne.

Comme le soleil était bas dans le ciel, Sadima se remit en route. Elle coupa par une rue étroite et accéléra le pas. À plusieurs reprises, elle descendit du trottoir en bois pour contourner des groupes d'amis qui discutaient.

À mi-chemin, elle eut une idée. Ce soir-là, elle avait sept pièces dans sa poche – les ventes augmentaient car, disait Rinka, les gens appréciaient le fromage dont le lait avait été bouilli deux fois –, alors que Somiss et Franklin en attendaient cinq.

Il faisait noir et froid lorsque Sadima se rendit compte qu'elle avait continué trop loin vers le nord et qu'elle allait déboucher du mauvais côté de la place. Elle repéra Franklin, assis derrière sa petite table, sous l'auvent de Maude. Dans la lumière déclinante, elle vit une femme en face de lui. Il lui tenait la main, la paume vers le haut.

Sadima concentra son attention et ses pensées sur lui, comme elle l'aurait fait avec ses chèvres, comme avec Timide. *Franklin ?*

—Attends-moi, répondit-il à voix haute en la regardant, avant de s'intéresser de nouveau à sa cliente.

Sadima eut un frisson. Cela avait fonctionné. Ou bien… Peut-être l'avait-il vue par hasard. Elle l'observa et répéta son nom dans sa tête, mais il ne réagit pas.

Tandis qu'elle se promenait dans la foule de moins en moins dense, Sadima remarqua une luxueuse voiture ; sur la banquette en velours était assise une femme au port altier : Kary Blae. Le magnifique véhicule en bois sombre ne lui paraissait plus aussi extraordinaire car elle en avait vu beaucoup d'autres depuis. Les chevaux n'étaient pas les mêmes que lors de leur première rencontre. Cette fois-ci, la voiture était tirée par deux juments noires à la longue crinière, parfaitement assorties. Kary Blae lui fit un signe de la main. Sadima lui répondit, étonnée que la femme l'ait reconnue.

— Sadima ?

Elle se retourna. Franklin marchait dans sa direction, le sourire aux lèvres.

— Qu'est-ce que tu fais de ce côté-ci de la place ?

Elle s'empourpra, incapable de lui dire la vérité. Si Somiss apprenait un jour qu'elle savait presque lire, il serait furieux. Elle secoua la tête et se concentra sur le fait qu'elle avait froid et un peu faim, au cas où Franklin écouterait sa conversation intérieure.

— Je change régulièrement d'itinéraire. Les mendiants savent que je suis facile à attendrir.

Franklin hocha la tête.

— Moi aussi, je leur donne quelque chose de temps à autre. Mais surtout, n'en dis rien à Somiss.

Sadima lâcha un soupir.

— Il pourrait se mettre en colère pour une demi-pièce de cuivre ? demanda-t-elle.

— Si c'est moi qui la donne, assurément, confirma Franklin. Et si c'est toi… sans doute aussi. Il pense que tout ce que nous gagnons doit servir notre cause.

Sadima eut la chair de poule, mais elle acquiesça d'un signe de tête et le regarda dans les yeux. Il avait l'air fatigué. Elle se mit en marche, et il lui emboîta le pas. Puis il se pencha vers elle et chuchota à son oreille :

— Tu as vu des gardes du roi, ce soir ?

— Je ne crois pas, répondit Sadima, intriguée. À quoi ressemblent-ils ?

— Ce sont de grands gaillards vêtus de tuniques noires et équipés de casques en nickel, commença-t-il en levant le bras au-dessus de sa tête. Ils sont armés de gourdins et portent une épée à la ceinture.

Sadima secoua la tête.

—Non, je n'ai vu personne de ce genre dans la rue. Pourquoi, j'aurais dû ?

Franklin balaya la place du regard.

—Somiss dit que le roi a envoyé des gardes à sa recherche. Apparemment, il n'y croyait pas trop.

—Ses craintes sont-elles fondées ? demanda Sadima.

Franklin haussa les épaules.

—Son père déteste ce qu'il fait et…

—En tout cas, c'est ce qu'il affirme, l'interrompit Sadima, irritée.

N'était-il donc pas possible de discuter plus de quelques secondes sans que Somiss s'invite dans la conversation ?

Franklin fronça les sourcils, et elle regarda ailleurs.

Ils dépassèrent la barrière d'arbres et s'engagèrent sur la passerelle en bois sans rien dire. Sadima vit que les portes du balcon étaient entrebâillées. Une lampe était allumée à l'intérieur. Somiss travaillait-il dans le séjour ? Le cas échéant, elle n'aurait pas le loisir de parler à Franklin de l'argent supplémentaire qu'elle avait gagné. Pas ce soir, en tout cas.

Ils traversèrent la chaussée pavée, et lorsque Franklin lui tint la porte, elle vit que sa main tremblait. Croyait-il Somiss ? Avait-il à ce point peur des gardes ?

—Franklin…, commença Sadima, avant d'être interrompue par des cris de colère.

Elle se retourna. Un garçon de neuf ou dix ans dévala l'escalier en courant, la main droite plaquée sur sa bouche ensanglantée. Il sauta les trois dernières marches, tituba, mais parvint à ne pas tomber. Franklin l'agrippa, le fit tourner sur lui-même et lui demanda si tout allait bien, mais le garçon se dégagea, continua à courir, glissa sur le sol dallé et manqua de tomber à la renverse en jaillissant dans la rue. Un instant plus tard, Somiss les bouscula et se lança à la poursuite du jeune fuyard.

Chapitre 40

Tally n'assista pas non plus au cours suivant. Ni Joseph. Les autres camarades de Levin étaient là. De même que ceux de Will, même s'ils étaient à peine capables de marcher. Will était arrivé entre Rob et le seul garçon dont j'ignorais le nom. Tous les deux étaient beaucoup plus grands que lui, ce qui ne l'avait pas empêché de les maintenir debout en les tenant par la taille. Malgré leur détresse, j'avais eu trop peur de me lever pour les aider.

Franklin avait les yeux rivés sur la pierre, au-dessus de nos têtes. Essayait-il d'effacer ses pensées ? Y parvenait-il chaque fois ? Peut-être que ses rêves étaient aussi effrayants que les miens. Je l'espérais, en tout cas. Ou bien avait-il tellement l'habitude de tout cela que plus rien ne le dérangeait ? À moins, pensai-je soudain, qu'il soit comme les poneys, qu'il n'ait pas le choix.

Rob tituba et tomba à genoux. Je faillis me lever, tout comme Jordan et Leigh, qui se penchèrent en avant. Mais nous vîmes tous Somiss dans l'entrée et nous nous ravisâmes. Levin lui tourna le dos, et Jordan leva le menton pour regarder vers le plafond invisible, hors de portée de la lumière des torches.

Franklin ne réagit pas non plus à l'arrivée de Somiss. Il nous demanda d'appliquer la troisième technique de respiration et nous parla d'une voix calme mais ferme. Je me concentrai sur ses mots comme un homme en train de se noyer s'accroche à la vision d'un bateau voguant au loin. Lorsque nous eûmes effectué trois autres exercices, il reprit la parole.

— Il y a trois portes à l'intérieur de votre esprit, commença-t-il doucement. Ou plus.

Nous inspirâmes et expirâmes à l'unisson. Du nouveau, enfin.

— La première s'ouvre sur vos pensées irréfléchies, sur celles que vous avez appris à dominer.

Les mots parvenaient à mes oreilles, mais ils ne signifiaient pas grand-chose, ni pour moi ni pour les autres. Nous n'avions d'ailleurs pas envie de comprendre. J'avais beau essayer, j'étais incapable de détacher mes yeux des deux garçons épuisés, à la tête baissée, aux épaules tombantes et aux os saillants. Et puis, où étaient passés Tally et Joseph ? Gisaient-ils sur leur lit, trop faibles pour se déplacer ? Étaient-ils morts ?

Tout en calant ma respiration sur celle de Franklin, je scrutai les ténèbres et me demandai si Somiss était toujours là, s'il nous observait. À la fin du cours, Will attendit que ses camarades de chambrée, qui avaient le plus grand mal à se mouvoir, se relèvent. Aucun d'entre nous n'osa leur prêter main-forte. Nous étions terrorisés. Nous nous faisions littéralement dessus. J'avais tellement honte que j'en étais malade. Et pourtant, je ne levai pas le petit doigt. Je regardai Gerrard du coin de l'œil. Son visage était aussi dur que les murs de la salle.

Je retournai lentement à notre chambre en réfléchissant. Ce soir-là, je me rendis tôt au réfectoire et je me tins seul devant l'énorme gemme. Je fermai les yeux et m'efforçai d'obtenir une image parfaite. Les cheveux trempés de sueur, je finis par poser les mains sur la pierre, et un dîner copieux et raffiné se matérialisa devant moi : des gâteaux au crabe, du saumon au miel, des épis de maïs beurrés et des pommes de terre rôties à l'aneth.

Je m'attablai sans toucher au repas. Je tendis l'oreille pour déterminer si quelqu'un arrivait dans le couloir. Somiss pourrait bien me tuer si cela lui chantait, j'avais décidé d'offrir ce dîner à quelqu'un. Je jetai un coup d'œil vers l'arche de l'entrée en espérant que Tally aurait assez de force pour se traîner jusqu'ici. Ou Joseph, ou Rob, ou l'autre camarade de chambrée de Will. J'avais enfin trouvé le courage d'agir et recouvré ma dignité. Je donnerais cette nourriture à la première personne qui me rejoindrait dans cette salle. Somiss pouvait bien bouffer de la merde et crever.

Mais personne ne vint.

Ça ne fait rien, pensai-je, mais c'était un mensonge. Je recommencerais tous les jours après la classe, je laisserais la nourriture sur la table. Je le dirais à Levin. Et à Will. Ainsi, ils feraient passer le message. Je restai assis malgré mon derrière endolori.

Quand je me levai enfin en laissant le plateau sur la table, ma robe crasseuse me collait à la peau. Je passai une main derrière mon dos et tirai sur le tissu pour le décoller. Je grimaçai en sentant la puanteur âcre de mon aisselle. Nous empestions comme des animaux de ferme cloîtrés dans un enclos trop petit. Nous étions tous des lâches. Surtout moi. J'avais été le premier à faire apparaître de la nourriture. Les avais-je aidés ? Non. Mes yeux s'emplirent de larmes. Trop longtemps, j'avais fait preuve de lâcheté, et à présent, il était trop tard.

Des bruits de pas me firent sursauter. Je redressai la tête. Levin entra, avisa la nourriture que j'avais fait apparaître mais à laquelle je n'avais pas touché, puis il passa à côté de moi sans dire un mot. J'étais mal à l'aise ; j'aurais dû dire quelque chose, j'aurais dû lui demander des nouvelles de Tally. Il s'arrêta devant le joyau. Je voyais qu'il était tendu.

Il attendit longtemps avant d'allonger les bras et de faire un pas en avant, mais lorsqu'il se décida enfin, une assiette de nourriture apparut devant lui : des brocolis et de la venaison. En revanche, il n'y avait pas de couverts. Peut-être avait-il essayé mais n'y était-il pas parvenu. Ou bien n'avait-il même pas eu l'idée d'en créer. Il s'assit à une autre table et mangea vite et en silence, sans même me regarder. Lorsqu'il se leva, nos regards se croisèrent. Ses yeux étaient emplis de larmes.

— Pourquoi nous font-ils cela ?

Je haussai les épaules et secouai la tête. Je voulus lui dire que j'avais l'intention de laisser de la nourriture ici tous les jours pour Tally et les autres, mais je n'en fis rien. Sans doute parce que je n'étais pas certain d'en avoir réellement envie. Levin fit glisser son plateau et son assiette par terre. Les restes de nourriture disparurent dans un jaillissement d'étincelles. Puis il s'en fut. Je commençai à le suivre, puis je ralentis et pris la direction de ma chambre. Je dormis très peu cette nuit-là. Je détestais les magiciens, je détestais mon père. Je me détestais…

Au cours suivant, nous n'étions de nouveau que huit : Tally et Joseph manquaient toujours à l'appel. Will aida Rob et son autre camarade à avancer ; il avait beaucoup de mal à les maintenir debout, tandis qu'ils traînaient leurs pieds crasseux et nus sur la pierre.

Levin avait le visage morne, les paupières rouges et gonflées. Je m'assis, immobile, et écoutai la mer déchaînée qui grondait dans ma tête. Je fermai les yeux, et lorsque Franklin nous demanda de respirer, je laissai les mouvements de ma poitrine m'entraîner dans un balancement d'avant en arrière.

Gerrard, comme à son habitude, fut le premier à quitter la salle. Je réussis à me positionner derrière Levin. Il me regarda par-dessus son épaule et se pencha en arrière le temps de me dire :

— Tally est mort, Hahp. Il est mort !

Sur le chemin du retour, je réfléchis à la question et j'en arrivai à la conclusion suivante : les magiciens allaient nous éliminer un par un, de façon à ne garder qu'un seul d'entre nous. Ils diraient à nos familles que nous faisions désormais partie de l'académie. Ce qui serait littéralement vrai. Je frissonnai. Il devait y avoir une grotte, quelque part, pleine d'ossements.

Je la vis en rêve, cette nuit-là. Une salle de pierre remplie d'os, jetés en vrac, parfois brisés, une pile de squelettes de jeunes garçons indissociables les uns des autres.

Chapitre 41

—On le suit ? demanda Sadima.

—Pas toi, répondit Franklin en la tirant par le bras. Je reviens dès que possible. (Il ouvrit la porte.) Reste à l'intérieur, et ne fais entrer personne. Si quelqu'un vient pour Somiss, n'ouvre pas et réponds qu'il est parti depuis quelques jours.

Sadima acquiesça d'un signe de tête, referma la porte et se barricada en écoutant le bruit des pas de Franklin s'éloigner dans l'escalier puis sous le porche. Toute tremblante, elle se rendit dans la cuisine et s'efforça d'écrire sur une feuille de papier qu'elle avait achetée elle-même les lettres qu'elle avait mémorisées. Elle sortit de sa boîte la chanson qui allongeait la durée de la vie, dans l'intention de s'installer sur sa paillasse pour s'entraîner à déchiffrer les mots qu'elle avait recopiés pour s'occuper. C'est alors qu'elle vit le sang par terre.

Sadima prit un chiffon pour l'essuyer. Mais il y en avait plus que prévu. Beaucoup plus. Les yeux remplis de larmes, elle fit le tour de l'appartement pour nettoyer les éclaboussures et imagina la scène qui venait de s'y dérouler. Le garçon avait couru dans un sens, puis dans l'autre, avait rampé sous la table. Là, les éclaboussures s'étaient changées en gouttes rondes et rapprochées, car le garçon s'était arrêté quelques secondes. Puis il était sorti de sous la table, avait tourné autour pour échapper à Somiss. À une extrémité, elle vit une trace large et longue. Sur l'arche qui séparait la cuisine du séjour, une myriade de gouttelettes.

Sadima rinça le chiffon et vida l'eau rosée dans la rue, où les passants étaient rares. Elle se figea, les bras croisés, frissonnante, regarda à gauche, puis à droite, scruta la foule à la recherche de Franklin. Il ne revenait pas.

Elle retourna à l'intérieur, remit la table en place, arrangea les chaises. Les mains tremblantes, elle cacha ses papiers. Alors, pour la première fois, elle eut l'idée de regarder dans le couloir. La porte de la chambre de Somiss était grande ouverte.

Sa première pensée fut de la fermer, pour ne pas lui donner une raison supplémentaire de se mettre en colère. Puis elle hésita, resta immobile à deux pas de l'encadrement, et regarda par-dessus son épaule. Et s'il se rappelait l'avoir laissée ouverte et qu'il la retrouvait fermée ? Elle décida de jeter un coup d'œil à l'intérieur. Juste une seconde. Et s'il rentrait, toujours aussi furieux, et qu'il la surprenait dans sa chambre ? Involontairement, elle se couvrit la bouche de la main droite.

Sadima prit sa décision. Elle courut jusqu'à la porte d'entrée, l'ouvrit et regarda en bas. Personne en vue. Elle la referma, remit la barre en place, pivota sur ses talons et retourna à la hâte dans le couloir.

La chambre de Somiss était plus grande que celle de Franklin. Il y avait un lit : les draps étaient roulés en boule et un coin de la couverture traînait par terre. Il y avait aussi une table contre le mur, sous une fenêtre étroite aux volets fermés. Des piles de papiers et des restes de bougies éteintes y étaient éparpillés. La jeune femme plissa le nez. La pièce empestait, et elle sentait sous ses pieds nus une épaisse couche de poussière. Elle se rapprocha de la table, examina rapidement les papiers, se retourna, fit deux pas en direction de la porte et s'arrêta net. Il y avait du sang sur les draps.

Des éclats de voix dans l'escalier la sortirent brusquement de ses pensées ; en une fraction de seconde, elle bondit dans le couloir et ferma la porte derrière elle. Elle souleva la barre et s'éloigna de l'entrée en courant. Lorsque la porte s'ouvrit, elle faisait semblant d'arranger la table dans le séjour.

—Pourquoi as-tu laissé ce petit fumier s'enfuir ? demandait Somiss.

Il entra dans l'appartement d'un pas saccadé, les muscles tendus sous l'effet de la colère, les yeux plissés, puis il se dirigea vers l'arche de la cuisine et passa derrière Sadima comme si elle était invisible.

Franklin croisa le regard de la jeune femme le temps d'une seconde.

—Reste à l'écart, murmura-t-il tandis que Somiss leur tournait le dos.

Sadima hocha la tête, mais Somiss s'était déjà retourné et arrivait dans sa direction. Elle se colla contre le mur ; elle était encore en sueur de s'être tant activée pour nettoyer le sang.

Somiss poussa l'une des chaises, qui ricocha sur le sol lisse comme un chien apeuré tentant d'échapper aux coups de son maître. La jeune femme voulut se réfugier dans la cuisine, mais elle s'immobilisa lorsque Somiss plongea son regard dans le sien.

—C'est toi qui l'as laissé partir ! hurla-t-il, avant de faire les gros yeux à Franklin, le menton levé bien haut. Il est passé entre vous ! Vous n'avez même pas essayé de le retenir !

—Je pensais que c'était juste un petit mendiant, se défendit Sadima. J'ignorais que…

—Tu ignorais quoi ? l'interrompit Somiss. Tu as vu qu'il saignait et tu m'as entendu crier ; tu croyais peut-être que nous jouions à cache-cache ?

Sadima fit un autre pas sur le côté en direction de la cuisine. Somiss passa à côté d'elle. Leurs épaules se heurtèrent violemment, mais il fit comme si de rien n'était.

—Tu es sûr que c'était…, commença Franklin.

—Tu ne t'es jamais regardé dans un miroir? l'interrompit Somiss. Ce garçon est un Marsham.

Sadima se faufila entre le mur et Somiss et lâcha un soupir de soulagement lorsqu'elle fut dans la cuisine, hors de vue. Aussi immobile qu'un piquet de clôture, elle écouta.

—Peut-être, concéda Franklin, mais tu ne peux pas…

—Je sais à quoi ressemblent les Marsham, cracha Somiss. Mon père en achète dix ou douze chaque année.

—Un garçon de cet âge n'aurait…

—Ouvre les yeux, Franklin! Mon père l'a envoyé pour qu'il me retrouve. (Il donna un coup de poing dans le mur qui fit sursauter Sadima.) Quelqu'un, sur la place du marché, lui a certainement dit où nous habitions. Peut-être même s'agit-il de Maude.

—Écoute, calme-toi un peu et…

—Me calmer? siffla Somiss. J'aurais dû le tuer. Et toi aussi, d'ailleurs. (Il y eut un long silence, puis de nouveau le bruit d'un poing s'abattant sur le mur.) Avant le coucher du soleil, mon père saura où je me cache.

Chapitre 42

La salle semblait trop grande. Gerrard, Levin, Luke, Will, Jordan et moi formions un triste petit groupe de six, assis en demi-cercle et osant à peine nous regarder les uns les autres. Ou plutôt cinq d'entre nous formaient un groupe, car Gerrard était assis à l'écart, à la façon détendue et souple de Franklin, la plante de ses pieds tournée vers le haut. Il était le seul capable d'un tel exploit. Je fus parcouru d'un frisson. Où étaient passés les camarades de chambrée de Will ? Étaient-ils trop faibles pour se lever, ou n'étaient-ils plus, tout simplement ?

—Aujourd'hui, nous allons nous rapprocher de la première porte, expliqua Franklin.

Il nous fit travailler, nous demanda de mettre successivement en pratique toutes les techniques de respiration qu'il nous avait apprises. C'était devenu automatique, en tout cas pour moi. Je n'avais plus besoin de compter ni de réfléchir. La plupart du temps, je me surprenais à n'écouter Franklin qu'à moitié, les yeux mi-clos pour guetter l'arrivée éventuelle de Somiss.

—Premier exercice, dit-il.

Nous lui obéîmes et commençâmes à inspirer et à expirer lentement. Je fermai les yeux, me détendis et sentis le calme envahir mon corps. Je savais que ce sentiment n'était qu'un leurre, un mensonge, mais je l'accueillis tout de même avec joie. Lorsque j'ouvris les yeux, je vis que Luke regardait quelque chose, derrière moi. Sa lèvre supérieure était retroussée, comme celle d'un chien en colère. Je me retournai juste assez pour voir que Gerrard lui rendait la pareille. Dans une école ordinaire, je me serais attendu à assister à une bagarre dès la fin du cours.

Une boule se forma dans mon estomac. *Merde.* Comment, dans de pareilles circonstances, pouvaient-ils penser à…

— Fermez les yeux, reprit doucement Franklin.

Je lui jetai un regard furtif. Il avait les yeux fermés. Savait-il que nous scrutions les murs pour essayer de repérer Somiss ? Ou bien n'avait-il rien dit et avais-je entendu sa voix dans ma tête ? Ce n'aurait pas été la première fois. Il arrivait que mes pensées résonnent plus fort que ma voix. Franklin ouvrit les yeux, et je fermai les miens.

Dans les ténèbres, je sentais l'air qui glissait en moi et hors de moi. Il tournait lentement en rond. Comme à mon habitude, je me mis à rêver. Si je réussissais à devenir magicien, si j'étais le seul à survivre, je commencerais par tuer mon père. Après quoi je m'enfuirais et me cacherais là où personne ne pourrait me retrouver, pas même les magiciens. Je voulais vivre, mais je ne voulais pas devenir l'un d'entre eux.

— Pensez avec le ventre et non plus avec la tête, dit Franklin.

Je l'avais entendu mais je n'y comprenais rien. Les autres changèrent de position sur la pierre. Des portes, des pensées qui partaient du ventre, des exercices de respiration… Était-ce un genre de test ? Ou une blague ? Allaient-ils tous nous tuer sauf un, à qui ils enseigneraient la véritable magie ? Je me plongeai dans la contemplation des ténèbres sous mes paupières et tâchai de me calmer.

— La colère est un bon point de départ, poursuivit Franklin, et elle niche souvent dans le ventre.

J'ouvris les yeux et je surpris son regard sur moi. Je battis des paupières, et constatai que les siennes étaient de nouveau fermées. Mon ventre n'abritait aucune pensée. De la colère, peut-être, mais les sentiments n'étaient pas des pensées. Quoique. Je n'étais plus sûr de rien. J'entrepris donc d'écouter mes propres pensées comme s'il s'agissait d'un étranger quelconque. Cela ne m'effraya pas. J'étais heureux de pouvoir penser à autre chose qu'aux garçons qui n'étaient pas là. En moi, l'étranger ne voulait pas non plus penser à eux. Étais-je censé écouter l'étranger qui parlait dans mon ventre?

— Exactement.

J'ouvris les yeux et avisai Franklin, assis, immobile, les paupières closes.

— À présent, déplacez vos pensées vers votre ventre, articula-t-il à voix haute. Fermez les yeux.

Les autres gigotèrent, se grattèrent, soupirèrent. Quelqu'un toussa. Je changeai de position. Ma robe frotta contre ma peau rose et luisante, à peine cicatrisée. J'avais envie d'un bain, d'une chemise et d'un pantalon doux. Et de chaussures. Oui, je voulais des chaussures. Et je voulais voir le ciel.

Je pensai à mon père et rêvai éveillé, comme cela m'arrivait souvent. Je l'imaginai assis sur le grand fauteuil en cuir de son bureau. Je me vis debout devant lui, vêtu d'une robe noire. Il promenait son regard sur mon visage et des gouttes de sueur brillaient sur son front. Mon père, avec son arrogance et son cœur de brute, se tiendrait un jour devant moi; il transpirerait et ferait preuve d'une grande politesse.

— Hahp, dirait-il d'une voix calme et respectueuse. Resteras-tu pour le dîner? Cela ferait tellement plaisir à ta mère.

Je m'imaginai le regardant de haut, tardant à répondre à sa question pour le mettre mal à l'aise, pour qu'il baisse les yeux et sente monter sa peur.

—Si tu ne peux pas, elle comprendra, poursuivrait-il en reculant son fauteuil pour m'inviter à partir.

Mais je ne partirais pas. Je resterais devant lui sans bouger et je regarderais la sueur perler sur son front.

—Je suis tellement content de te voir…

—Comment va Mère? lui demanderais-je.

Mais je connaîtrais la réponse. Mère serait heureuse parce qu'il se serait bien conduit avec elle de crainte que je le châtie. Peut-être le laisserais-je vivre s'il continuait à travailler au bonheur de maman. Peut-être.

—Elle va bien, répondrait-il avec circonspection.

Soudain, je pouvais entendre la voix terrifiée de mon père; elle s'élevait de mon ventre et résonnait dans mes oreilles:

—Ton frère sera là pour la fête de l'Hiver. Il m'a demandé de te dire qu'il était très fier d'avoir un magicien pour frère. (Un silence.) Et moi, je suis fier de t'avoir pour fils.

—Pardon?

—Je suis fier que tu sois mon fils. Très fier, répétait-il, sa voix naissant dans mes entrailles.

—Pardon? insistai-je, car je voulais l'entendre de nouveau.

—Tu peux partir avec les autres, Hahp, dit Franklin.

J'eus l'impression qu'on me sortait la tête de l'eau. Le souffle court, j'ouvris les yeux. J'étais tout seul dans la salle. Franklin tendit les bras et prit mon visage entre ses mains. Il me sourit comme sourit un grand-père. Puis il disparut.

Chapitre 43

— Rinka ferme-t-elle sa boutique à l'occasion de la Journée du roi ? demanda Franklin.

Sadima hocha la tête, posa sa plume, s'étira et se pencha pour remonter la mèche de la lampe.

— Rinka ne m'attend pas demain. Elle a dit qu'il y aurait une procession.

Franklin sourit sans lever les yeux de son travail. Sadima savait que sa voix trahissait son excitation ; après tout, elle n'était qu'une fille de la campagne. Elle baissa la tête pour qu'il ne la voie pas rougir.

— Dans combien de temps Somiss reviendra-t-il ?

— Pas sûr que nous le voyions aujourd'hui, répondit Franklin en haussant les épaules. Il est de sang royal ; toute sa famille marche derrière le roi.

Sadima laissa échapper un soupir.

— Tout est réglé, alors ? Son père ne…

— Pas aujourd'hui, en tout cas. Sa mère a pleuré et supplié son époux, et elle a fini par le convaincre que Somiss disparaîtrait dès demain soir, qu'il se terrerait dans sa cachette et ne causerait pas d'ennuis. Elle aurait dit n'importe quoi pour que la Journée du roi se passe bien. Tous les ans, elle commande des robes et des voitures spécialement pour cette occasion. Ses domestiques travaillent pendant des mois à l'organisation de cette journée. C'est très important pour son mari et elle. Il arrive que le roi lui-même assiste aux festivités.

Sadima acquiesça d'un signe de tête avant de se replonger dans son travail et de se perdre dans ses pensées. Presque deux jours s'étaient écoulés depuis le départ de Somiss. Elle n'aurait pu rêver mieux. Elle se tourna vers Franklin.

—A-t-il reparlé du petit garçon?

—Non, répondit-il en secouant la tête, mais je sais qu'il avait au moins en partie raison. C'est bien son père qui l'avait envoyé. Il a fallu acheter quelques Marsham du quartier sud pour faire taire le garçon. Mes cousins m'ont confirmé que le père de Somiss avait loué ses services pour qu'il me retrouve et me cuisine au sujet des activités de Somiss…

— Tes cousins?

Franklin goûta le thé qu'elle lui avait préparé.

—C'est sa mère qui s'est occupée de tout, cette fois-ci. Elle a vendu une bague ou autre chose pour financer les pots-de-vin. Pas plus que nous, elle ne veut que son père le retrouve.

—Tes cousins connaissaient ce garçon? répéta Sadima.

Il reposa sa tasse de thé.

—Les Marsham sont une grande famille.

Sadima le regarda dans les yeux.

—Somiss a dit que son père achetait…

—Oui.

La jeune femme attendit qu'il en dise davantage. Il y eut un long silence, puis il finit par reprendre la parole:

—Mes parents m'ont vendu au père de Somiss. L'argent leur a permis de manger à leur faim et de se chauffer pendant cinq hivers.

Sadima vit les sentiments de Franklin défiler dans ses yeux noirs.

—Ils t'ont *vendu*?

Franklin haussa les épaules, et elle se rappela le sang dans la chambre, sur les murs. Le drap ensanglanté n'était plus là depuis longtemps. Elle avait vérifié. Somiss ne l'avait pas lavé. Il s'en était débarrassé. C'était un homme violent. Avait-il été un garçon cruel? Avait-il battu Franklin? Quelqu'un s'était-il soucié de ce petit garçon vendu par ses parents?

—Somiss me fait peur, dit-elle à voix haute.

Franklin secoua la tête.

—Je suis sûr que tu peux le comprendre. Un garçon comme lui, brillant et obstiné, et aussi gâté… Mets-toi à sa place. Imagine ce que tu serais devenue si tu n'avais jamais eu à attendre pour obtenir ce que tu voulais. Quelle aurait été ta manière d'appréhender le monde?

—Tout le monde attend le souper, rétorqua-t-elle.

Elle était en colère contre lui, mais elle ne savait pas pourquoi. Rien de tout ceci n'était sa faute. Quel genre de parents pouvaient-ils vendre leurs enfants?

—Non, répondit Franklin en faisant glisser une feuille noircie de lignes d'écriture sur la table et en reposant sa plume. Somiss n'a jamais eu à attendre pour quoi que ce soit. On préparait et on servait des repas à longueur de journée au cas où quelqu'un aurait faim. Et si Somiss voulait de l'agneau au miel au lieu d'un gâteau au crabe, on jetait le gâteau aux cochons et on envoyait six petits Marsham et quatre cuisiniers à la recherche d'un agneau à braiser. Pour gagner un peu de temps, ils auraient été capables de l'embrocher vivant.

Sadima cligna des yeux. Il n'avait pas l'air de plaisanter.

Franklin soupira et étira ses doigts ankylosés.

—S'il voulait un chiot, ses serviteurs lui en apportaient un dans la minute. S'il était marron alors qu'il en voulait un blanc aux longues oreilles, vingt adultes et six garçons de maison se précipitaient pour lui en dégotter un. Et s'ils tardaient à rentrer ou si Somiss était simplement de mauvaise humeur, il les faisait battre.

— Et tu étais son compagnon et ami ? s'étonna Sadima. Toi aussi, tu pouvais avoir des exigences et…

— Non. Tu ne comprends pas. J'étais un chiot. Il m'a choisi quand nous étions petits. Nous étions une vingtaine de gamins, tous crasseux et terrorisés. Il m'a trouvé amusant parce que tout ce qu'il y avait dans la maison m'émerveillait. Plus tard, il s'est rendu compte qu'il pouvait aborder avec moi tous les sujets. Son esprit… (Franklin s'interrompit et fit un grand geste du bras.) Tout l'intéressait. J'avais trois ans quand on m'a demandé de le calmer, de le rendre heureux.

Sadima ne dit rien et tenta d'imaginer ce qu'avait été sa vie.

— Trois ans ? Est-ce que tes parents t'ont emmené là-bas et t'ont laissé pour… (Elle n'eut pas besoin de terminer sa phrase car il hocha la tête.) Ils n'avaient pas peur qu'on te fasse du mal ?

Franklin trempa sa plume dans l'encrier et se remit au travail.

— Ils ont signé des papiers et ont été bien payés.

— Je voudrais te demander quelque chose…

Franklin continuait à écrire.

— S'il te plaît, insista-t-elle. Accepterais-tu d'économiser avec moi pour acheter une petite ferme quelque part ? (Comme il écarquillait les yeux, elle se hâta de poursuivre pour ne pas lui laisser le loisir de l'interrompre.) J'ai une autre question à te poser : quel est ton prix ?

— Pardon ? demanda-t-il en fronçant les sourcils.

— Si nous économisions tous les deux pour racheter ta liberté, combien Somiss demanderait-il ?

Franklin ne répondit pas. Il la regarda longuement dans les yeux, avant de se tourner vers le mur.

— Il ne serait pas d'accord, finit-il par dire.

—Tu pourrais quand même lui poser la question.

—Non, il ne voudra jamais, répondit Franklin en secouant la tête. Il aura besoin de moi à l'académie.

—Quelle académie ? s'enquit Sadima en clignant des yeux.

Il se mordit la lèvre inférieure.

—Il m'a interdit de t'en parler. Si jamais tu…

—Franklin ! On pourrait essayer. On pourrait lui demander et…

Des bruits dans l'escalier mirent un terme à leur conversation. Franklin reprit sa plume et se remit au travail. Sadima étala les feuilles qu'elle avait noircies et entreprit de tailler sa plume avec un couteau. Un instant plus tard, la porte s'ouvrit violemment.

La jeune femme grimaça. Cependant, Somiss n'était pas en colère, mais excité. Et il transportait quelque chose sous son bras.

—J'étais en route pour les coteaux de Ferrin quand une bohémienne a traversé la route en courant pour me donner ceci.

Il posa un livre fin sur la table.

Franklin le fit glisser jusqu'à lui et écarquilla les yeux.

—S'agit-il de leur langue ? Elle possède donc une forme écrite ?

Somiss hocha la tête.

—En effet, et c'est un de leurs plus grands secrets. Ce livre contient ce qu'elle a appelé « les chants des anciens ». Devine pourquoi elle me l'a donné…

Franklin haussa les épaules.

—Je n'en ai aucune idée ; la dernière fois que j'ai eu affaire à des bohémiens, j'ai dû rester alité pendant quinze jours.

—Elle me l'a donné parce qu'elle en veut à son père d'avoir organisé notre agression.

—C'est une bohémienne, s'étonna Franklin, les yeux plissés. Les siens nous adressaient à peine la parole, alors nous confier des écrits…

—Quand nous étions dans leur camp, l'interrompit Somiss, un enfant a trébuché et a failli tomber dans le feu. Tu t'en souviens ?

Franklin prit un air incrédule, puis acquiesça d'un signe de tête.

—Ah, oui ! Je l'ai rattrapé et je l'ai éloigné des braises.

—Cet enfant était son fils. Elle m'a dit qu'elle avait supplié son père de ne pas nous faire de mal, mais qu'il n'avait rien voulu entendre. Alors elle a décidé de se venger, s'amusa Somiss. Ses motivations sont nobles, tu ne trouves pas ? (Il brandit le livre.) Elle a réalisé cela en piochant dans plusieurs ouvrages ; comme nous étions venus pour les chansons, elle n'a recopié que des chansons. Elle a cousu la reliure elle-même, ajouta-t-il en tapotant la couverture du bout du doigt, et cela se voit. En tout cas, il ne manquera pas à son père, puisqu'il n'en connaît même pas l'existence.

—Tu peux le traduire ? demanda Franklin.

À sa voix, Sadima devinait son excitation.

—Il le faudra bien, répondit Somiss en l'ouvrant à la première page. Cela prendra du temps, mais les chansons et histoires que nous avons déjà transcrites nous serviront de point de départ. Je vais devoir en trouver d'autres, et cela me prendra sans doute un an ou deux, mais j'y arriverai.

Les yeux rivés sur l'ouvrage, Sadima se demanda si la femme qui l'avait donné à Somiss était celle qui lui avait parlé près du puits. Les Éridiens pensaient que les fruits de l'esprit appartenaient à tout le monde.

—Commencez à le recopier dès aujourd'hui, reprit Somiss. Il nous en faut quatre exemplaires dans l'immédiat, dont un que nous cacherons dans un endroit sûr.

Sadima vit Franklin hocher la tête et comprit que cet endroit sûr était un lieu qu'elle ne connaissait pas. Encore un de leurs secrets.

Somiss se redressa et croisa son regard ; ses yeux étaient vides. Il aurait tout aussi bien pu regarder une chaise. Elle tourna les talons et s'en fut dans la cuisine.

— Il faut que j'y aille, l'entendit-elle dire à Franklin. Ma mère veut que je sois propre, coiffé, parfumé et vêtu de velours vert foncé pour marcher derrière le roi demain après-midi.

Il s'enferma dans sa chambre en claquant la porte, et Sadima revint dans le séjour. Pendant un long moment, Franklin garda les yeux rivés sur le couloir. Il se leva pour aller chercher une plume neuve et un encrier, et prit des feuilles de papier dans le placard avant de se rasseoir. Sadima l'observa longuement avant de s'installer à côté de lui.

— Réfléchis à ma proposition, commença-t-elle. (Il releva la tête.) Prends le temps d'y penser. Tu m'as embrassée, et je t'ai rendu ton baiser. Je sais ce que j'ai ressenti à ce moment-là.

— Arrête, lâcha-t-il sans la regarder. Tu m'apportes une joie à laquelle je n'ai pas droit.

Sadima se pencha en avant et lui saisit le menton.

— C'est un mensonge. Tu as peur, c'est tout. Promets-moi de réfléchir à ma proposition.

Il resta immobile pendant si longtemps qu'elle eut envie de hurler et de le secouer par les épaules. Il hocha enfin la tête.

— Je te le promets.

— Par où dois-je commencer ? demanda-t-elle en effleurant le livre des doigts.

Ils finirent par placer le recueil entre eux. Leurs chaises étaient espacées d'une largeur de main seulement, et leurs épaules se touchaient. Lorsqu'elle alla se coucher, Sadima récita la chanson qui allongeait la durée de la vie ; comme tous les soirs, elle la répéta trois fois. Alors, dans les ténèbres, elle se faufila dans le couloir et pressa son oreille contre la porte de Franklin. Somiss était absent, ce qui n'arrivait pour ainsi dire jamais. Elle ouvrit doucement la porte et avança sur la pointe des pieds jusqu'à son lit. La lune éclairait légèrement la chambre à travers les volets fermés. Elle tendit le bras pour le toucher, le réveiller ; alors ils pourraient s'embrasser, peut-être même faire l'amour, et ils resteraient allongés côte à côte jusqu'au matin. Cette nuit-là serait peut-être la première et la dernière qu'ils pourraient passer ensemble.

Cette idée la fit frissonner, déclencha en elle un tourbillon de sentiments qu'elle ne parvenait ni à démêler ni à comprendre. Elle posa la main sur son pied et récita deux fois la chanson qui prolongeait la vie avant de retourner se coucher. Elle recommença les nuits suivantes, en dépit de sa crainte d'être surprise par Somiss.

Chapitre 44

Savoir que quatre garçons étaient mourants ou morts n'avait rien changé pour Gerrard. Il continuait comme si de rien n'était. Après les cours de Franklin, il retournait dans la chambre, étudiait, se rendait dans la salle du joyau, mangeait, puis étudiait encore avant de se coucher. Le tout sans dire un mot. Cela étant, il n'avait jamais été très bavard.

Dans le silence, mes pensées se firent plus bruyantes. Rien n'était difficile pour moi, à présent. Je mangeais ce que j'avais envie de manger et, même si je les trouvais ridicules, les exercices que Franklin nous donnait à faire ne me posaient aucun problème.

— Maintenant, déplacez vos pensées de votre ventre à vos orteils, dit-il un jour. (J'ouvris les yeux, persuadé d'avoir mal entendu, mais il répéta sa consigne.) Respirez.

Nous lui obéîmes, comme la bande d'animaux puants, humiliés et bien dressés que nous étions devenus. Je fermai de nouveau les yeux. Tally était mort. Je supposais que Joseph, Rob et le garçon dont je n'avais jamais appris le nom l'étaient aussi. Will, quant à lui, semblait à moitié mort, non pas de faim, mais de tristesse. Je le plaignais de devoir retourner dans une chambre vide après chaque cours. Le regard de Levin était éteint, vide, et je savais qu'il avait beaucoup de peine. En revanche, Luke et Jordan étaient aussi furieux que moi ; je le voyais dans leurs yeux. Je n'aurais su dire ce que ressentait Gerrard, mais il était certain qu'il voulait gagner, vivre et être celui que les magiciens choisiraient.

Des garçons étaient morts, et moi j'apprenais à écouter des pensées provenant de diverses parties de mon corps. Les autres aussi. Tout cela était complètement stupide et absurde.

—Continuez. Déplacez vos pensées.

J'imaginai que mes pensées quittaient mon ventre pour descendre vers mes orteils. Elles glissèrent le long de mes jambes comme de l'eau et prirent place dans mes pieds nus et calleux. Écouter mes orteils, entendre leurs pensées, me fit un drôle d'effet. Ils avaient ma voix, évidemment, et ressentaient la même chose que moi. Ils étaient en colère, effrayés, bornés et épuisés.

—Bien, Hahp, entendis-je.

Je me raidis, furieux. Cela faisait longtemps que Franklin ne m'avait pas parlé en plein cours. Luke n'hésiterait pas à faire de moi l'objet de sa haine s'il estimait que je représentais une plus grande menace que Gerrard. Je me demandai – ou plutôt mes orteils se demandèrent – si Luke souhaitait la même chose que moi. Être choisi, puis rendre visite à son père. Si Gerrard ne m'avait pas menti, il ne devait pas rêver de parricide, puisqu'il était orphelin.

Cette réflexion me projeta de nouveau dans le domaine des songes, et je me vis retournant à la maison vêtu d'une robe noire. Je n'en finissais pas de rêver cette scène. Je la modifiais un peu chaque fois : j'ajoutais une dispute, parfois même je m'imaginais frappant mon père ou le transformant en poney blanc au regard mort.

La vérité était simple : pendant que je rêvais, je me sentais fort et stable. Être un magicien, c'était peut-être cela : se sentir plus fort et stable que les autres.

—Entre autres choses, oui.

C'était la voix de Franklin, et elle venait de mes orteils. J'ouvris les yeux. Les siens étaient fermés. *Merde.* Je ne parvenais pas à distinguer la réalité du songe. Peut-être s'agissait-il d'un test. Peut-être choisiraient-ils celui qui se dresserait devant eux pour hurler que ce qu'ils nous faisaient subir était complètement fou. Peut-être le prochain magicien serait-il celui qui refuserait de se soumettre plus longtemps à cette routine stupide.

Cette dernière pensée resta suspendue au-dessus de mes pieds, comme si elle était trop révolutionnaire, trop étonnante pour y rester confinée. Puis elle remonta lentement vers mon ventre et y disparut, froide, lointaine. Cela me terrifia. Était-ce la raison pour laquelle certains d'entre nous mouraient de faim ? Les magiciens attendaient-ils que quelques-uns parmi nous, au comble du désespoir et de la colère, surmontent leur peur de cette académie, de ceux qui la dirigeaient, et de tout le reste ? Je draguai cette pensée vers ma poitrine, jusqu'à mon esprit. Là aussi, il faisait froid, mais au moins n'avait-elle aucun endroit où se cacher. J'entrouvris les yeux.

La caverne était vide. J'étais seul.

Je sentis la pierre bouger sous moi ; j'avais l'impression de glisser. Soudain, ils étaient tous de retour. Franklin était assis face à nous. Gerrard était un peu à l'écart. Comme d'habitude, Levin, Will, Luke, Jordan et moi formions un demi-cercle approximatif.

Je fis semblant de suivre les instructions de Franklin jusqu'à la fin du cours. Je restai assis, retranché derrière mes paupières baissées, enfermé dans mon silence. Pendant combien de temps allais-je encore tenir avant de devenir complètement fou ? Peut-être s'agissait-il d'un autre test, me dirent mes orteils en pensée. Celui qui ne mourrait pas de faim et ne deviendrait pas fou…

— Hahp, dit Franklin. Pardonne-moi.

J'ouvris les yeux. Il n'était plus là. Les autres élèves se levaient, s'étiraient et secouaient la tête comme des nageurs évacuant l'eau de leurs oreilles. Je me levai aussi et vis que Luke regardait quelque chose. Je me retournai.

Somiss se tenait dans l'entrée, sans chercher à se cacher. Levin et moi, qui échangions d'habitude quelques chuchotis, préférâmes nous abstenir. Son regard croisa le mien le temps d'une fraction de seconde, durant laquelle j'imaginai que je pouvais l'entendre penser. Il paraissait aussi désireux que moi de comprendre la logique de tout ceci. Je me mordis la lèvre inférieure et suivis les autres.

Somiss nous dévisagea un à un lorsque nous passâmes devant lui. Nos regards se croisèrent, et ce contact visuel me fit l'effet d'un coup de poing. Je détournai la tête et pressai le pas pour le dépasser le plus vite possible. Une fois dans le tunnel, je me mis à courir.

Gerrard n'était pas dans notre chambre. J'urinai, puis je m'aspergeai le visage avec un peu d'eau et démêlai mes cheveux longs et crasseux avec mes doigts. Gerrard arriva. Il me lança un regard de travers, et je crus l'espace d'un instant qu'il allait enfin me dire quelque chose. Mais il n'en fit rien. Il prit le gros livre d'histoire posé sur un coin de son bureau, me tourna le dos et s'assit en tailleur.

Je m'affalai sur mon lit, épuisé. Je ne sentis le coin pointu de mon livre d'histoire que lorsque je balançai mes jambes sur le matelas pour m'étendre. Il était posé sur la fine couverture, à l'endroit exact où reposait ma tête quand je dormais. Je ne l'avais pas laissé là. La question qui me vint à l'esprit me fit l'effet d'un coup en pleine poitrine : quelqu'un pénétrait-il dans notre chambre en notre absence ? Cette personne se trouvait-elle toujours ici ? Je me levai pour regarder sous mon lit, puis me rassis et m'abîmai dans la contemplation des ombres qui nous surplombaient.

Chapitre 45

Seule, chaque nuit, quand Franklin et Somiss étaient couchés, Sadima sortait sa copie de la chanson qui prolongeait la vie et murmurait les paroles qu'elle avait mémorisées en suivant le texte du bout du doigt. Désormais, les lettres avaient toutes un sens pour elle ; chacune correspondait à un son. Elle était capable de déchiffrer la plupart des enseignes qu'elle croisait. La boutique dans laquelle elle avait vu cette belle table en bois sombre vendait des bijoux en or et en argent. Une autre était spécialisée dans la soie et la dentelle. Elle avait même découvert un atelier de couture. Pas étonnant que les femmes de Limòri soient si bien habillées.

Ce matin-là, toutefois, Sadima n'avait pas de temps à consacrer à la lecture ; et pour cause, c'était la Journée du roi. À la maison, à Ferne, son frère et Laran se lèveraient de bonne heure et feraient la cuisine toute la journée avant de se rendre chez Mattie Han avec des paniers pleins de nourriture. Ou bien Mattie, ses enfants et petits-enfants viendraient à la ferme. Sadima essaya d'imaginer la petite maison triste qu'elle avait connue pleine de bruit et de rires d'enfants, mais elle n'y parvint pas.

Une porte s'ouvrit dans le couloir ; elle se raidit malgré elle, par habitude, tout en sachant que Somiss était chez son père. Franklin bâilla et cligna des yeux dans la lumière de la lanterne.

—Je ne sais pas comment tu fais pour te lever aussi tôt.

Sadima sourit, lui servit le thé qu'elle venait de préparer et attendit qu'il ait terminé ses tartines de pain beurré pour parler. Ce n'était pas très honnête de sa part, car il était à peine réveillé, mais elle ne pouvait plus tenir sa langue.

—Tu as réfléchi ?

—Sadima, commença-t-il en secouant la tête, nous serions vieux avant d'avoir réuni assez d'argent. Et si je m'enfuyais, il finirait par me retrouver.

Son ton péremptoire la mit en colère.

—Tu n'en sais rien, rétorqua-t-elle avec calme. Tu crains plutôt qu'il ne te fasse pas rechercher.

Elle regretta aussitôt ses paroles. Franklin se leva, porta son assiette dans la cuisine, se rassit et commença à travailler. Sadima l'observa pendant un long moment avant de s'y mettre elle aussi.

Les symboles bohémiens étaient complexes, mais elle se débrouillait beaucoup mieux que Franklin. Elle l'aiderait à recopier ce livre, puis elle partirait et reprendrait la route de Ferne. Mattie l'accueillerait. Plus tard, elle se débrouillerait pour ouvrir une fromagerie au village. Elle repenserait souvent à Franklin, avec tristesse et amour. Grâce à lui, elle avait appris qu'il existait des gens comme elle de par le monde. Toutefois, ce ne serait pas suffisant. Elle apprendrait à ne pas écouter les pensées des animaux et se concentrerait sur des aptitudes plus utiles. Et elle imiterait Micah ; elle trouverait quelqu'un à aimer.

Se sentant plus légère à présent qu'elle avait pris sa décision, Sadima travailla avec efficacité, machinalement, tout en imaginant la vie, à Ferne, en cette journée particulière : elle voyait son frère jouer avec des enfants, Laran enceinte, tous deux formant un couple heureux ; elle entendait des rires... Sadima serra ses paupières de toutes ses forces pour retenir ses larmes. C'était la Journée du roi, et elle n'était pas avec sa famille. Elle copiait des symboles pour un homme qu'elle détestait, assise à côté de celui qu'elle aimait, mais qui ne ressentait rien pour elle.

Franklin changea de position sur sa chaise.

—Quel âge a-t-il ? demanda Sadima d'une voix qu'elle espérait posée.

Franklin se racla la gorge.

—Somiss ? Vingt ans. Un an de moins que moi.

—Non, lâcha la jeune femme, agacée. Le roi.

Franklin haussa les épaules.

—La dernière fois que je me suis donné la peine d'assister à la procession – il y a trois ans –, ses cheveux étaient aussi blancs que la neige.

—J'aimerais bien le voir. Je ne pense pas que quiconque, à Ferne, l'ait déjà vu.

Elle gardait les yeux rivés sur la tête baissée de Franklin, sur la plume dans sa main.

Il finit par réagir.

—Ils décrivent un grand cercle autour de la place du marché ; quand tu entendras des applaudissements, tu n'auras qu'à sortir sur le balcon.

Sadima cligna des yeux et essaya de lui sourire.

—Le roi va passer si près de nous ?

Franklin rit doucement et posa sa plume.

—Tu es si... adorable. Tu t'enthousiasmes pour des choses si simples. Grâce à toi, j'ai l'impression que le monde n'est pas complètement mauvais. Évidemment, Somiss ne serait pas d'accord.

Encore Somiss. Le sourire de la jeune femme s'évanouit, mais Franklin ne le remarqua pas.

—Tu devrais descendre sur la place plus tôt et te mêler à la foule, à l'ombre des arbres. C'est très amusant.

—Accompagne-moi, dit Sadima en le regardant droit dans les yeux.

Il secoua la tête et désigna le recueil d'un geste de la main.

—Somiss veut que ce travail soit terminé au plus vite.

—Viendras-tu avec moi si nous parvenons à recopier la majeure partie du livre avant la procession ? demanda-t-elle en se penchant vers lui jusqu'à ce que leurs épaules se touchent.

Franklin la regarda longuement, hocha la tête, puis se leva pour aller chercher un second encrier et des plumes à tailler. Sadima tira le livre à elle et le feuilleta avec précaution. Franklin en avait desserré la reliure pour qu'il reste bien ouvert. De nombreuses pages n'étaient pas complètement noircies. En se dépêchant un peu… Elle continua à feuilleter le livre. Soudain, elle se figea. Elle examina le recto, puis le verso de chaque page. Le premier était couvert de symboles bohémiens, le second de caractères qu'ils utilisaient habituellement. Elle déchiffra les trois premiers mots dans sa tête. *On peut soigner…*

—Franklin ! s'exclama-t-elle en se levant. Viens voir ça !

Quelques instants plus tard, il se tenait à côté d'elle, le recueil à la couverture grossière dans les mains, les doigts tremblant à mesure qu'il tournait les pages.

Sadima prit le temps de réfléchir à ce qu'elle allait dire, à la manière dont elle devait continuer à cacher ses capacités récemment acquises. Elle attendit que Franklin relève la tête et la regarde.

—Ce sont des langues différentes, n'est-ce pas ? demanda-t-elle. Ces lettres sont celles que nous recopions tous les jours.

Il hocha lentement la tête.

—Oui. Oh, Sadima ! S'il s'agit bien de ce que je crois, si c'est une traduction…

— Si c'est le cas, Somiss te devra une fière chandelle. C'est grâce à ta gentillesse que vous avez obtenu ce recueil.

Mais Franklin n'écoutait pas. Il s'assit sans quitter le livre des yeux, passant constamment d'une page à l'autre.

— S'il s'agit bien d'une traduction, ces vers-ci ont le pouvoir de guérir les blessures. Sadima! C'est fantastique. (Il reposa le livre, se leva, la souleva par la taille et la fit tournoyer dans les airs.) Tu imagines? Quand un habitant du quartier sud sera malade, il suffira de connaître ces chansons pour l'aider. Les récoltes seront excellentes chaque année. Personne ne mourra plus de faim en hiver. Aucun parent n'aura plus besoin de vendre son enfant, et aucun enfant ne perdra plus sa mère. Alors… (Il s'interrompit, la gorge serrée par l'émotion.) Cela justifierait tous nos efforts, Sadima.

La jeune femme essuya la larme qui lui coulait sur la joue. Elle comprenait ce qu'il voulait dire. Il parlait de sa vie tout entière, de tout ce que lui avait fait subir Somiss. Cette souffrance, il était capable de l'endurer car il pensait que son travail permettrait de nourrir ceux qui avaient faim et de sauver des vies.

— C'est cela, le secret, reprit-il dans un murmure. C'est l'objectif de Somiss : ouvrir une école qui enseignera les chansons aux enfants.

Sadima lui déposa un baiser sur la joue, émue par son regard intense. Il avait peut-être raison. Elle ferait mieux de rester.

Franklin défit la reliure et détacha cinq feuillets – texte originel au recto, traduction au verso –, puis il traça sur chacun une minuscule marque en haut à droite.

— Tu vois? expliqua-t-il. Je les ai numérotés de un à cinq au cas où l'ordre importerait, pour que nous ne les mélangions pas.

Sadima acquiesça d'un signe de tête sans quitter les minuscules symboles des yeux. Des nombres. Les marchands s'en servaient pour ajouter et soustraire. À Ferne, les gens traçaient des bâtonnets, qu'ils groupaient par cinq.

—Je me charge des caractères bohémiens, dit Sadima. Ce sont les plus difficiles.

Franklin sourit et lui caressa la joue.

—Tu veux aller voir le roi, je me trompe?

—Oui, mais avec toi, répondit-elle avant de se mettre au travail.

Ils terminèrent d'abord les traductions, qu'ils mirent à part, avant de s'attaquer au reste du recueil. Ils travaillaient toujours lorsqu'elle entendit le brouhaha grandissant de la foule à l'extérieur. Et ils étaient loin d'avoir terminé lorsque les gens commencèrent à applaudir.

Sadima lâcha un soupir.

—Sors au moins sur le balcon, dit Franklin en posant sa plume. Tu le verras mieux de là, de toute façon.

Sadima suivit son conseil. Au moment où elle sortit, le roi arrivait justement; sa voiture dorée venait d'apparaître au coin de la rue. Elle voyait ses cheveux blancs et brillants, la couronne sertie de pierres précieuses sur son front. Des gardes marchaient devant et derrière l'attelage, la main sur le pommeau de leur épée à moitié dégainée. Venaient ensuite la reine et le prince héritier, un jeune garçon d'une dizaine d'années, mince, aux cheveux noirs et aux longues jambes. La reine était jeune, belle et vêtue d'une robe couleur de pleine lune. Ses manches étaient volumineuses, bouffantes au niveau des épaules, resserrées autour des avant-bras. Le prince s'appuya sur une canne et se leva pour saluer la foule.

—Le prince est handicapé? demanda-t-elle par-dessus son épaule.

—On dit qu'il a eu un accident. Son cheval aurait fait une chute et lui aurait écrasé la jambe droite. Somiss dit qu'il boitille depuis sa plus tendre enfance. C'est un garçon gentil, mais un peu lent, ce qui inquiète beaucoup la noblesse. La vieille reine n'a pas eu d'enfant, et celle-ci n'a eu que ce fils. Si elle ne donne pas naissance à un autre héritier, plus apte à monter sur le trône, il y aura des manigances et des guerres internes. La mère de Somiss essaiera sans doute de pousser son fils sur le devant de la scène.

Sadima cligna des yeux et se retourna.

— Somiss pourrait devenir notre roi ?

Franklin haussa les épaules.

— Disons qu'il fait partie des dix ou quinze prétendants possibles.

La jeune femme regarda de nouveau dehors. Juste derrière la voiture de la reine commençait ce qui devait être la procession de la noblesse. Les riches familles possédaient toutes des voitures luxueuses, aux boiseries marquetées, peintes de couleurs vives ou ornées de feuilles d'argent. Les robes des chevaux scintillaient, tout comme leurs sabots huilés et polis.

Et les vêtements ! Pas uniquement ceux des femmes ! Une telle diversité de soies et de velours était-elle possible en ce bas monde ? Les couleurs étaient riches, profondes – camaïeux de verts, de rouges et de bleus. Les couleurs avaient-elles une signification ?

Sadima s'apprêtait à poser la question à Franklin lorsqu'elle aperçut du coin de l'œil un visage tourné vers le haut. Somiss. Elle se figea. Il avait les yeux rivés sur elle et semblait furieux. Il pencha la tête sur le côté et brandit le poing. Sadima recula pour être hors de vue.

— Tu as eu ton comptant de faste et de cérémonie royale ? lui demanda Franklin.

Il souriait. Elle lui rendit son sourire. Elle aurait dû lui dire la vérité, mais elle s'abstint. Elle se remit au travail en espérant que Somiss ne serait pas trop en colère contre elle lorsqu'il reviendrait le lendemain matin.

Chapitre 46

Après le cours de Franklin, je me rendis dans la salle du joyau. J'avais les jambes et les bras lourds, je me déplaçais avec lenteur. Cela me fit peur. Je couvais peut-être quelque chose. Gerrard était déjà sur place, penché sur un bol en fer rempli de ragoût de poisson. Il mangeait avec une cuiller en fer. Après l'avoir regardé quelques secondes, je tournai les talons pour le laisser terminer son repas, puis je me figeai.

Depuis que Somiss l'avait surpris une cuiller en argent à la main, nous nous étions débrouillés pour ne jamais nous trouver au même moment dans le réfectoire ; toutefois, Somiss ne nous avait pas sanctionnés, et nous n'avions aucune raison de penser qu'il le ferait. Et puis, j'avais faim. Manger, comme dormir, me faisait du bien.

Je me dirigeai vers la gemme et vis Gerrard tourner une page du manuel qu'il avait apporté. Il n'eut pas un regard pour moi. Soit il se moquait de ma présence, soit il était trop absorbé par sa lecture pour faire attention à moi.

Je décidai de faire apparaître des crêpes épaisses ; Gerrard m'avait déjà vu en manger, et il ne… il m'en voudrait sans doute moins que si je mangeais du jambon au miel, des haricots au beurre ou des oranges bien fraîches pendant que lui avalerait son centième bol de poisson. En vérité, je voulais à tout prix éviter de le mettre en colère. Je me concentrai, me représentai des crêpes en pensée, fis un pas en avant et touchai la pierre.

Rien ne se produisit.

Mon front se couvrit de sueur, et j'entendis Gerrard rire. Lorsque je me tournai pour lui demander de la fermer, je le découvris absorbé dans sa lecture. Avais-je rêvé ? Je réessayai. De nouveaux rires retentirent. Et pourtant, Gerrard était en train de siroter sa soupe en lisant son livre.

Pris de panique, les jambes soudain légères, je décrivis un cercle autour de la pièce pour scruter les ombres entre les torches. Il n'y avait personne d'autre dans la salle, et Gerrard continuait à lire comme si j'étais invisible, comme si je n'étais pas là. Somiss avait-il fait en sorte que la pierre ne fonctionne plus pour moi ? Avait-il ce pouvoir ? Était-ce ma punition pour avoir donné une cuiller à Gerrard ? Je me forçai à retourner devant le joyau. En sueur, les genoux tremblants, j'imaginai des pommes couvertes de rosée, je me vis caché dans le verger, excité, pressé de voir le magicien à l'œuvre. Je touchai la gemme.

Un panier de pommes se matérialisa devant moi.

Soulagé mais faible, je m'appuyai contre le socle, les larmes aux yeux et les mains à plat sur la pierre froide. Puis je me rappelai la présence de Gerrard ; je me ressaisis et jetai un coup d'œil dans sa direction. Il semblait toujours absorbé par sa lecture. Les jambes flageolantes, je décidai de revenir plus tard. Je mis trois pommes de côté, puis posai le panier par terre et le regardai se couvrir d'étincelles avant de disparaître. Je pris mes pommes et retournai dans la chambre. La porte claqua trop fort lorsque je la fermai. Je m'assis au bord de mon lit et me balançai d'avant en arrière pour essayer de me calmer. Une tempête faisait rage à l'intérieur de mon crâne.

Et si je n'étais plus capable de faire apparaître que des pommes ? Et si à l'avenir je n'arrivais même pas à créer des pommes ? Des images de mes camarades mourant de faim, traînant les pieds, le regard vide, défilèrent devant mes yeux. Si le joyau refusait de m'obéir, je dépérirais. Non. J'étais capable de créer de la nourriture. J'avais juste connu un moment de doute parce que la présence de Gerrard m'avait gêné. Nul besoin d'aller chercher plus loin. Je m'étais fait peur pour rien. J'avais fait apparaître ces pommes. Je retournerais dans le réfectoire un peu plus tard et je mangerais.

Pendant un instant, mon esprit se calma, et je savourai le silence. Cependant, il ne dura pas. Qui avait ri ? Franklin ? Je l'avais déjà imaginé me parlant, me disant des choses impossibles, des inepties. J'inspirai profondément. Non, je n'avais rien imaginé du tout. Franklin m'avait fait voir et entendre des choses. C'était un genre de magie bizarre. Enfin, peut-être.

Ou alors, je devenais fou.

Je sentis les poils de mes bras se dresser, puis ce fut au tour de mes cheveux. Je me penchai en avant, faisant de mon mieux pour ne pas vomir. J'avais peur, et cela me rendait malade. Peut-être que le pire était derrière nous. Peut-être que cette académie deviendrait une école comme les autres à partir de ce jour.

—À moins que le plus dur soit à venir, dis-je à voix haute.

Le son de ma propre voix me fit sursauter. Cela faisait bien longtemps que je ne l'avais entendu. Depuis que les autres étaient morts de faim ? Leurs visages défilèrent devant moi. Je me levai et respirai comme nous l'avait appris Franklin.

Après un long moment, je me calmai enfin. J'avais peur, tout simplement, et il y avait de quoi. Je ne perdais pas la tête. Et je pourrais peut-être m'en tirer. Peut-être. À condition d'étudier plus sérieusement et de…

J'entendis des rires juste derrière moi. Plus forts, cette fois.

Je me retournai aussitôt.

Personne.

Je sortis en courant et continuai jusqu'au réfectoire. Gerrard était toujours assis, il lisait. Il releva la tête en m'entendant arriver et me regarda approcher.

— J'ai entendu quelqu'un rire, commençai-je sans réfléchir. D'abord ici, puis dans la chambre. Quelqu'un a ri.

Je fermai la bouche, me préparant à ce qu'il me frappe, qu'il me menace…

Au lieu de quoi il hocha la tête.

— Moi aussi, murmura-t-il, les dents serrées, en bougeant à peine les lèvres. (Après une pause de quelques secondes, il ajouta :) Merci.

Puis il eut un geste furtif et me fit comprendre que je devais partir pour ne pas nous mettre davantage en danger.

Je continuai à avancer et le dépassai, les yeux débordant de larmes, heureux. Je n'avais donc rien imaginé. Je n'étais pas en train de devenir fou. Et Gerrard avait eu peur, lui aussi ; autrement, il ne m'aurait pas remercié. Nous avions parlé, et Somiss n'avait pas surgi de nulle part pour nous tuer. Quelques instants plus tard, je décidai de faire apparaître des crêpes. Le joyau fonctionna parfaitement. Quand je retournai dans notre chambre, le livre d'histoire était de nouveau sur mon lit. Je le regardai fixement, l'estomac noué. Cette fois-ci, toutefois, je le pris et je décidai de le lire.

Chapitre 47

— Il est toujours là-dedans? chuchota Sadima en ouvrant la porte, les bras chargés de denrées achetées chez l'épicier.

Franklin acquiesça d'un signe de tête et se replongea dans son travail. Il ne semblait pas lui en vouloir. Somiss ne lui avait donc pas encore dit qu'il l'avait surprise sur le balcon. Peut-être qu'il avait simplement été agacé de la voir là et qu'il n'était pas vraiment furieux.

Sadima porta la nourriture dans la cuisine et considéra Franklin avec attention. Sa chemise était sale, maculée de terre noire. Avait-il vidé le tiroir à cendres? S'était-il roulé dans le caniveau? Ou bien Somiss lui avait-il fait nettoyer quelque vieux bâtiment qu'il comptait convertir en école? Elle ne lui posa pas la question. C'était leur secret.

— A-t-il montré le bout de son nez? s'enquit-elle, non pas parce que cela l'intéressait, mais parce qu'elle avait envie de parler, d'échanger quelques mots avec Franklin.

Somiss lui confiait tellement de travail qu'elle l'avait à peine vu, ces derniers temps.

— Une fois, pour me dire de produire six copies de chaque page, mais dans ce sens-là.

Il posa ses index sur les coins inférieurs d'une feuille et la retourna. Sadima cligna des yeux et se rapprocha. Les symboles alambiqués des bohémiens étaient dessinés à l'encre bleue ou noire ; chaque mot contenait les deux couleurs.

— Les mots de la langue ancienne devraient se prononcer plus ou moins comme ceux que les gens récitent de nos jours, commença Franklin. (Il attendit qu'elle acquiesce pour reprendre.) Ainsi, en utilisant nos meilleures transcriptions, on peut apprendre à déchiffrer l'écriture des bohémiens. Après cela, Somiss espère qu'il pourra corriger les erreurs contenues dans les chansons que nous avons déjà transcrites. Transmises de génération en génération sans jamais avoir été couchées sur le papier, elles ont forcément subi des altérations.

— Ce travail ne sera donc pas aussi facile que tu le pensais. Mais pourquoi ces deux couleurs ?

Il bâilla.

— C'est compliqué. Tout d'abord, d'après Somiss, il ne s'agit pas d'une traduction littérale. Il pense que les magiciens ont modifié le texte ou l'orthographe il y a très longtemps. Qui sait comment les bohémiens ont hérité de ces chansons ? Quoi qu'il en soit, Somiss est persuadé qu'ils les ont recopiées pendant des siècles sans être capables de les lire, un peu comme toi.

Sadima retira son châle et s'assit en face de Franklin. Comme elle aurait aimé lui dire qu'elle apprenait à lire ! Elle ne voulait pas qu'il y ait de secrets entre eux. Elle tailla la mèche de la lampe, qui les éclaira davantage. Franklin lui sourit, et elle remarqua qu'il avait les yeux enfoncés, injectés de sang.

— Tu as besoin de dormir. Tu manges, au moins ?

— Oui, confirma-t-il. Contrairement à Somiss. Il a tellement envie d'avancer. (Il s'interrompit, se rapprocha d'elle et chuchota :) Il est convaincu que son père va continuer à le faire rechercher.

Sadima hocha la tête avec lassitude et se leva. Somiss. Son père. Elle se rendit dans la cuisine, se lava le visage et les mains, mit le rôti de bœuf qu'elle venait d'acheter dans le four et alluma un feu. Elle prit son temps pour faire le ménage afin de retourner dans le séjour le plus tard possible. Enfin, elle se rassit en face de Franklin.

—Comment puis-je vous aider ?

—J'ai terminé les copies, répondit-il. Maintenant, je dois faire ceci…

Il lui tendit une feuille de papier. Sadima l'examina longuement. Il avait dressé une liste des symboles bohémiens. Certains étaient écrits en noir, d'autres en bleu. Elle releva la tête.

—Que signifient ces couleurs ?

—Somiss a étudié les premières copies et en a dénombré les caractères. Ceux en bleu sont ceux qui reviennent le plus souvent. Il espère que la plupart, sinon tous, sont des voyelles.

Sadima le regarda avec des yeux ronds. Franklin s'excusa aussitôt.

—Les voyelles sont les sons que tu peux prononcer en ne sollicitant que ta voix, expliqua-t-il.

Il prononça le mot « bâton » en insistant sur le « a ». Sadima hocha la tête. Elle avait remarqué que seules quelques lettres mettaient sa voix à contribution. À présent, elle avait un mot pour les désigner : les voyelles.

—Le mot « nanolas » apparaît à cinq reprises dans le premier chant du recueil, reprit Franklin. Somiss l'a aussi trouvé dans quelques-unes des chansons que nous avons retranscrites : il est prononcé différemment dans chaque famille. En dehors de cela, il n'y a aucune répétition.

Sadima sentit son cœur bondir dans sa poitrine. Elle s'imaginait que Somiss ouvrirait rapidement son école, qu'il aurait alors moins besoin de Franklin et que celui-ci s'en rendrait compte.

— En comptant les lettres bleues et en comparant leur position dans chaque mot, Somiss croit pouvoir identifier les différentes orthographes de chaque mot.

Sadima lui signifia qu'elle comprenait d'un hochement de tête. Et si sa théorie ne marchait pas ? Si Somiss n'était pas assez malin pour venir à bout de cette énigme ? Tout ce travail n'aurait servi à rien. Dissimulant son malaise, elle se mit au travail.

Lorsque la lune apparut derrière la fenêtre de la cuisine, Sadima se leva, s'étira et sortit sur le balcon. Elle prit quelques profondes inspirations pour se débarrasser de l'odeur entêtante des chandelles brûlées.

— Mange et va te coucher, lui lança Franklin depuis le séjour.

— Je peux travailler encore un peu, répondit-elle en se retournant.

Il la rejoignit et contempla le ciel.

— Tu es deux fois plus rapide que moi. Tu as déjà fait ta part, et même plus.

Sadima sentit la chaleur de son bras autour de ses épaules. Les étoiles brillaient intensément, et la lune avait une couleur blanc crème.

— Peut-être qu'un jour Somiss n'aura plus autant besoin de toi…

Franklin posa sur elle un regard si ardent que son cœur se mit à battre plus vite. Elle leva le menton et plongea volontairement ses yeux dans les siens. Dans l'atmosphère nocturne, à la lumière laiteuse de la lune, il ne semblait ni fatigué ni préoccupé. Il était beau, gentil, comme lors de leur première rencontre. Elle se demanda ce qu'il pensait de son allure à elle. Soudain, la porte de la chambre de Somiss s'ouvrit bruyamment.

Franklin se précipita aussitôt dans le séjour. Sadima rentra aussi, mais resta dans la cuisine où elle fit semblant de nettoyer la table en bois qui lui servait de plan de travail.

—Elle n'est pas encore rentrée? demanda Somiss.

Sadima s'avança sous l'arche qui séparait la cuisine du séjour et vit Somiss faire les gros yeux à Franklin.

—Je suis là, dit-elle doucement. Le dîner est presque prêt.

Il la considéra avec des yeux scintillants, pleins de cette énergie bizarre qui l'animait chaque fois qu'il jeûnait. Il hocha imperceptiblement la tête et se tourna vers Franklin.

—Tu as terminé?

—Sadima a fini sa part du travail, répondit-il en la désignant du doigt. Moi, je n'ai pas tout à fait terminé.

—Eh bien, qu'elle t'aide, alors! J'ignore combien de temps nous avons devant nous et…

Sadima était retournée à ses fourneaux, mais le silence soudain de Somiss attira son attention. Elle regarda par-dessus son épaule et le surprit en train de la regarder d'un air désapprobateur. En trois foulées rapides, il la rejoignit dans la cuisine. Il passa devant elle et ferma les portes du balcon.

—Ne t'avise pas de les rouvrir.

Sadima acquiesça d'un vif mouvement de tête, effrayée par son regard sauvage.

—Je t'ai aperçue pendant la Journée du roi, chuchota-t-il. Tu bayais aux corneilles comme la vulgaire paysanne que tu es. Il est possible que les hommes de mon père t'aient vue marcher au côté de Franklin. (Il l'attrapa par les cheveux. Sadima se figea, les yeux écarquillés, comme un chaton surpris par un serpent dans l'herbe.) Tu ne passes pas inaperçue avec ça. (Il lui tira les cheveux et elle grimaça.) Coupe-les court. (Il jeta un regard en coin à Franklin.) Je compte sur toi pour la faire obéir.

Puis il s'en fut en ramassant les feuilles noircies par Franklin et la jeune femme. Lorsqu'il claqua la porte de sa chambre, Sadima sursauta, puis se mit à trembler des pieds à la tête.

Chapitre 48

J e pris l'habitude de m'asseoir aussi loin de Franklin que possible, si bien que notre demi-cercle irrégulier devint un genre de triangle. La première fois, Luke m'avait regardé de travers, pensant sans doute que je voulais imiter Gerrard. C'était peut-être le cas.

Franklin continuait à nous faire déplacer nos pensées. Cela m'était devenu très facile. Tellement facile que je me mis à observer les autres. Will avait du mal ; cela se voyait à son visage. Levin semblait détendu ; peut-être qu'il commençait à bien se débrouiller. Je l'espérais en tout cas. Le visage de Gerrard était impassible, insondable, mais j'avais passé tant de temps à ne voir que son dos que je devinais son malaise. Sa tête était un peu trop haute, son dos trop droit. Luke et Jordan donnaient l'impression de maîtriser l'exercice, mais ce n'était peut-être qu'une façade.

— Déplacez vos pensées vers vos épaules, ordonna Franklin.

Je les fis donc glisser hors de mon ventre et les entendis se déplacer à travers ma chair. Des pensées désagréables, pour la plupart. S'agissait-il du prochain test ? Je voulais tellement y croire que mes yeux s'emplirent de larmes.

Tandis que je me dirigeais vers la chambre, après la classe, les visages des morts se mirent à danser devant mes yeux. Je courus. J'étais presque arrivé au réfectoire quand je repris mes esprits. Je m'arrêtai. Je n'avais pas faim, et je savais qu'il valait mieux que je rentre pour étudier. Gerrard lisait ses livres comme si sa vie en dépendait, ce qui était peut-être le cas. Peut-être que nous serions interrogés sur leur contenu, et que ceux qui échoueraient seraient privés de nourriture. Ou bien les robinets s'arrêteraient de fonctionner pour eux. Ou encore ils trouveraient des serpents dans leur lit…

Je me remis en marche. D'abord manger, ensuite étudier. Le réfectoire était vide. Je fis apparaître deux tranches de pain frais, quelques pommes et une dizaine de morceaux de fromage.

Je sortis en transportant le tout dans ma robe. Cependant, au lieu de prendre la direction de ma chambre, je me dirigeai dans le sens opposé. Serais-je puni si je partais en exploration ? Personne ne nous avait jamais interdit de nous éloigner, mais je savais que cela ne voulait rien dire. Les magiciens feraient de nous ce que bon leur semblerait. Personne n'en saurait jamais rien ; quant à mon père, il s'en moquerait éperdument.

Je tournai au hasard, mais retins mon itinéraire ; c'était devenu une habitude, et j'avais parfait ma technique. Les conjonctions, les articles ne comptaient pas. Désormais, j'utilisais des mots commençant par un « g » ou un « a » pour les virages à gauche, et par un « d » ou un « r » pour les virages à droite. Les mots commençant par un « t » correspondaient aux tunnels que je ne faisais que croiser. Ainsi, ce trajet-ci donnait la phrase suivante : « Des galets ambrés et rutilants, des tertres de débris, de la roche taillée, des temples détruits, rasés. »

Une fois seulement je me demandai ce qui arriverait si Somiss me surprenait. J'eus tellement peur que je préférai refouler mes pensées dans mes pieds. Ainsi, elles étaient loin, et cela me fit du bien. Je les entendais, mais elles n'étaient plus aussi fortes. Je mis en pratique le sixième exercice de respiration et continuai à avancer.

Plus je m'éloignais, moins il y avait de torches. Je passai devant une bonne centaine de grandes salles vides – toutes éclairées par une simple torche –, mais je ne m'arrêtai pas. Soudain, le tunnel se rétrécit. Je pris encore deux tournants. Les boyaux étaient plus étroits, plus bas de plafond. Les entrées des salles que je croisais étaient également moins larges. Je tombai sur un long passage rectiligne et le suivis. Sous mes pieds, la roche devint plus rugueuse, comme si ces tunnels-ci avaient été creusés à la pioche et non grâce à la magie.

Je continuai jusqu'à ce que ma peur ait raison de mon courage, puis je m'arrêtai, tournai les talons et rebroussai chemin à pas lents, faisant glisser mes mains le long des parois. J'étais encore dans les tunnels étroits lorsque je découvris une entrée : elle était si basse qu'il me faudrait ramper pour m'y glisser. Dans la faible lumière, elle ressemblait à une ombre, non à une ouverture. Ce serait parfait.

Il n'y avait pas de torche à l'intérieur, mais il rentrait juste assez de lumière de l'extérieur pour me permettre d'y voir à peu près clair. Je m'assis donc contre le mur froid, les genoux repliés sous le menton.

Quelque temps plus tard, j'empilai les pommes, le fromage et le pain par terre. Je n'avais pas la force de me lever ni de faire demi-tour. J'absorbai le silence pesant qui émanait de la pierre. Je finis par sourire en entendant les pensées de mon ventre dire la vérité. J'étais heureux. Ces maudits magiciens n'avaient pas la moindre idée de l'endroit où je me trouvais.

Chapitre 49

Deux jours plus tard, Sadima se tenait derrière la porte, hésitante, la main posée sur sa casquette gris terne. Rinka la lui avait donnée après lui avoir montré comment tresser ses cheveux et les enrouler autour de sa tête. Franklin n'avait pas exigé d'elle qu'elle les coupe, mais elle avait vu la souffrance dans ses yeux. Elle devait absolument trouver un moyen de le persuader de partir avec elle. Somiss ne sauverait pas le monde. D'ailleurs, il n'essaierait même pas car rien ne l'intéressait en dehors de lui-même.

Sadima agrippa la poignée de la porte et la tourna lentement. Le salon était vide ; des piles de feuilles, des encriers et les plumes de Franklin étaient bien alignés sur la table. Elle jeta un coup d'œil dans le couloir. Les portes des chambres étaient fermées.

Dans le cas de Somiss, cela ne signifiait rien ; en revanche, cela voulait sans doute dire que Franklin disait la bonne aventure sur la place ou qu'il était parti effectuer quelque course secrète. Il avait mis de côté une de ses chemises qu'il réservait aux missions parfois salissantes que lui confiait Somiss. Il se changeait dès qu'il rentrait, avait remarqué Sadima, et il lavait son linge lui-même.

Marchant sur la pointe des pieds, elle se rendit dans la cuisine et plongea une tasse dans le baril en chêne. Elle but, posa la tasse sur le buffet et se pencha au-dessus de l'eau immobile pour examiner son reflet. L'éclairage était mauvais ; le soleil était déjà bas dans le ciel, qui brillait entre des rubans de nuages gris poussière. Elle voulut ouvrir les portes du balcon, mais eut peur et s'abstint. Elle tourna autour du baril pour tenter de mieux se voir. La casquette la faisait-elle ressembler à un garçon ?

— C'est très joli.

Sadima sursauta, se retourna et se retrouva nez à nez avec Somiss.

— Je n'avais pas envie de les couper. Franklin n'est pas au courant…

— J'imagine, l'interrompit-il. (Il lui agita deux feuilles de papier sous le nez.) J'ai besoin de copies de ces pages aussi vite que possible.

Son regard s'attarda sur elle.

Sadima hocha la tête et posa les feuilles sur le buffet. Alors il la prit par l'épaule, l'attira contre lui, la fit pivoter sur ses talons et se pencha vers son oreille. Elle sentit sa respiration sur sa nuque.

— Tu la garderas sur la tête quand tu sortiras, n'est-ce pas ?

La jeune femme acquiesça. Elle tremblait de peur et de rage. Elle essaya de faire un pas en avant, de s'éloigner de lui, mais il refusa de la lâcher.

— Tu n'oublieras pas ?

Elle fit « non » de la tête.

— Bien.

Quelque chose – le bout de ses doigts ? de ses lèvres ? – lui effleura la base du cou. Somiss s'éloigna et se dirigea vers sa chambre.

— Sadima ? appela-t-il par-dessus son épaule.

— Oui ? se força-t-elle à répondre.

—Si tu nous quittes, Franklin sera très triste. (Puis, alors qu'elle s'apprêtait à sourire, il ajouta :) J'y veillerai…

Elle cligna des yeux, stupéfaite, incapable de bouger. La porte de la chambre de Somiss claqua, et la jeune femme s'affaissa sur sa chaise. Toute sa vie, Franklin avait subi des châtiments qu'il n'avait pas mérités. Il était hors de question qu'il souffre par sa faute, et Somiss le savait.

Sadima retourna dans le séjour pour se mettre au travail, mais il lui fallut un peu de temps pour reprendre le contrôle de ses mains. Elle prit une plume, qu'elle tailla en pointe à l'aide d'un petit couteau. Lorsqu'elle eut terminé, elle rassembla ses copies et alla dans le couloir.

Elle s'arrêta devant la porte de la chambre de Somiss et prit sa décision : elle continuerait à travailler pour ne pas contrarier Somiss, mais elle essaierait parallèlement de convaincre Franklin de partir avec elle. Pour cela, elle devrait lui montrer à quel point Somiss était malveillant. Non. Il le savait déjà, il était mieux placé qu'elle pour le savoir. En fait, Franklin avait besoin d'ouvrir les yeux : disparaître était tout à fait possible.

Le son faible d'une voix l'arracha à ses pensées. Elle lâcha un soupir. Somiss lisait à voix haute. Elle hésita. Et si elle l'interrompait à un moment inopportun ? Elle écouta à la porte tandis qu'il récitait la chanson qui prolongeait la vie. Elle ne reconnut pas tout à fait la version que lui avait apprise Hannah. Le premier vers différait légèrement, et la deuxième strophe comportait un vers qu'elle n'avait jamais entendu. Cette version-ci provenait-elle du recueil ? Soudain, la voix faiblit et elle n'entendit plus qu'un murmure.

Le silence se fit. Elle attendit quelques secondes supplémentaires avant de taper à la porte avec un doigt. Il ne répondit pas. Elle fit alors glisser les feuilles sous la porte. Somiss ne lui adressa aucun remerciement, mais elle l'entendit ramasser les copies.

Elle prépara le dîner, ce qui l'aida à penser à autre chose. L'appartement embaumait le poulet rôti. Sadima fredonnait en travaillant. Elle réserva la casserole de sauce sur une partie moins chaude du poêle, puis elle éplucha les panais et les fit cuire à la vapeur avec du beurre et un peu de miel. L'air frais de ce début de soirée s'infiltrait sous les portes du balcon.

Quand Franklin rentra, il avait les joues roses à cause du froid et sa chemise était sale, comme d'habitude. Sadima se retourna pour le saluer, dans l'encadrement de l'arche de la cuisine. Il s'arrêta pour la regarder, la tête penchée sur le côté. Il esquissa un sourire en voyant sa casquette.

Elle rit.

—Somiss m'a dit que ce serait suffisant.

Le soulagement qu'elle lut sur son visage lui réchauffa le cœur. Elle aurait voulu lui raconter ce que Somiss lui avait dit, mais le moment aurait été mal choisi. Elle attendrait pour cela qu'ils soient loin, dans un endroit où Somiss ne pourrait jamais les retrouver.

Chapitre 50

C'était devenu une routine. Après la classe, je courais directement au réfectoire. S'il était vide – j'en faisais le tour en scrutant tous les recoins pour m'en assurer –, je faisais apparaître de la nourriture que je transportais aussitôt jusqu'à ma cachette. J'y accumulai bientôt des piles de fromages enrobés de cire, des pommes et de la viande fumée. Lorsque la petite pièce fut pleine, je commençai à cacher des réserves dans d'autres endroits. S'ils tentaient de nouveau de nous affamer, si je réussissais à ne pas me faire attraper, j'aurais des chances de survivre. *Et même s'ils me tuaient,* pensai-je, *un autre garçon finirait par trouver cette nourriture et serait sauvé.*

Je baptisai le premier garde-manger la salle de l'Espoir. Celle-ci me fut très précieuse. J'y retournais dès que l'occasion se présentait. Assis contre la paroi de pierre, j'y pratiquais les exercices de respiration de Franklin jusqu'à réduire au silence les plus calmes de mes pensées. Dans ces moments-là, il ne me restait plus que quelques impressions, des visions de Celia me prenant dans ses bras, celle d'une jolie servante, le parfum des appartements de ma mère après son bain, le souvenir de filles qui avaient souri à mon frère durant les galas de la fête de l'Hiver, leurs jupons de soie chuchotant des secrets lorsqu'elles se serraient tout contre lui.

Il m'arrivait de me masturber : je trouvais très excitante l'idée que les magiciens ne puissent pas me retrouver. Parfois je pensais aux magiciens qui nous accompagnaient en classe chaque jour. Faisaient-ils comme moi ? Pouvaient-ils s'en empêcher ? L'un d'entre eux avait-il déjà essayé de faire apparaître une femme grâce au joyau ? Pour la manger ? Cette pensée me fit rire. Mais pas très longtemps.

Pourrais-je créer autre chose que de la nourriture ? À condition de la visualiser dans les moindres détails ?

Je rampai hors de ma cachette et rebroussai chemin sans même y penser. De retour dans le réfectoire, je surpris Levin ; il était attablé et mangeait avec les doigts, car il n'était toujours pas capable de faire apparaître des couverts. Nos regards se croisèrent. Il avait les yeux rouges. Était-ce toujours à cause du chagrin ? Ou bien du temps passé à lire son livre d'histoire ?

Ce dernier était ennuyeux. Chaque fois que j'essayais de m'intéresser aux fabuleux accomplissements du Fondateur, je m'endormais systématiquement, et sa technique de traduction était difficile à comprendre. Elle consistait à compter les voyelles, à comparer des centaines de versions d'une même chanson, à répéter certains mots des milliers de fois en se demandant comment leur prononciation avait pu évoluer au fil du temps... Le Fondateur avait mené à bien ce travail colossal tout en tâchant d'échapper à sa famille. Ils étaient tous jaloux de lui, de son génie.

Un jour, une bohémienne était tombée amoureuse de lui après qu'il eut sauvé son enfant de la mort. Pour lui, elle avait volé un livre ancien à son père. Je commençais à penser que la vieille langue dont parlaient nos livres d'histoire était celle des *Chants des Anciens*. Puisque le Fondateur s'était donné tant de mal pour la traduire, pourquoi devrions-nous nous fatiguer à l'apprendre ?

Je me rendis soudain compte que Levin me regardait. J'examinai les murs, puis je me tournai vers lui et haussai légèrement les sourcils. Il secoua la tête, mouvement imperceptible que nous utilisions tous. Nous étions donc seuls.

—Tu vas bien ? demandai-je aussi doucement que possible, alors que je n'avais pas eu l'intention de parler.

D'un geste furtif de la main, Levin me fit signe d'approcher. Je m'exécutai aussitôt en marchant de biais afin de pouvoir me tourner vers le joyau si quelqu'un venait à entrer.

—Luke te déteste, me dit-il lorsque je fus assez près pour l'entendre. Fais attention.

Je hochai légèrement la tête.

—Pourquoi ? murmurai-je.

Levin balaya la salle du regard.

—Ton père a berné le sien.

Nous n'avions pas échangé autant de mots depuis nos tout premiers cours. Il prenait de gros risques en me parlant. Je m'éloignai, reconnaissant et furieux.

C'était génial. Vraiment génial. Mon père m'avait forcé à venir ici en sachant pertinemment qu'il ne me reverrait peut-être jamais. Et voilà que j'apprenais que mon adversaire le plus virulent dans cette académie me haïssait à cause de la malhonnêteté de mon père.

J'entendis des bruits de pas étouffés ; Levin s'en allait. J'eus envie de me retourner, de lui dire au revoir, de le remercier, d'ajouter quelque chose. Au lieu de quoi je contemplai sans les voir les facettes du joyau monstrueux. Il existait forcément un moyen de sortir d'ici. Peut-être que si j'empruntais le bon tunnel, si je marchais suffisamment longtemps, j'émergerais dans la lumière du soleil.

Cette pensée me fit frissonner de la tête aux pieds. Puis l'évidence me sauta aux yeux : oui, il y avait une sortie. Il y en avait peut-être même cinquante. Il devait y avoir des conduits d'aération et des canalisations d'eau. Était-ce la raison pour laquelle on nous affamait, on nous effrayait, on nous forçait à vivre dans la crasse ? Pour que nous n'ayons pas l'idée de chercher la sortie ?

Je me passai la main dans les cheveux ; ils étaient emmêlés et sales. J'étais venu pour tenter de faire apparaître un oreiller, mais j'avais changé d'avis.

Je me concentrai, me rappelai la couleur, le parfum, la douceur du savon couleur crème que fabriquaient les serviteurs de mon père. Je fis un pas en avant et je touchai la pierre. Il y eut un éclair. J'attrapai le savon, je tournai les talons et m'en allai d'un pas rapide. Je croisai Gerrard, qui marchait dans la direction opposée, et je dissimulai mon savon dans les plis de ma robe. Gerrard ne me regarda même pas ; toutefois, dès le premier tournant passé, je me mis à courir.

L'eau était glacée, et le morceau de tissu avec lequel je me frottai m'irrita la peau. J'eus plus de mal à laver mes cheveux, que je tentai tant bien que mal de démêler avec mes doigts. Mais rien de tout cela n'avait d'importance. Ma crasse disparaissait avec l'eau souillée, et il n'y avait rien de plus glorieux.

J'avais ressuscité, j'étais redevenu moi-même. Toutefois, quand je me retournai pour prendre ma robe sur mon lit, celle-ci avait disparu. À sa place se trouvait une autre robe, verte et soigneusement pliée. Les magiciens savaient-ils ce que chacun de nous faisait ? Mon estomac se noua. Étaient-ils au courant pour la nourriture que j'avais cachée ? Me puniraient-ils, alors même qu'ils m'avaient permis de créer ce savon ? Ou alors cette robe dissoudrait-elle ma peau, s'enflammerait-elle ou...

Comme mes pensées criaient de nouveau, je les calmai grâce au troisième exercice de respiration. Je tendis très lentement le bras et touchai le tissu vert. Il était plus doux que mon ancienne robe et, surtout, plus propre. Je passai le vêtement par-dessus ma tête et caressai doucement le tissu. Soudain, Gerrard entra.

Il avisa la robe, jura et sortit en claquant la porte; le bruit résonna longuement sur la pierre. J'eus envie de le rattraper, de lui dire quelque chose. Je fis un pas en avant, puis me figeai. Que lui aurais-je dit? Que j'étais désolé? Le tissu neuf et doux m'effleura les chevilles. Je me rappelai soudain que mon ancienne robe m'arrivait aussi aux chevilles lorsque je l'avais mise pour la première fois. Dans les premiers temps, il m'était même arrivé de marcher sur mon ourlet. Toutefois, lorsque je l'avais retirée, elle m'arrivait à mi-mollet. Avais-je grandi à ce point? *Merde.* Depuis combien de temps étais-je là?

Chapitre 51

Sadima avait convaincu Rinka de mettre des morceaux d'olives et de poivre rouge dans le fromage, et les clients avaient adoré. Les affaires étaient florissantes, et Rinka la payait un peu plus chaque semaine : elle lui versait neuf pièces, désormais. Sadima continuait à en donner quatre à Franklin, et elle gardait le reste. Elle s'était acheté une solide brosse à cheveux et une nouvelle paire de chaussures pour travailler. Elle les laissait dans l'arrière-boutique tous les soirs et rentrait à l'appartement avec ses vieilles chaussures pour que Somiss ne se doute de rien. Un soir, sur le chemin du retour, elle prit une décision.

Elle cachait ses économies dans un pot de miel vide suspendu derrière le tuyau du poêle de la cuisine. Elle aimait Franklin, et elle ne pouvait pas partir. Ni avec lui, ni sans lui. Pas encore. Néanmoins, rien ne lui interdisait de préparer son départ. Elle avait pris l'habitude de rentrer sur la pointe des pieds et d'écouter Somiss lire les vieilles chansons avant de commencer son propre travail de copie.

Franklin laissait toujours une pile de copies terminées sur la table à côté des feuilles qui lui étaient réservées. Parfois, elle trouvait aussi des transcriptions phonétiques d'entrevues et de nouvelles chansons, ou de nouvelles versions de chansons qu'ils possédaient déjà. Hannah était revenue les voir, comme de nombreuses autres sources.

Sadima se mit à faire une copie supplémentaire de chaque document, qu'elle cachait dans son baluchon avant de l'emmener à la boutique le lendemain matin. Elle savait ce que Somiss lui ferait s'il découvrait la vérité, mais cela ne la décourageait pas. Elle avait peur de lui – et elle avait peur pour Franklin –, mais il était hors de question que Somiss soit le seul dépositaire de ces vieilles chansons. Les Éridiens avaient tout à fait raison : le savoir devait être partagé.

Cacher ses copies et autres possessions n'était pas un problème ; Rinka lui permettait de laisser ce qu'elle voulait dans l'arrière-boutique. Elle avait commencé par y entreposer ses nouvelles chaussures et son châle. Désormais, toutes ses affaires étaient entassées dans une vieille boîte à fromage que Rinka lui avait donnée. Le paquet de feuilles chaque jour plus épais tapissait le fond de la boîte. Par-dessus, il y avait sa peinture représentant un vieil arbre, ainsi que la plus usée de ses robes : elle était si élimée qu'elle ne pouvait plus la porter, mais elle la conservait car elle était chargée de souvenirs liés à la maison de son enfance.

Un jour, elle rentra à l'appartement et croisa Somiss qui s'en allait. Elle baissa la tête pour éviter son regard, mais il ne fit pas du tout attention à elle ; pour lui, la présence de la jeune femme était moins importante que celle de la rampe sous sa main ou de la pierre sous sa botte. Il ne la salua même pas d'un signe de tête.

Sadima monta les marches quatre à quatre dans l'espoir que Franklin serait là et qu'ils pourraient passer un peu de temps ensemble. Elle ne fut pas exaucée. Cependant, elle tenait là une occasion unique et elle en eut presque le vertige. Elle courut jusqu'à la petite fenêtre de la cuisine, déposant au passage son sac de courses sur le buffet. Elle entrouvrit la porte du balcon et regarda Somiss disparaître au loin. Elle remplit une casserole d'eau bouillante, y jeta deux poignées d'orge, un oignon pelé et la venaison qu'elle venait d'acheter.

Toute tremblante, elle ouvrit la porte de l'appartement, scruta l'escalier, retourna près du balcon, puis de la porte d'entrée, qu'elle bloqua avec une planche. Elle fonça dans le couloir, frappa à la porte de Franklin, l'appela. Elle entra même dans sa chambre pour s'assurer de son absence. Alors seulement elle pénétra dans la chambre de Somiss.

Il y avait tellement de piles de papiers que Sadima douta de pouvoir retrouver les chants des bohémiens. Puis elle se rappela les marques laissées par Franklin au coin de chaque page. Elle commença par une extrémité du bureau et entreprit de feuilleter les piles une à une. Elle en avait compulsé la moitié quand elle repéra les minuscules nombres. Elle approcha sa lampe et compta les pages. Il y en avait dix. Il s'agissait des originaux.

Elle se précipita dans le séjour et les étala sur la table. Elle commença néanmoins par recopier la première page et le début de la deuxième du tas laissé pour elle par Somiss. Ensuite seulement, elle recopia la version bohémienne de la chanson qui prolongeait la vie d'une main leste et agile. Dès qu'elle eut terminé, elle la cacha dans la cuisine avec celle de Hannah, puis se remit au travail et recopia la deuxième page. Elle les avait toutes dupliquées sauf une lorsqu'elle entendit une voix.

Elle bondit, cacha les deux dernières feuilles dans la cuisine, puis courut dans la chambre de Somiss pour remettre les chansons à leur place sur le bureau. Elle pivota sur ses talons, referma la porte et réussit à soulever la planche qui barrait l'entrée avant que Somiss pose la main sur la poignée. La jeune femme était de retour à sa place lorsque la porte pivota sur ses gonds. Elle s'efforça de paraître calme, se frotta les yeux et bâilla tandis que Somiss et Franklin la rejoignaient.

Ni l'un ni l'autre ne lui adressèrent la parole, mais Franklin la gratifia d'un sourire las. Somiss se dirigea aussitôt vers sa chambre. Franklin hésita un instant avant de le suivre dans le couloir. Sadima ajouta du céleri et des carottes à son bouillon pour préparer une vraie soupe, puis se remit à l'ouvrage et se dépêcha de recopier plusieurs pages avant que Franklin refasse son apparition.

Tard, cette nuit-là, elle récita la version bohémienne de la chanson qui prolongeait la vie jusqu'à la connaître par cœur. Le lendemain matin, elle la chanta en se rendant au travail, puis le soir en rentrant à l'appartement. La nuit suivante, comme à son habitude, elle attendit que Franklin s'endorme puis elle s'introduisit dans sa chambre et se tint au pied de son lit. Il était roulé en boule, comme un enfant, le bras tendu comme s'il essayait d'attraper quelque chose. D'une voix très douce, elle lui chanta la chanson trois fois, avant de lui déposer un baiser sur la joue. Il s'agita mais ne se réveilla pas tandis qu'elle sortait de sa chambre sur la pointe des pieds.

Chapitre 52

Un magicien frappa à notre porte pour nous conduire en classe. Gerrard ne me dit pas un mot et ne m'adressa pas un regard, manifestement décidé à ne pas m'attendre. Il était déjà debout, il avait pissé et s'était lavé le visage. Il sortit de la chambre pendant que j'en faisais autant. Je fonçai dans le couloir juste à temps pour les voir disparaître derrière le premier tournant. Je courus aussi vite que je le pouvais en soulevant ma robe pour ne pas marcher dessus et je les rattrapai.

Quand j'entrai dans la salle de classe, tout le monde battit des paupières et écarquilla les yeux. J'imaginai sans peine ce qu'ils se disaient tous. Je voulus leur crier que je ne m'expliquais pas ce changement de robe. Avais-je été récompensé pour avoir réussi – était-ce un exploit ? – à faire apparaître du savon ? Ou bien la robe verte indiquait-elle que j'avais enfreint le règlement et que je serais le prochain à connaître une mort lente et atroce ?

Ou encore l'objectif visé était-il de faire en sorte que les autres me haïssent, que plus personne, pas même Levin, ne m'adresse la parole ? Oui, cette explication semblait plus plausible. En tout cas, cela fonctionnait. Un par un, ils se détournèrent de moi, s'arrangèrent pour ne plus me voir du tout. Sauf Luke, qui mit un point d'honneur à me toiser d'un regard noir.

Je m'attendais vaguement que Franklin fasse une remarque à ce sujet, mais il ne dit rien. Nous nous entraînâmes à respirer, et notre professeur se contenta de nous corriger lorsque notre technique n'était pas parfaite. Ensuite, nous nous exerçâmes à déplacer nos pensées dans toutes les parties de notre corps. Du coin de l'œil, je regardai Will, qui semblait encore plus fatigué que d'habitude, et Levin, qui n'arrêtait pas de m'espionner tout en refusant de croiser mon regard.

Soudain, je me rendis compte que Somiss était caché dans l'ombre et qu'il nous observait ; pris de panique, je me mis à transpirer. Allait-il s'adresser à nous ou intervenir de quelque manière ? À la fin du cours, cependant, Franklin s'en fut et Somiss s'évanouit.

Nous nous levâmes. J'étais le plus éloigné de l'entrée, et je sentis cinq paires d'yeux rivés sur mon dos.

— Hahp va venir avec moi, dit une voix.

Nous sursautâmes et nous retournâmes en même temps. Un magicien que je n'avais encore jamais vu venait d'entrer. J'étais sûr de le voir pour la première fois, car il avait une cicatrice impossible à oublier : une large balafre irrégulière serpentait sur sa gorge et disparaissait derrière son oreille droite. Il avait les yeux aussi noirs et froids que la roche du sol. Je sentis des gouttes de sueur perler entre mes omoplates.

— Partez, dit-il aux autres en joignant le geste à la parole.

Tremblant de peur, je me retournai, prêt à prendre mes jambes à mon cou. Si je parvenais à rejoindre la salle de l'Espoir, je pourrais peut-être vivre sur mes réserves assez longtemps pour trouver un moyen de sortir de ce labyrinthe.

Je jetai un coup d'œil furtif vers la porte. Ils étaient tous partis, sauf Gerrard, qui traînait un peu les pieds et regardait par-dessus son épaule. Il n'avait pas peur, ne redoutait rien, ne ressentait aucune pitié pour moi. Il était juste curieux.

—Je m'appelle Jux, commença le magicien. Franklin dit que tu es prêt à continuer.

Mon cœur s'arrêta de battre pendant quelques secondes.

Mes yeux s'emplirent de larmes de soulagement, que je refoulai en battant des paupières. Me mentait-il pour me dissuader de m'enfuir?

—Franklin se trompe rarement, ajouta-t-il.

J'acquiesçai d'un signe de tête pour lui signifier que j'avais entendu. En revanche, j'étais incapable de parler. À vrai dire, j'avais déjà du mal à tenir debout.

—Suis-moi.

Je réussis à obtempérer. Il marchait aussi vite, voire plus vite que les autres magiciens. Nous bifurquâmes à droite dans un tunnel plus étroit que tous ceux que j'avais empruntés, plus étroit même que les boyaux qui entouraient ma cachette secrète. *Dôme*, pensai-je, choisissant un mot commençant par un « d ». Je veillais à mémoriser l'itinéraire.

Ensuite, le couloir devint pentu. Nous prîmes un autre tournant et nous retrouvâmes dans un boyau abrupt en forme de spirale. L'ascension dura si longtemps que je m'attendais presque à émerger dehors, mais il n'en fut rien. Il y eut un virage en épingle à cheveux, puis une autre spirale, et encore une autre. La dernière fut si raide que mes jambes faillirent me lâcher.

Jux ne se retourna pas une seule fois pour voir si je le suivais. Il avançait aussi vite dans les montées que sur le plat. Soudain, tandis que nous émergions d'un passage étroit, je fus frappé par une odeur de… d'herbe? L'air était meilleur ici, plus pur. Nous étions-nous rapprochés du sommet de la falaise? Y avait-il une sortie tout près?

—Ici, dit Jux.

Il se tenait devant une porte ronde qui semblait faite de cuivre. Il l'ouvrit, et je le suivis dans la lumière du soleil. *Le soleil!*

Toutefois, nous n'étions pas dehors. La pierre sombre était partout au-dessus de ma tête. Il devait y avoir des genres de meurtrières dans la paroi, mais je n'arrivais pas à les voir à cause des arbres. *Des arbres!* Nous nous trouvions dans une forêt baignée de soleil sous un toit de pierre!

—Par ici, reprit Jux en me montrant le chemin.

Je lui emboîtai le pas, le cœur battant la chamade. Le soleil brillait. C'était le jour. Le monde extérieur existait toujours, et je n'avais pas perdu tout espoir de le revoir.

—La première enceinte, annonça Jux.

Je clignai des yeux et j'essayai de comprendre ce qu'il entendait par là. Il eut un geste d'impatience, et je finis par apercevoir l'éclat du verre. Un grand arbre et quelques buissons étaient ceints d'un genre de barrière de verre.

—Continue. Passe la porte.

Sans son indication, je ne l'aurais même pas vue. Elle était en verre aussi, y compris la poignée. Jamais je n'avais vu un verre aussi pur et transparent. J'avalai ma salive, hésitant.

—Vous voulez que j'entre là-dedans? parvins-je à articuler.

Il me répondit par un geste énervé. Je tirai aussitôt sur la poignée. La porte était lourde, et ses gonds, s'ils existaient, invisibles; cependant, elle s'ouvrit.

Sous l'effet d'une violente poussée dans mon dos, je trébuchai en avant. Je me retournai et vis Jux refermer la porte.

—Il y a un serpent ici, expliqua-t-il. Son venin pourrait te tuer.

Il tourna les talons et s'en fut.

Je fis un tour sur moi-même, lentement. L'enceinte avait la taille d'une écurie. Un cheval aurait pu s'y dégourdir les jambes, mais pas plus. J'aurais pu moi aussi avancer de quatre ou cinq pas, mais je n'en fis rien. À la maison, il y avait des serpents dans les bois. Comme j'en savais assez sur eux pour m'en méfier, je passai un long moment à examiner les alentours d'un tronc d'arbre couché contre une paroi de roche avant de m'y asseoir. J'appuyai ma tête contre la pierre.

S'il y avait un plafond de verre, je ne le voyais pas. Le soleil était chaud et l'atmosphère douce et parfumée. Je mis en pratique le premier exercice de respiration; je ne voulais surtout pas paniquer et me mettre à tambouriner contre la porte pour qu'on me laisse sortir. Il n'y avait peut-être pas de serpent. Il s'agissait peut-être d'un piège, comme l'avaient été nos chambres, le jour de notre arrivée. Peut-être que le serpent apparaîtrait, me ferait mourir de peur et s'évanouirait.

Quelque temps plus tard, un bruissement, dans un buisson tout proche, attira mon attention. Je me raidis. Le serpent sortit de sous les feuilles et rampa dans ma direction. Je fis un geste de la main dans l'espoir de l'effrayer et de le renvoyer dans sa cachette, mais il se dressa sur sa queue et se balança d'avant en arrière sans me quitter des yeux.

— S'il te plaît, ne me fais pas de mal, m'entendis-je murmurer par-dessus les battements accélérés de mon pouls.

La bête se redressa de plus belle et siffla. J'étais pétrifié. Franklin pensait apparemment que j'étais prêt. Jux me l'avait dit. Mais prêt pour quoi?

Le serpent s'enroula sur lui-même en me regardant. Il était aussi gros que mon avant-bras et semblait coiffé d'un bonnet. Il paraissait sûr de sa force, sûr d'être capable de me tuer. Je fermai les yeux, me préparant à mourir. Attaquerait-il si je ne bougeais pas? Et si je bougeais? Sa morsure serait-elle douloureuse? Ma mort serait-elle lente? Mes pensées hurlaient dans ma tête; par habitude, je les fis descendre dans mes pieds pour les entendre moins distinctement.

Il y eut un nouveau bruissement. J'ouvris les yeux. Le serpent me regardait toujours, mais il s'était un peu rapproché de moi. À sa manière terrifiante, il était magnifique, entendis-je mes pieds penser. La bête avança d'une dizaine de centimètres et ouvrit la gueule. Je la détaillai, appréciant la moindre de ses écailles, la texture délicatement bosselée de sa langue fendue, les plaques segmentées de son abdomen, la courbe parfaite de ses crocs.

Ma peur de mourir m'aidait à le voir aussi clairement que j'avais vu les crêpes épaisses de Celia. Ses pensées se trouvaient-elles dans son estomac ? me demandai-je. Ou dans son crâne ? Où se terminait l'esprit et où commençait le ventre, chez un serpent ? Et chez moi ? Pourquoi ne voyait-il pas que je ne représentais aucune menace pour lui ?

Mes pensées glissèrent vers l'extrémité de mes orteils et s'étirèrent vers l'animal qui approchait. Soudain, pendant une fraction de seconde, je me vis à travers les yeux du serpent. Pour lui, j'étais un géant vautré sur un tronc d'arbre, énorme, terrifiant et imprévisible.

Me voir ainsi me donna le vertige et me coupa le souffle. J'eus beaucoup de mal à ne pas m'écrouler. Je perçus la peur du serpent, son hostilité, son animosité. Il se rapprocha encore ; je sentis sa langue sur mes orteils nus, et je vis la pointe de ses crocs luisants de venin tandis qu'il glissait sur mon pied et levait la tête pour m'attaquer. Je me concentrai sur une seule pensée et la fis migrer de mon corps vers le sien ; c'était un peu comme pousser un rocher sur la pente d'une colline. Un rocher lourd, mais qui acceptait de rouler.

Je ne te veux pas de mal.

Le serpent eut un mouvement de recul, recommença à se balancer d'avant en arrière, décrivit un arc aussi gracieux que le temps qui passe et retourna tranquillement dans son buisson.

Je vomis.

Chapitre 53

Un matin, la sœur de Rinka fut de retour avec son bébé. Elles suspendirent un hamac à une poutre du toit et berçaient la petite fille à tour de rôle lorsqu'elle était agitée. Sadima aimait particulièrement sentir les petites mains du bébé de Sylvie lui agripper le doigt. Elle adorait son sourire. Elle se demanda ce que Micah avait ressenti en l'élevant. Avait-il été aussi tendre avec elle que Sylvie l'était avec sa fille ? L'avait-il bercée en lui chantant des chansons, le regard empli d'amour ? Bientôt, Micah aurait ses propres enfants, Sadima le savait. Elle enveloppa une nouvelle série de fromages dans du tissu et accéléra la cadence.

— Tu peux travailler moins, maintenant, lui dit Rinka cet après-midi-là. Les fromages aux olives et au poivre se vendent tellement bien que je ne peux pas te laisser partir comme je l'avais prévu. Sylvie et moi n'y arriverions jamais toutes seules. Néanmoins, nous pouvons toutes travailler un peu moins.

Sadima arrangea ses cheveux et sa casquette. C'était exactement ce qu'elle avait espéré. Elle se tourna vers Rinka.

— Six jours sur sept ?

Rinka sourit.

—Ou cinq. Sylvie sera là, ajouta-t-elle, la tête penchée sur le côté. Tu percevras le même salaire. Si l'affaire marche aussi bien, c'est grâce à ton fromage.

—Je peux prendre deux jours de congé, alors, et revenir dans trois jours? demanda Sadima.

Rinka acquiesça d'un signe de tête.

Sadima la remercia chaleureusement et s'en alla. C'était parfait. Elle avait terminé de recopier le recueil offert par la bohémienne ainsi que de très nombreuses chansons. Elle avait près de trente-cinq pièces dans son pot de miel. À présent, elle pourrait aider Franklin à rattraper son retard. Et elle profiterait d'un jour de congé pour aller le voir sur la place du marché. Ils avaient à parler.

Elle avait l'intention de lui dire qu'elle avait copié pour elle-même l'intégralité du recueil ainsi que la plupart des chansons entassées sur le bureau de Somiss. Elle voulait le convaincre d'ouvrir une petite école quelque part à la campagne, où ils pourraient enseigner les chansons aux enfants. Il partirait avec elle. Il le fallait. S'il restait, Somiss finirait par le tuer en le frappant, en le surchargeant de travail ou en le forçant à jeûner. Il était hors de question qu'elle assiste à ce spectacle sans rien dire.

Sur le chemin du retour, elle déchiffra les enseignes machinalement, donna au petit mendiant une pièce entière – elle s'amusa de le voir écarquiller les yeux –, acheta un faisan au boucher et des légumes chez l'épicier qui avait rouvert sa boutique pour elle le soir où elle avait reçu sa première paie. Il lui souriait chaque fois qu'il la voyait. Et il aimait beaucoup sa casquette.

Pour le dîner, elle prépara un ragoût de faisan auquel elle ajouta des boulettes de pâte. Franklin rentra à l'appartement épuisé et sale, comme chaque soir depuis bien longtemps. Elle lui donna un demi-seau d'eau chaude et le suivit dans sa chambre. Il versa l'eau dans sa bassine et se retourna pour la regarder. Il avait les traits tendus.

Sadima leva le menton et parla tout bas :

—Rinka n'a plus besoin de moi tous les jours. Sa sœur est de retour.

Franklin jeta un coup d'œil par-dessus l'épaule de la jeune femme. Elle savait qu'il craignait que Somiss sorte de sa chambre et les surprenne en train de discuter.

—Demain, nous pourrions nous absenter quelques heures pour aller nous promener, poursuivit-elle. Accepte, et je retourne immédiatement dans la cuisine pour terminer le dîner.

Franklin courba les épaules.

—Je ne peux pas, Sadima…, chuchota-t-il. C'est impossible.

Il y avait tant de souffrance dans ses yeux. Si seulement elle pouvait lire dans ses pensées…

—Que se passe-t-il ? Que te fait-il faire ?

Franklin paraissait à l'affût ; la présence toute proche de Somiss l'inquiétait. Sadima hocha la tête ; elle avait compris. Elle retourna à ses fourneaux en lui lançant un dernier regard, mais le jeune homme ne s'intéressait déjà plus à elle. Il avait retiré sa chemise pour se laver. Sa peau était striée de longues éraflures, comme si on l'avait traîné sur des pavés.

Chapitre 54

Après le premier cours de Jux, je rebroussai chemin, m'engouffrant dans les boyaux abrupts traversés à l'aller, et je dus m'arrêter à deux reprises pour me reposer. J'avais les jambes flageolantes. L'atmosphère des tunnels était lourde et malsaine; j'avais l'impression de retourner dans une tanière puante. Gerrard n'était pas dans notre chambre, et je ne sentis aucune odeur de poisson. J'en conclus qu'il était au réfectoire. J'avais faim, mais j'étais surtout épuisé. Je m'assis au bord de mon lit, les genoux tremblants, et me rappelai les pensées du serpent, la lenteur et la froideur de son esprit simple. C'était un vrai serpent et non le fruit de mon imagination. J'avais communiqué mentalement avec lui.

Jux m'avait ouvert la porte et n'avait rien dit pour le vomi. Il n'avait rien dit du tout, d'ailleurs.

Je restai tranquillement assis et laissai l'espoir grandir dans mon cœur. Je sortirais peut-être vainqueur de ce concours. Sans le vouloir, je me mis à rêver de mon retour à la maison, de ma rencontre future avec mon père.

Je me levai brusquement pour mettre un terme à ce rêve éveillé, me penchai pour attraper mon livre d'histoire sur mon bureau et m'installai confortablement. Le chapitre suivant ne concernait pas le Fondateur. Il parlait des chansons que les magiciens du Premier Âge de la magie avaient composées en mettant leurs formules en musique. Ils avaient appris ces chansons à leurs enfants, qui les avaient enseignées aux leurs, et ainsi de suite. Malgré le règne de rois omnipotents, malgré la disparition de la magie de la surface du monde, des bribes de ces chants avaient été sauvées.

Je levai les yeux. J'avais du mal à imaginer un monde sans magie. Mon père se payait les services de magiciens à longueur de temps et pour tout. Aucun navire de la famille Malek n'avait jamais été pris dans une tempête. Il payait pour que la météo soit clémente, mais aussi pour qu'il y ait de l'eau dans les conduits de la maison. Il payait pour les ruisseaux et les fontaines du parc Malek, pour que ses poneys volent et pour un millier d'autres choses.

Tout le monde faisait de même, à l'exception des pauvres.

Je feuilletai le reste du livre. Un long chapitre expliquait que le monde était mauvais lorsque les rois avaient le pouvoir d'enrôler de force les jeunes hommes et de les envoyer à la guerre. J'avais appris ce qu'était la guerre dans d'autres livres d'histoire, dans d'autres écoles.

Vers la fin, un titre attira mon attention : « PRATIQUES DÉFENDUES ». Il était suivi d'un tableau comprenant deux colonnes. La première énumérait les offenses ; la seconde les châtiments, ou plutôt le châtiment : la mort. Je lus la liste, très courte (elle ne comprenait que quatre items) :

« Acte charnel
Communication silencieuse
Enseignement de la magie hors de l'académie
Trahison des Quatre Vœux »

Je tournai quelques pages pour tenter d'en apprendre davantage sur ces Quatre Vœux, mais le bruit de la porte m'interrompit. C'était Gerrard. Il me jeta un regard en coin et se dirigea tout droit vers son lit. Tandis qu'il s'asseyait en tailleur et posait ses livres sur sa droite, je fus assailli par son odeur.

Il me tournait le dos, comme à son habitude ; cependant, à présent que je ne sentais plus mauvais et que j'avais purgé mes poumons en respirant l'air frais de la forêt close, la puanteur qu'il dégageait m'était insupportable. À moins que le fait d'avoir été confronté au serpent ait eu raison de ma peur de Gerrard.

—J'ai fait apparaître du savon parce que j'en avais assez de puer, commençai-je. Je me suis lavé. Et quand je me suis retourné, la robe verte était là, posée sur…

—Je sais, m'interrompit-il.

—Comment ? m'étonnai-je.

Il ne répondit pas.

Je me levai, me dirigeai vers la porte, puis me figeai.

—Comment ? Comment peux-tu savoir ?

Il garda le silence, le dos raide, les épaules bien droites, et je sentis la colère monter en moi. Je n'en pouvais plus de voir son dos.

—Tu mens, m'entendis-je dire. Tu es une saleté de menteur et un lâche.

Il fit aussitôt un tour sur lui-même et bondit dans ma direction, mais il se prit le pied dans sa couverture, et il dut se rattraper à son bureau pour ne pas tomber.

—Arrête, lâcha-t-il en prenant une position plus digne.

—Que j'arrête quoi ? Suis-je en train d'enfreindre l'un des Quatre Vœux ?

J'ignorais pourquoi j'avais dit cela. Je voulais peut-être lui montrer que moi aussi j'avais étudié le livre, ce qui était ridicule. D'ailleurs, je ne l'avais pas lu en entier.

Le visage de Gerrard se crispa. Il scruta le mur au-dessus de ma tête, puis me regarda droit dans les yeux.

—J'ai essayé de faire apparaître du savon.

Ses yeux s'emplirent soudain de larmes, et il se détourna pour cacher son visage. C'est alors que je pris conscience d'une vérité toute simple : toute ma vie j'avais consommé les mets que je faisais apparaître grâce au joyau. De même, je m'étais servi d'un savon depuis mon plus jeune âge. Lui continuait à manger du poisson tous les jours, et je savais pourquoi. Petit garçon, avait-il déjà utilisé du savon ? Une autre pensée s'imposa à moi : longtemps, il m'avait permis de le suivre dans ces tunnels. S'il ne m'avait pas aidé…

—Sous mon matelas, il y a un pain de…, commençai-je.

—Je n'ai pas besoin de ton putain de savon, m'interrompit-il. J'en ferai moi-même et…

—Tu pourrais juste le toucher, le sentir, le mémoriser, chuchotai-je.

Je le laissai et me rendis au réfectoire. Je mangeai lentement, avant de me réfugier dans la salle de l'Espoir, où je restai assis en essayant de ne penser à rien. Lorsque je retournai enfin dans notre chambre, Gerrard était installé dans sa position habituelle, les jambes croisées, et pratiquait le quatrième exercice de respiration. Son livre d'histoire était ouvert à côté de lui. Il en avait lu plus de la moitié. Comme il ne dit rien, je gardai moi aussi le silence. Je m'allongeai et tentai de lire, mais mes paupières étaient lourdes, et je m'endormis presque aussitôt.

Mes rêves furent peuplés de garçons affamés qui traînaient les pieds tandis que je les guidais dans un tunnel abrupt. Je les tirais par la main, j'agrippais leur robe, je pleurais, je les traînais, mais la galerie semblait ne pas avoir de fin. Nous montions, encore et encore, si bien que je finis par me réveiller en sursaut, en nage, le cœur battant la chamade. Il faisait sombre dans la chambre. Gerrard dormait ; je l'entendais ronfler doucement.

Un magicien frappa à la porte.

Chapitre 55

Sadima se réveilla avant l'aube, comme tous les matins. Elle alluma la lanterne, raviva le feu et commença son travail de copie. Lorsque Franklin émergea enfin, elle avait terminé plus de la moitié du travail de la journée. Il secoua la tête, sourit et se rendit dans la cuisine. Quelques minutes plus tard, Sadima sentit le parfum des pommes de terre cuisant dans la graisse. Elle leva la tête et se rendit compte que Franklin la regardait, appuyé contre le mur, à côté de l'arche.

— Si j'étais aussi bon que toi, nos journées de travail se termineraient vers midi. Et pourtant j'essaie…

Sadima sourit. Elle ne pouvait pas lui dire ce qu'elle avait sur le cœur. Pas avec Somiss de l'autre côté du mur.

— Il faut que je te parle, chuchota-t-elle.

Franklin courba le dos.

— D'accord, répondit-il en relevant la tête.

Sadima sentit son cœur faire un bond dans sa poitrine.

— Quand?

— Somiss va s'absenter pour rencontrer quelqu'un aujourd'hui, dit-il tout bas.

Sadima hocha la tête, et ils n'échangèrent presque plus un seul mot. Ils mangèrent, débarrassèrent la table et travaillèrent sur les copies que leur avait demandées Somiss. Sadima glissa les copies terminées sous la pile de travail encore à faire. Elle vit Franklin la regarder du coin de l'œil et sut qu'il avait compris. S'ils étaient oisifs lorsqu'il se réveillerait, Somiss ne manquerait pas de leur donner davantage de travail, ce qui était hors de question.

Lorsque Somiss les quitta enfin, un chapeau vissé sur la tête pour dissimuler son visage, Sadima se leva et entrouvrit légèrement la porte du balcon, juste assez pour voir au-dehors. Somiss tourna à gauche et s'engagea dans la rue du Couteau. Cette rue, si on la suivait jusqu'au bout, débouchait sur les docks.

— Tu sais où il va ? demanda-t-elle à Franklin en le rejoignant dans le séjour. S'il te plaît, ne me mens pas.

— Je le sais, mais je ne peux pas te le dire, répondit-il en baissant la tête.

Sadima lâcha un soupir.

— S'il te plaît.

Il secoua la tête.

— Somiss m'a dit de…

— Je ne veux pas savoir ce qu'il t'a dit. C'est à toi que je pose la question ! aboya la jeune femme avant de le gifler.

Franklin grimaça et eut un mouvement de recul, mais à aucun moment il ne leva les bras pour se protéger. Sadima fit un pas en arrière. Sa poitrine se soulevait en rythme. Elle savait pourquoi il ne s'était pas défendu. Il avait l'habitude de prendre des coups. Sa vie durant, il avait appris à ne pas s'emporter contre les gens qui lui criaient après ou qui le frappaient. Les yeux de Sadima s'emplirent de larmes.

— Dis-moi, reprit-elle. (Sa voix n'était presque plus qu'un murmure.) Si je compte pour toi, dis-moi où il est parti et ce qu'il trame.

Elle vit qu'il avait lui aussi les larmes aux yeux, mais il secoua la tête.

—Cela a un rapport avec cette école? demanda-t-elle d'une voix plus forte. (Instinctivement, Franklin jeta un coup d'œil par-dessus son épaule.) Je t'en prie Franklin…

—Si je t'en parle, il te fera du mal, se défendit-il en la regardant droit dans les yeux.

Elle se pencha vers lui.

—Il m'a dit que si je partais, il veillerait à ce que tu le regrettes. Ne vois-tu pas ce qu'il est en train de faire?

—Bien sûr que si. Néanmoins, tu devrais partir, Sadima. Retourne à Ferne. Je suis vraiment désolé de t'avoir demandé de me rejoindre ici.

—Moi, je ne le suis pas, rétorqua-t-elle d'une toute petite voix, et elle sut que c'était vrai. Je veux que nous partions ensemble. As-tu réfléchi à ma proposition?

Il ne répondit pas. Elle voulut lui raconter qu'elle avait recopié les chansons, elle voulut lui parler de son rêve d'ouvrir une école avec lui pour accomplir ce que Somiss, lui, prétendait seulement vouloir accomplir, mais la peur qu'elle lut dans les yeux de Franklin l'en dissuada. Il était terrorisé par Somiss. Risquait-il de raconter à son maître ce qu'elle avait fait?

—Nous pourrions acheter une fermette, reprit-elle, la gorge serrée. Nous pourrions avoir des enfants.

Une étincelle de joie jaillit dans les yeux de Franklin, mais elle disparut aussitôt.

—Il nous retrouverait. Ou bien un garde s'en chargerait. J'appartiens à son père, Sadima. Ils offriraient une récompense.

—Dans ce cas, nous partirons loin, très loin. Pas à Ferne, non, beaucoup plus loin.

Elle l'entoura de ses bras, et ils restèrent un moment l'un contre l'autre. Soudain quelqu'un cria dans la rue. Franklin se redressa brusquement en reculant sa chaise, avant de se rendre compte que le bruit venait du dehors.

— C'est juste un marchand, le rassura Sadima.

Il hocha la tête, se rassit et reprit sa plume. La jeune femme le regarda travailler pendant quelques minutes, tiraillée entre l'envie de le frapper de nouveau et celle de ramasser ses affaires pour partir sur-le-champ. Finalement, elle se rassit à côté de lui, termina ses copies et commença à travailler sur celles de Franklin.

— Non, lâcha-t-il en la prenant par la main. Va au marché. Je vais terminer tout seul. Tu ne devrais pas avoir à faire tout cela.

Sadima attendit qu'il relève la tête et croise son regard. Comme il n'en fit rien, elle prit son châle et sortit. Elle resta longtemps dehors à tourner en rond. À son retour, elle entendit Somiss qui lisait à voix haute dans sa chambre. Franklin, lui, n'était plus là. Elle fit de son mieux pour rester éveillée jusqu'à son retour, mais elle ne l'entendit pas rentrer.

Chapitre 56

Jux revint me chercher après le cours de Franklin. Je le suivis dans les boyaux abrupts jusqu'à la forêt close. J'étais tellement effrayé que je remarquai à peine l'air pur et le soleil. Après le serpent, qu'allais-je devoir affronter? Un ours?

— Débrouille-toi pour les faire partir, me dit-il en désignant quelque chose du doigt.

L'enceinte était plus grande, cette fois. J'avisai une colonne de fourmis, à mes pieds. Elles s'affairaient autour d'une flaque de miel que Jux avait versée à un ou deux pas de la fourmilière.

— En tendant mon esprit vers elles? demandai-je.

Mais Jux s'éloignait déjà.

— Si tu échoues, ajouta-t-il par-dessus son épaule, tu mourras de faim. Ou tu seras pendu. (Il se retourna suffisamment pour que je le voie sourire.) Tu mourras sans doute de faim.

Je restai sans bouger, à le regarder, me demandant si j'avais déjà vu un magicien sourire ainsi. Ou afficher ne serait-ce qu'un léger rictus. J'étais presque sûr que non, ni dans cette académie, ni nulle part ailleurs. Cela me mit mal à l'aise. Plaisantait-il? Son sourire pouvait le laisser croire, mais…

Je tentai de me calmer en effectuant le premier exercice de respiration, puis j'essayai d'accomplir consciemment avec les fourmis ce que j'avais fait sans le vouloir avec le serpent. En vain. Les fourmis étaient minuscules et constamment en mouvement ; impossible de projeter mes pensées dans leur esprit. D'ailleurs, en avaient-elles un ? J'avais l'impression de frapper à une porte close.

Je finis par m'allonger sur le ventre, par tendre doucement les doigts dans leur direction, jusqu'à ce qu'elles les escaladent, comme si mes mains étaient des cailloux placés sur leur route, sur le chemin du miel. Je m'efforçai de retrouver ma concentration. Je formai une pensée toute simple : *Laissez ce miel.* Je la fis glisser hors de ma tête, vers mes épaules, jusqu'au dos de ma main droite, sur laquelle défilaient les fourmis. Je sentis ma pensée traverser mon épiderme et se diriger vers les insectes. Toutefois, seule une vingtaine de fourmis la reçurent et changèrent de direction. Je me mis à transpirer. Il y avait des milliers de fourmis. Comment pourrais-je les influencer toutes ?

Je recommençai, en mettant cette fois ma jambe nue en travers de leur route. Je réussis à détourner une petite centaine de fourmis de leur mission, mais c'était une goutte d'eau dans l'océan. Je me rendis compte que la colonne d'insectes s'était élargie. Elles étaient de plus en plus nombreuses à faire l'aller et retour entre la fourmilière et le miel. Si je ne les arrêtais pas bientôt, je n'y arriverais jamais.

Je retirai ma robe puis je me remis à plat ventre à côté de la colonne et je dépliai mes doigts sur le chemin des insectes. Il me fallut un temps infini pour détourner la horde, l'obliger à escalader mon bras et à redescendre sur mon dos. Je projetai ma pensée vers elle et la sentis se disperser, sans but, tandis que les fourmis étaient de plus en plus nombreuses à monter sur mes doigts. Elles me chatouillaient – c'était une torture –, mais je m'efforçai de ne pas bouger. À ma troisième tentative, je ressentis une douleur vive sous mon aisselle. Les fourmis égarées s'étaient glissées sous moi, et j'en avais blessé une en changeant de position.

Une deuxième morsure eut raison de ma concentration. Je sursautai. Aussitôt, cinq ou six fourmis m'attaquèrent. Leurs morsures me brûlaient. Je bondis sur mes pieds et me frottai les avant-bras en me demandant comment j'allais pouvoir me débarrasser de celles qui grouillaient sur mon dos. Des marques apparurent sur ma peau. Je reculai et trébuchai sur une pierre pâle dans le sable.

Ce n'était pas une pierre.

C'était un crâne, presque entièrement poli. Il ne restait plus le moindre morceau de chair, ni la plus petite touffe de cheveux.

—Va-t'en, lança Jux. (Je sursautai. Il était apparu derrière l'enceinte et secouait la tête avec une mine écœurée.) J'ai dit, va-t'en.

Puis il s'évanouit, comme l'aurait fait Franklin ou Somiss. Dans la lumière de cette fin d'après-midi, c'était encore plus impressionnant.

Avant de quitter l'enceinte, je ramassai ma robe et l'utilisai comme une serviette pour me frotter le dos. Puis je la secouai. Je franchis la porte ronde et redescendis dans l'étroit passage tout en continuant à me donner des claques là où les fourmis m'avaient mordu. Je marchai vite, dépassai la poignée en forme de poisson de la porte de ma chambre et fonçai directement vers le réfectoire en serrant dans chaque main le tissu vert foncé de ma robe, dont je me servais pour tenter de tuer les dernières fourmis encore présentes sur mes épaules.

Je m'arrêtai devant le joyau et pensai à la tourte à la patate douce de Celia. Lorsque je posai mes mains sur les facettes glacées, il y eut un éclair. La tourte était chaude et fumante. Je clignai des yeux et ravalai mes larmes. J'étais donc toujours capable de faire fonctionner le joyau.

Je m'avançai vers la table en me servant des manches de ma robe comme de gants pour ne pas me brûler. Me rendant compte que j'avais besoin d'une fourchette, je retournai devant le joyau. Alors que j'essayais de me concentrer, j'entendis des bruits de pas. Je me retournai et découvris un magicien que je n'avais encore jamais vu. Il se dirigeait vers moi d'un pas vif. Je sentis mon estomac se nouer.

—Suis-moi. Vite! lança-t-il avec de grands gestes.

Il se retourna et sortit du réfectoire. Je le rattrapai en courant. Il me fit suivre un itinéraire si complexe que je ne parvins pas à le mémoriser. J'avais la peau en feu et le plus grand mal à marcher.

Il s'agissait d'une petite salle, cette fois, et tout le monde était déjà là, assis par terre autour d'une chaise en bois sculpté ornée de brocart vert. Somiss trônait sur cette dernière, tournant le dos à l'entrée de la salle. Will semblait terrifié. Levin et Jordan m'adressèrent un hochement de tête furtif. J'évitai le regard de Luke. Gerrard se détourna ostensiblement de moi. Je pris place derrière lui et sentis aussitôt une odeur de savon, du savon parfumé. Je repensai à l'histoire qu'il m'avait racontée, à la femme qui lui avait acheté un bol de ragoût de poisson. Soudain, je remarquai ce qui, dans la lumière faible et vacillante, ne m'avait pas frappé: il portait une robe verte.

—Tout le monde est là? demanda Somiss d'une voix rauque.

Il ne savait donc même pas qui était vivant et qui était mort. Personne ne lui répondit, mais cela ne sembla pas le déranger.

—On vous demandera bientôt de réciter le premier chant sans vous tromper, reprit-il. Tant que vous n'y serez pas parvenus, vous ne mangerez pas.

Will poussa un grognement triste qui attira mon attention. Lorsque je me retournai, Somiss avait disparu. Et la chaise aussi. Nous étions entre nous, seuls avec le silence et nos peurs. Will se leva et sortit précipitamment de la salle en s'efforçant de ravaler ses sanglots.

Chapitre 57

Sadima travailla cinq jours. Le sixième, qui était un jour de congé, elle fit semblant de se lever pour se rendre à la boutique avant que Franklin et Somiss émergent de leurs chambres. Elle se cacha derrière le large tronc d'un chêne d'où elle voyait l'entrée de leur immeuble et s'arma de patience. Comme il faisait froid, elle resserra son châle autour de ses épaules.

Elle n'eut pas longtemps à attendre. Somiss se montra le premier et quitta l'immeuble seul. Il portait son fameux chapeau et une veste en laine sombre qu'elle n'avait jamais vue. Il fila vers l'ouest et s'engagea dans la rue du Couteau sans se retourner. Elle le suivit du regard jusqu'à ce qu'il bifurque dans la quatrième ou cinquième rue à droite.

Il s'écoula plus de temps avant que Franklin apparaisse, un sac de toile sur l'épaule. Il portait un chapeau, mais pas de veste, et prit la direction de l'est. Son sac se balançait dans son dos au rythme de sa foulée. Sadima se mordit la lèvre inférieure. À cause de Somiss, ils devaient tous se déguiser. Somiss se moquait de savoir que Franklin était glacé jusqu'aux os, du moment que personne ne le reconnaissait.

Sadima attendit quelques secondes avant de lui emboîter le pas et de le suivre de loin pour ne pas risquer de se trahir. Ce faisant, elle se promit de rebrousser chemin aussitôt qu'elle aurait vu où il allait.

Franklin marchait très vite, le dos voûté et une main dans la poche. Sadima avait vraiment du mal à suivre la cadence. À deux reprises, elle crut qu'elle l'avait perdu pour de bon, mais elle finit par le repérer, au loin. Elle se rendit rapidement compte qu'il suivait plus ou moins l'itinéraire qu'ils avaient pris le jour où ils étaient allés à la campagne tous les trois.

Il s'enfonça dans le quartier nord, où elle le laissa prendre de l'avance. Dans cette partie de la ville, il y avait beaucoup moins de gens dans les rues, et elle ne pouvait plus se cacher dans la foule. Lorsqu'elle le vit quitter la route et s'engager sur le chemin qu'ils avaient emprunté avec Somiss, elle s'arrêta et se laissa distancer. Son sac avait l'air bien lourd. S'agissait-il d'outils? Franklin était-il en train de préparer un camp? Un endroit où Somiss pourrait échapper aux hommes de son père?

Elle secoua la tête. Franklin et Somiss n'étaient plus des petits garçons fugueurs. Ils n'étaient pas naïfs au point de croire qu'ils seraient capables de survivre dehors en plein hiver. Alors elle se rappela les marches qu'ils lui avaient décrites, cet escalier taillé dans la roche de la falaise. Peut-être qu'ils avaient trouvé une caverne ou un monticule de pierres écroulées semblables aux murs circulaires en ruine disséminés autour de Ferne. Une maison abandonnée avec un bon toit ferait peut-être l'affaire, autrement, ils mourraient de froid dès les premières chutes de neige.

Sadima ralentit et resta à la lisière de la forêt, prête à se cacher au cas où Franklin rebrousserait chemin. Quel que soit l'objectif de ses missions secrètes, elle s'arrangerait pour croiser sa route sur le trajet du retour sans qu'il comprenne qu'elle l'avait suivi. Ou alors elle attendrait le lendemain. Ainsi, ils passeraient un peu de temps ensemble. Sadima s'empourpra. Qu'espérait-elle ? Un baiser ? Un simple baiser pourrait-il changer la donne ? Non, Franklin ne quitterait jamais Somiss.

La jeune femme secoua la tête. Somiss n'était pas un homme brillant. C'était juste un gamin trop malin qui prenait plaisir à mettre son père en colère, à rudoyer Franklin et, surtout, à jouer au héros providentiel. Franklin était-il donc aveugle ?

Sadima s'arrêta au beau milieu du chemin. Des cris aigus à peine audibles l'avaient ramenée à la réalité. Des voix d'enfants ?

Chapitre 58

C'était étrange de se retrouver tous réunis dans le réfectoire au même moment ; de fait, nous étions venus chercher les mêmes réponses. Nous n'eûmes pas longtemps à attendre. Les menaces de Somiss n'étaient pas des paroles en l'air. Plus personne n'était capable de faire apparaître de la nourriture.

Je retournai à la chambre en tentant d'oublier la peur qui pesait sur mon estomac. J'aurais pu me cacher dans la salle de l'Espoir pour manger quelque chose, mais j'étais peut-être sous surveillance. Et si je me faisais prendre ? Je n'avais pas assez faim pour prendre le risque. Pas encore. Je grattai les morsures que m'avaient infligées les fourmis et m'installai sur mon lit, muni des *Chants des Anciens*.

Gerrard arriva à son tour et s'assit en me tournant le dos, comme à son habitude. Quand je le vis ouvrir une fois de plus son livre d'histoire, je fus parcouru d'un frisson. Que faisait-il donc ? Connaissait-il déjà le premier chant ? Comme s'il avait lu dans mes pensées, Gerrard me jeta un regard par-dessus son épaule, puis il se replongea dans sa lecture.

Ostensiblement, je refermai les *Chants des Anciens* et j'attrapai mon livre d'histoire. Je me fis aussitôt l'effet d'un fieffé imbécile. Non seulement Gerrard ne pouvait pas me voir, mais, en plus, il se moquait éperdument de moi. Cela ne m'empêcha pas de survoler quelques pages comme si je cherchais réellement quelque chose, au cas où il se retournerait. À ma grande surprise, je tombai sur les Quatre Vœux. Seuls ceux qui réussissaient leur formation étaient tenus de les respecter, disait le texte. Il s'agissait sans doute uniquement de nous informer, au cas où certains d'entre nous vivraient assez longtemps pour se poser ce genre de question. La manière dont les mots se succédaient et s'empilaient semblait primordiale. Voilà ce qui attendait les heureux élus :

« Le Vœu de claustration éternelle
Le Vœu de silence éternel
Le Vœu de célibat éternel
Le Vœu de pauvreté éternelle »

C'était donc cela, la récompense tant espérée ? L'abandon volontaire de ce qui comptait le plus pour la plupart des gens ? Je reposai le livre d'histoire et repris les *Chants des Anciens*. Le premier chant couvrait toute une page et était composé de mots parfaitement incompréhensibles, étrangers à toutes les langues que je connaissais ou que j'avais entendues. *Des chants ?* Serions-nous obligés de chanter, au final ?

J'essayai de déchiffrer le premier vers, mais la prononciation du moindre mot était problématique. J'avais toujours détesté apprendre des choses par cœur, que ce soient des poèmes ou des listes de rois et de princes héritiers. Je n'étais pas très doué pour ce genre d'exercice. Ni pour apprivoiser les fourmis. Mes morsures me faisaient atrocement souffrir tandis que je m'efforçais de deviner la prononciation du premier vers et de le mémoriser.

Un long moment plus tard, je cessai de lire et m'abîmai dans la contemplation des ombres du plafond en grattant une morsure de fourmi dans mon cou. En plus de m'affamer, les magiciens me reprendraient peut-être ma robe verte. Le cas échéant, me rendraient-ils ma vieille robe ? Ou bien serais-je condamné à rester nu jusqu'à ce que je retienne leur chant débile, que je parle aux fourmis et que je m'envole en battant des oreilles ? Soudain très las, je fermai les yeux. J'étais revenu à la case départ. Des garçons mourraient de faim, et je ferais peut-être partie du lot, cette fois.

Quand le magicien frappa à la porte, je sursautai et fis tomber le livre par terre. S'était-il écoulé plus de une heure ? J'avais l'impression d'avoir fermé les yeux l'espace d'une minute à peine. J'étais si fatigué que j'avais mal partout. Il nous conduisit à une nouvelle salle, dans laquelle trônait une autre chaise finement ouvragée. Somiss apparut quelques secondes plus tard. Il nous fit tous réciter et corrigea notre prononciation. La plupart des élèves ne connaissaient que le premier vers. Et encore… Nous recommençâmes encore et encore ; chaque fois que Somiss nous interrompait pour corriger notre prononciation approximative, nous étions complètement perdus. Personne ne s'illustra particulièrement, pas même Gerrard.

Somiss nous congédia d'un geste agacé de la main.

—Aurons-nous le droit de manger quand nous connaîtrons l'intégralité du texte ou exigerez-vous de nous une prononciation parfaite ? demanda Will dans un murmure.

Somiss ne répondit pas. Il disparut.

De retour dans la chambre, je restai éveillé aussi longtemps que je le pus, étudiant la chanson, essayant de me rappeler quelques-unes des remarques de Somiss. Toutefois, les mots se mélangèrent dans mon esprit, puis les lettres voletèrent devant mes yeux, aussi fus-je contraint de refermer le livre. Je voulais quitter cet endroit. Je voulais rentrer chez moi le temps de dire au revoir à ma mère. Après, je m'enfuirais ou je me tuerais. Rien ne me semblait plus impossible. Rien ne m'effrayait. Il ne pouvait y avoir de situation plus éprouvante que celle que j'étais en train de vivre.

Chapitre 59

Sadima quitta le chemin et s'enfonça en silence entre les arbres. Une famille se promenait-elle dans les bois en cette fraîche matinée ? C'était peu probable. À présent, elle n'entendait plus que les chants des oiseaux. Elle avisa Franklin qui marchait au pied de la falaise massive. Comme elle le regardait, il posa son sac et écarta un rideau de plantes grimpantes. Une grotte ? Il se plia en deux et disparut dans la cavité.

Sadima resta immobile un moment puis elle se tourna vers le chemin. Il était temps de partir, mais elle n'en fit rien. Sans quitter des yeux la base de la falaise, elle s'enfonça dans la forêt, décrivit un arc de cercle et se rapprocha de la paroi rocheuse. Là, elle choisit un grand pin au branchage dense, noua son châle autour de sa taille et commença à grimper. Lorsqu'elle fut montée assez haut pour voir au loin, elle s'efforça de trouver une position confortable, surveilla l'entrée de la grotte et tendit l'oreille. Rien. Le silence était absolu.

Quand Franklin réapparut, Sadima avait retiré son châle et trouvé une façon de se protéger les mains et les pieds. Il remit en place le rideau de plantes grimpantes devant l'entrée et repartit tête baissée, le visage dissimulé par ce chapeau qu'elle ne lui connaissait pas. Dans son dos, le sac, désormais vide, pendait mollement. Il marchait néanmoins d'un pas lourd et lent, comme s'il portait des poids aux chevilles. Sa chemise crasseuse lui collait à la peau.

La jeune femme le suivit du regard jusqu'à ce qu'il disparaisse au loin. Alors, elle descendit de son arbre, s'étira, marcha un peu pour se dégourdir les jambes et se figea, pensive. Elle aurait dû partir, tout simplement. Que manigançaient-ils ? S'imaginaient-ils réellement pouvoir vivre dans de telles conditions ? Ils mourraient en essayant. Elle avait besoin de savoir s'ils étaient ou non en train d'aménager une grotte. Le cas échéant, il lui faudrait trouver un moment pour discuter avec Franklin et le dissuader de tenter pareille folie. Sadima scruta une dernière fois le chemin, cacha son châle derrière un amélanchier et se mit à courir.

Elle ne trouva pas l'ouverture immédiatement. Les lianes couvraient une bonne partie de la façade rocheuse. Quand elle l'eut enfin repérée, elle se rendit compte qu'elle n'était ni assez grande ni assez forte pour pousser les plantes vers l'intérieur. Il lui fallut les écarter et se faufiler tant bien que mal.

Elle se baissa pour passer sous une pierre, puis se redressa. Ce n'était pas exactement une grotte, mais plutôt un genre de tunnel. À part la lumière qui filtrait à travers le rideau de lianes, il n'y avait pas d'autre éclairage. Elle parvint néanmoins à distinguer la lampe laissée là par Franklin, à disposition pour sa prochaine visite. Le briquet était posé par terre, juste à côté. Les mains tremblantes, Sadima alluma la mèche et glissa le briquet dans son corsage.

Le tunnel était long et rectiligne ; par deux fois elle s'arrêta pour regarder par-dessus son épaule. Elle avait l'impression désagréable d'être emprisonnée dans les ténèbres. Ce n'était pas une cavité naturelle. Mais alors, qu'est-ce que c'était ? Elle continua à avancer ; ses pas circonspects résonnaient à peine sur la vieille pierre. Elle regretta d'avoir laissé son châle à l'extérieur car il faisait plus froid sous terre que dehors.

Soudain, la hauteur sous plafond diminua considérablement, et elle dut se plier en deux pour continuer à avancer. La pierre lui griffait le dos, ce qui lui rappela les écorchures de Franklin ; de fait, il était beaucoup plus grand qu'elle.

Le passage s'élargit. Sadima s'arrêta et brandit la lampe. Devant elle, le plafond s'élevait brusquement. Elle avança avec précaution en tenant la lanterne à bout de bras.

Il s'agissait d'une grotte naturelle, elle en était presque certaine. Elle semblait immense et aussi sèche qu'un squelette, et il y faisait bien plus chaud que dans le tunnel. Elle lâcha un soupir. S'ils trouvaient un moyen de s'approvisionner en nourriture et d'évacuer la fumée d'un feu alimenté en continu, alors, oui, ils pourraient survivre dans un endroit comme celui-là.

Sadima balaya la cavité du regard en se demandant ce que Franklin transportait dans son sac et où il avait laissé son chargement ; toutefois, elle était trop effrayée pour s'aventurer plus loin sans un meilleur éclairage. Derrière elle, l'étroit tunnel semblait avoir disparu. Quelques secondes interminables et terrifiantes s'écoulèrent avant que la lumière de la lampe en révèle de nouveau l'entrée.

Elle releva sa jupe d'une main, prête à s'engouffrer dans le passage. Soudain, elle entendit des murmures. Elle souleva la lanterne, mais la lumière repoussait les ténèbres à peine plus loin que son bras. Les murmures cessèrent.

— Qui est là ?

Son cœur battait à tout rompre dans sa poitrine. Les murmures reprirent. Puis elle entendit une petite voix.

— Madame ? Vous avez apporté de la nourriture ?

Sadima s'avança, bouchée bée, glacée d'effroi. Ses yeux s'emplirent de larmes quand elle vit les barreaux de la cage, et les garçons qu'elle renfermait.

— Qui vous a mis là-dedans ? parvint-elle à articuler.

Elle appuya sur la serrure en fer, mais elle comprit vite qu'elle n'arriverait pas à la déverrouiller et la lâcha.

— Celui qui a des yeux de glace, dit une voix au milieu des captifs.

Sadima s'approcha et eut un haut-le-cœur tant la puanteur était forte. Il y avait un pot de chambre à proximité.

— Pourquoi vous a-t-il conduits ici ? Le savez-vous ?

Plusieurs garçons secouèrent la tête.

— Ils vont nous donner à manger, expliqua l'un d'entre eux. Si nous restons calmes…

Il y eut un murmure approbateur. Elle souleva la lampe et vit le plus petit des captifs au fond de la cage, le dos appuyé à la paroi de la grotte. Il releva la tête et elle distingua la cicatrice qui courait sur sa gorge. *Oh, non ! Non.* Que faisait Somiss à ces enfants ?

Sadima se redressa, horrifiée, paralysée, écœurée.

— Je reviendrai, promit-elle.

Sans laisser à aucun d'entre eux le temps d'ajouter quoi que ce soit, elle tourna les talons et s'éloigna en courant.

Pressée de sortir au plus vite, elle s'écorcha deux fois le dos contre la pierre traîtresse et faillit oublier de laisser la lampe et le briquet à leur place. Elle se fraya un passage entre les lianes et réussit enfin à s'en extirper, avalant goulûment de grandes bouffées d'air frais. Elle récupéra son châle derrière l'amélanchier. Elle avait envie de pleurer, mais elle n'y parvint pas.

Chapitre 60

Franklin nous fit passer en revue tous les exercices de respiration, puis il nous demanda de déplacer nos pensées dans toutes les parties de notre corps. Enfin, presque. Il faisait toujours l'impasse sur le pénis. Cela m'avait fait sourire, la première fois que je m'en étais rendu compte. À présent, c'était différent, car j'avais appris l'existence du Vœu de célibat. Mon père était-il au courant de ce détail ?

Franklin se leva soudain.

— Cela fait maintenant un an que vous êtes ici. C'est notre dernier cours, mais aussi le premier. Continuez à vous exercer.

Il sortit.

Nous nous levâmes tous lentement. Le dernier et le premier ? Que voulait-il dire par là ? Je me tournai vers Levin. Il semblait hébété. Comme les autres. Un an ? Était-ce possible ?

Personne ne parlait ni même ne chuchotait. Je cherchai Jux du regard, mais il n'était pas là. Son absence m'angoissait, même si j'ignorais pourquoi. De retour dans la chambre, je lus et relus le premier chant avant de le réciter en essayant de tenir compte de toutes les remarques que j'avais entendues sur la prononciation à observer. Dans combien de jours serais-je capable de le chanter sans me tromper ? Cinq ? Dix ? Trente ? Mon estomac gargouilla.

Un coup sur la porte me fit sursauter. Un magicien passa la tête à l'intérieur de la chambre et nous fit signe de le suivre. Il nous précéda jusqu'à un boyau très incliné – en empruntant toutefois un chemin très différent de celui que je connaissais –, et je sus exactement où nous allions. En gravissant la pente abrupte, je me demandai pourquoi nous empruntions toujours un chemin différent pour nous rendre au cours de Franklin, et toujours le même pour celui de Jux, du moins jusqu'à ce cours-ci. Désormais, je connaissais deux itinéraires pour me rendre là-haut, et Gerrard un seul. Je me demandai s'il y avait une raison à cela. Peut-être pas. Je l'espérais, en tout cas.

Deux magiciens nous attendaient derrière la porte ronde. Jux m'emmena dans une direction ; le professeur de Gerrard le précéda dans une autre. Le regard rivé sur le dos raide de mon camarade de chambre, je me demandai s'il allait affronter le même serpent que moi. Quoi qu'il en soit, j'espérais qu'il ne lui arriverait rien. Jux me laissa devant une autre fourmilière. Je mis un temps fou à trouver une solution simple : je tendis mon esprit vers le miel, et non vers les fourmis. Une fois que le miel sembla dire aux insectes qu'il était un poison pour eux, ils s'en détournèrent. Il était inutile de viser les fourmis : dès que je cessais de projeter ma pensée, leur instinct – ou la force quelconque qui les animait – reprenait le dessus, et elles se ruaient sur le miel à l'odeur alléchante.

Ce fut un autre heureux hasard. Au départ, mon but était de transmettre mes pensées à une fourmi isolée toute proche du miel afin qu'elle prévienne les autres. Seulement, comme la bestiole ne tenait pas en place, je pris un bâton, me débrouillai pour l'y faire grimper et la plongeai dans le miel. Je dirigeai ensuite mes pensées vers la fourmi engluée, mais je la manquai.

Lorsque Jux réapparut, je lui montrai ma technique, fier de moi. Il sourit et secoua la tête. Il se baissa, ramassa une poignée de sable et la versa sur le miel. Puis il me regarda comme si j'étais un abruti.

—La magie ne doit pas être gâchée.

Je ravalai ma colère tant bien que mal.

—Je croyais que nous…

Il m'interrompit en claquant des doigts.

—Personne ne t'a donné les règles du jeu.

Je me mordis la lèvre inférieure. Il avait raison, toutefois j'aurais aimé lui demander si ma méthode n'était pas encore meilleure. Elle était certes plus difficile à concevoir que la sienne. Pourquoi me salirais-je les mains, alors que j'étais venu ici pour apprendre la magie ? J'ouvris la bouche, mais il secoua la tête.

—Pars.

Gerrard était déjà dans la chambre. Il ne dit rien à propos du serpent ou de quoi que ce soit d'autre, mais, quand il se leva pour uriner, je remarquai une tache rouge sombre sur l'ourlet de sa robe. Du sang ? Je m'efforçai de ne plus y penser et j'étudiai le chant jusqu'à l'arrivée du magicien.

Sur le chemin qui nous menait à la salle de classe de Somiss, je marchai derrière le magicien et Gerrard. J'étais nerveux et j'avais la bouche sèche. Ce jour-là, Somiss se moqua de trois d'entre nous : Will, Luke et Jordan. Sa façon de nous tourner en ridicule et de nous interrompre sans arrêt pour corriger notre prononciation était déstabilisante ; nous en restions muets de stupéfaction. Je jetai un coup d'œil sur le côté et remarquai que les lèvres de Gerrard bougeaient. Il récitait en même temps que les autres. C'était une méthode simple et intelligente. Je l'imitai en espérant que cela m'aiderait.

Gerrard passa en dernier. Il récita le chant tout entier et, lorsqu'il eut terminé, Somiss corrigea la prononciation de seulement dix mots. À part lui, personne n'était parvenu à réciter plus de dix mots sans se tromper dans le premier couplet. Je le regardai avec attention. Les magiciens étaient fous. S'ils nous avaient permis de nous entraider, nous aurions tous réussi et personne ne serait mort.

Cette nuit-là, j'étudiai en dépit de mon estomac vide et douloureux et de mes démangeaisons. Gerrard retira sa robe et en lava l'ourlet avec son pain de savon. À la vue de l'eau rosée dans le lavabo, je me demandai s'il avait tué le serpent. Et, si oui, comment ?

Dans mes rêves, cette nuit-là, je vis un garçon qui me ressemblait, mais en plus grand et avec de plus larges épaules. Allongé dans les ténèbres, souffrant de démangeaisons et d'une terrible maladie, il attendait qu'un magicien passe à proximité.

Je ne sus jamais s'il avait tué le magicien, car un vrai magicien me tira de mon rêve en frappant à la porte. Je me levai, affamé et épuisé. Avaient-ils écourté nos périodes de sommeil ?

Chapitre 61

Comme elle courait à perdre haleine, tirant sur son châle qui s'accrochait aux buissons et trébuchant régulièrement sur le chemin, Sadima ne vit Franklin que lorsqu'elle le percuta.

—Sadima, commença-t-il en l'attrapant par les épaules pour l'empêcher de tomber. Sadima, attends. S'il te plaît. Je veux...

—Qu'est-ce que vous faites à ces garçons? cria-t-elle en lui martelant le torse.

—Attends, la supplia-t-il en emprisonnant ses mains dans les siennes. Sadima, j'ai vu tes empreintes de pas à l'embranchement, alors je suis... Attends. Écoute-moi!

Elle tordit ses poignets pour se défaire de son emprise, mais il lui plaqua les bras le long du corps.

Serrant les dents et les poings, Sadima se jeta en arrière de toutes ses forces. Surpris, Franklin la relâcha. Elle tituba sur quelques pas, reprit son équilibre et se jeta de nouveau sur lui en lâchant un cri de souffrance étranglé. Elle voulait lui faire mal, le réveiller, lui faire comprendre qui était Somiss en réalité.

—Comment peux-tu l'aider à faire une chose pareille? lui demanda-t-elle sans cesser de le frapper et de sangloter. Comment?

Le visage de Franklin était déformé par l'émotion. Était-il en colère? Il brandit le poing. Elle sursauta, tourna les talons et voulut s'enfuir, mais il était trop tard. Elle essaya de se dégager, mais il la tenait fermement.

—Tu ne sais rien de moi, dit-il en l'attirant contre lui, pesant de tout son poids sur son dos, la bouche tout près de sa joue. Tu crois me connaître, mais tu ne sais rien.

—Je sais que tu es un lâche, cracha-t-elle en se débattant et en se cambrant. Tu vas le laisser faire du mal à ces garçons parce que tu as trop peur de lui pour…

—Non!

Il la fit se retourner pour la regarder dans les yeux, mais elle le repoussa. Il tituba en arrière, mit un genou à terre et tomba sur le côté en l'attrapant par l'avant-bras. Ils chutèrent tous les deux lourdement. Sadima entendit Franklin expirer brutalement tout l'air contenu dans ses poumons. Elle tenta de rouler sur le côté, de se relever, mais il la serra contre sa poitrine, écrasant sa bouche contre son épaule, l'empêchant de parler, la forçant à écouter.

—Sans moi, ces garçons seraient déjà morts, lui dit-il à l'oreille. Ne le vois-tu pas? Somiss m'écoute. Je connais sa manière de réfléchir. Je sais comment le calmer.

Elle se débattit de nouveau, mais il refusa de la lâcher.

—Sadima, si tu veux aider ces garçons, fais comme si de rien n'était, comme si tu n'étais au courant de rien. Pars si tu veux, mais ne dis rien ni à Somiss ni à quiconque. Sinon, tu seras responsable de leur mort.

La jeune femme se calma et ses muscles se détendirent. Elle entendait battre le cœur de Franklin.

—Viens avec moi, dit-elle. Partons sans attendre. Nous n'avons qu'à libérer les garçons, les emmener avec nous et…

—Il les remplacerait par d'autres! l'interrompit Franklin. Je ne l'arrêterai pas, Sadima. Rien ne peut arrêter Somiss. J'aurais dû... (Laissant sa phrase en suspens, il desserra son étreinte sans cesse de la regarder dans les yeux.) J'aurais dû le tuer quand nous étions enfants. Mais je ne pouvais pas. (Dans ses yeux, une vie entière de regrets.) Et je ne peux toujours pas. Quelqu'un le tuera un jour, mais ce ne sera pas moi.

Sadima sentit sa colère se muer en quelque chose de plus doux et d'infiniment plus lourd. Elle posa la tête sur la poitrine de Franklin et, pendant un long moment, ils restèrent immobiles, respirant presque à l'unisson. Puis il la lâcha. Elle se leva, mais ne s'enfuit pas. Franklin se releva à son tour, et ils se regardèrent longuement.

—Que tu restes ou que tu partes, commença-t-il, je t'aimerai à jamais. Mais je ne partirai pas avec toi. Pas tant qu'il vivra. Je sais ce qui arriverait si je...

Sadima secoua la tête.

—Les choses ne peuvent pas être pires.

—Oh, si! rétorqua-t-il, le regard douloureux. Je t'en dirai davantage un jour, si tu restes.

Sadima le regardait sans rien dire, incapable de penser.

—Il est brillant, reprit Franklin. Il redécouvrira la magie et il changera le monde. En bien. À condition que je fasse ce que j'ai toujours fait.

Sadima lui effleura la joue.

—Tu ne peux pas l'empêcher de...

—Il a confiance en moi. Je pourrais presque dire qu'il m'aime.

Elle cligna des yeux et comprit enfin.

—Et il n'aime personne d'autre, ajouta-t-elle.

Il hocha la tête.

—Si tu pars, tu penses qu'il...

—Oui, acquiesça-t-il. Sans moi, il perdrait ce qui subsiste d'humanité en lui. Tu sais qu'il garde déjà pour lui une grande partie de ses découvertes.

Oui, elle le savait. Une pie jacassa et le vent souffla dans la canopée.

—N'as-tu pas envie d'accomplir quelque chose d'important? demanda Franklin. Tu voudrais que les gens soient capables de comprendre ce que les animaux ont dans le cœur, mais la magie est encore plus importante. Mille fois plus importante. Veux-tu vraiment passer ta vie dans une ferme, Sadima? En es-tu sûre?

Elle déglutit. Puis ils parlèrent sereinement en contemplant les arbres.

—Je resterai si tu me promets une chose, dit-elle en le regardant dans les yeux.

—Laquelle?

—Promets-moi de me laisser le tuer si cela devient nécessaire.

Franklin se pétrifia littéralement.

—Si tu ne peux pas me le promettre, je ne pourrai pas rester.

Il leva les yeux au ciel puis examina l'herbe à ses pieds. Il hocha la tête, et ils se serrèrent la main, tels deux commerçants concluant un marché, à la différence près qu'ils ne se lâchèrent qu'en arrivant sur la route, où quelqu'un aurait pu les voir.

Chapitre 62

Au cours suivant, je récitai la chanson en entier et ne me trompai que quinze fois. Je souris, soulagé, avant de remarquer que Luke me regardait d'un air mauvais. Je ne lui en voulus pas. Lui avait oublié une bonne trentaine de mots. Will avait encore plus de mal. Son regard était redevenu vide, ou plutôt la peur s'y lisait. J'avais de la peine pour lui ; il était terrorisé et complètement seul. Jordan et Levin se débrouillèrent plutôt bien ; ils se trompèrent sur quelques mots seulement et récitèrent le texte jusqu'au bout. Puis vint le tour de Gerrard. Il récita le premier chant sans se tromper une seule fois. Je m'efforçai de ne pas le détester lorsqu'il dépassa la porte de notre chambre pour prendre la direction du réfectoire, et qu'il en revint en charriant une odeur de poisson.

Lorsque Jux frappa à la porte, j'étais en train d'étudier le premier chant. Gerrard, lui, était assis sur son lit. Il se leva aussi, mais Jux lui fit signe de rester où il était. Je quittai la chambre en lançant un dernier regard à Gerrard. Il ne semblait pas furieux. Plutôt effrayé.

On me fit asseoir dans l'enceinte de verre en compagnie de colibris de Servénie enfermés dans une petite cage. Puis on me demanda de les laisser sortir de leur prison. Et rien d'autre.

Je n'avais encore jamais vu de colibris ni d'oiseaux de ce genre. J'ouvris la porte de la cage et je restai assis les bras croisés. Les six oiseaux s'échappèrent un à un et voletèrent frénétiquement dans l'enceinte de verre.

Je me levai et j'agitai les bras pour les calmer, mais je ne réussis qu'à les effrayer davantage. Le plus vif des six percuta la paroi et tomba par terre. Je courus le ramasser. Son corps était tout mou dans mes mains ; il s'était brisé le cou. Alors je me rendis compte que j'avais fait peur aux autres en me précipitant de la sorte. Un deuxième oiseau heurta le mur de verre et se tua sur le coup. Je le ramassai aussi et tins les deux cadavres dans mes mains. Ils étaient si petits, si beaux. Et je les avais tués.

Je me rassis et restai immobile. Les oiseaux encore vivants se calmèrent aussitôt. Trois autres heurtèrent la paroi, quoique moins violemment que les premiers, et s'en sortirent sans dommage. Ils se regroupèrent et s'envolèrent du même côté, à la recherche, me sembla-t-il, d'une issue. Il s'écoula un certain temps avant que je remarque la présence d'un plant de chèvrefeuille à l'extérieur de l'enceinte. Ils n'étaient donc pas épris de liberté ; ils avaient faim.

Un moment plus tard, j'avisai une toute petite ouverture dans un coin de l'enclos de verre. Elle était juste assez large pour permettre le passage d'un colibri. Les oiseaux ne l'avaient pas découverte car elle se trouvait à l'opposé de la paroi de verre qui faisait face au chèvrefeuille. Ils paraissaient affamés.

Jux m'avait ordonné de les laisser sortir…

J'avais cru qu'il voulait que je les libère de leur cage, mais il parlait peut-être de l'enceinte de verre.

Comme je les regardais, il me sembla que les gracieux et minuscules volatiles faiblissaient. Mourraient-ils tous d'épuisement ? Ils n'avaient nulle part où se percher et se reposer. Aurais-je tout faux si je me contentais d'ouvrir la porte pour les laisser sortir ? Je mis en pratique le quatrième exercice de respiration et tendis mon esprit vers le plus gros des colibris : pendant un instant, je vis le monde à travers ses yeux, avant que mon esprit prenne la place du sien. Je lui suggérai de chercher une sortie de l'autre côté de l'enceinte.

Il lui fallut une dizaine de minutes pour trouver la brèche. Dès qu'il fut de l'autre côté, il décrivit un virage en épingle et contourna la paroi de verre pour foncer sur le chèvrefeuille. Un autre oiseau l'avait vu s'échapper et se précipita vers le coin où se trouvait l'ouverture… qu'il trouva bientôt. Le temps que Jux refasse son apparition, tous les oiseaux étaient dehors et mangeaient.

—Pourquoi voulaient-ils sortir ? me demanda-t-il.

—Parce qu'ils avaient faim, répondis-je.

—Pourquoi les as-tu aidés ? insista-t-il avec rudesse.

Ma poitrine se serra. Étais-je uniquement censé les faire sortir de la cage ? Était-il interdit de venir en aide à un animal ? Étais-je supposé connaître ces règles ?

Jux cligna des yeux.

—Pars, maintenant.

Plus tard, Gerrard et moi fûmes conduits dans une autre salle. Somiss y était installé sur une chaise encore plus grande et imposante que les précédentes, couverte de soie couleur saphir et flanquée de deux torches. Ses yeux reflétaient les flammes comme des miroirs. Nous prîmes place devant lui, sur le sol, à côté des autres. La salle était froide. Pourquoi ?

—Toi, commença-t-il en désignant Will du doigt. Récite.

Will se leva, et la lumière des torches se déversa sur son visage. Il tremblait. Somiss l'interrompit dès le début et lui fit répéter presque chaque mot. Ce fut un spectacle horrible. Luke, puis Jordan et Levin se débrouillèrent mieux. Ce ne fut pas mon cas, car j'avais passé mon temps à observer des colibris au lieu de travailler. Je butai sur davantage de mots que la fois précédente, me retrouvai bloqué au milieu du dernier couplet et fus contraint de reprendre depuis le début. Gerrard, quant à lui, récita le deuxième chant et ne se trompa que sur sept mots.

Lorsqu'il eut terminé, Somiss fit un geste vague de la main et sa chaise s'éleva dans les airs. Sous nos yeux, le magicien disparut dans les ténèbres qui nous surplombaient, hors de portée de la lumière des torches. Personne ne parla en quittant la salle, même si je vis tout le monde regarder Gerrard du coin de l'œil.

Je passai devant notre chambre, me dirigeai vers le réfectoire, puis je bifurquai et allai jusqu'à la salle de l'Espoir, en courant au cas où quelqu'un aurait eu l'idée de me suivre. Une fois dans le passage étroit, je ralentis. J'avais l'eau à la bouche et l'estomac dans les talons.

La salle de l'Espoir était vide. Je ne trouvai pas une miette de pain, pas le moindre grain de sucre, pas même le parfum rassurant du fromage. Je visitai deux de mes autres cachettes avant d'abandonner et de m'asseoir, tout tremblant, contre un mur.

Quand j'ouvris la porte de la chambre, Gerrard me regarda comme s'il allait dire quelque chose, mais il resta muet. J'étudiai la chanson aussi longtemps que possible, mais la tête me tournait et j'étais incapable de me concentrer. Je m'endormis et rêvai de colibris tombant par terre, battant des ailes, mais trop faibles pour s'envoler, et d'un magicien aux yeux de glace qui les piétinait, chassant toute vie de leurs corps minuscules.

Chapitre 63

S adima était étendue sur sa paillasse depuis des heures lorsqu'elle entendit le cliquetis de la serrure et le grincement de la porte. À la voix de Somiss, elle sut immédiatement qu'une bonne chose était arrivée. Quand Franklin et lui se furent mis au lit, elle se leva dans l'intention d'aller dans la chambre de Franklin pour réciter, penchée au-dessus de lui, le chant qui prolongeait la vie, comme elle le faisait presque toutes les nuits. Elle ne lui avait encore rien dit à propos des chansons modifiées ni du fait qu'elle possédait une copie de chacune d'entre elles, mais le moment viendrait bientôt.

Elle passa sous l'arche, s'avança dans le séjour sombre et heurta Franklin. Ils furent tous les deux surpris, et il la serra dans ses bras le temps que sa peur se dissipe. La sentant frissonner, il la maintint contre sa poitrine pour la protéger de l'air frais de la nuit et lui raconta qu'ils avaient eu une réunion avec des anciens, des représentants des Éridiens.

— Je crois qu'ils vont nous aider, chuchota-t-il.

— Vous aider? Tu veux dire en finançant Somiss?

— Oui, répondit-il à voix basse. Pour commencer, en tout cas. Je te raconterai la suite demain.

Sadima hocha la tête. Il lui déposa un baiser sur le front.

—Merci, dit-il.

Elle comprit. Elle avait fait pour lui ce qu'il avait fait pour elle en venant à sa rencontre, à Ferne. Désormais, il ne serait plus jamais seul.

Elle resta immobile et écouta le bruit de ses pas dans le couloir. Quand il fut couché, elle s'allongea sur sa paillasse et écouta les murmures de la nuit, de la vie nocturne. Qu'est-ce que cela signifiait ? Les Éridiens souhaitaient-ils transmettre les chants et leur savoir à l'ensemble de la population ? Si Somiss acceptait d'aller dans ce sens, alors, oui, le monde bénéficierait de son travail. À moins qu'il change une ou deux lettres, qu'il oublie volontairement quelques voyelles, qu'il inverse l'ordre des couplets. Sadima fronça les sourcils. Rinka saurait peut-être qui mettre en garde. Et s'il…

Une odeur de fumée lui picota soudain les narines. Elle se leva, persuadée que cela venait du tuyau d'évacuation du poêle. Mais ce n'était pas le cas. Elle toussa, ouvrit la porte du balcon et sortit prendre une bouffée d'air frais. Une étrange lumière rouge dansait sur les pavés. Elle battit des paupières et se pencha par-dessus la balustrade pour voir d'où elle provenait. Les flammes léchaient la façade de l'immeuble.

—Il est là ! cria quelqu'un d'une voix rauque.

—Non, c'est la fille ! rétorqua quelqu'un d'autre. Surveillez la porte !

Sadima pivota sur ses talons et se précipita dans le couloir. Avançant à tâtons dans le noir, elle trouva le lit de Franklin et le secoua.

—Il y a le feu ! Quelqu'un a mis le feu à l'immeuble !

Franklin se leva tant bien que mal et enfila son pantalon.

—Tu as réveillé Somiss ?

—Non ! répondit la jeune femme en courant vers la cuisine.

Elle s'habilla, sortit son pot de miel de sa cachette et rassembla le reste de ses affaires, heureuse que les papiers soient en sécurité à la boutique. Les mains tremblantes, elle confectionna un baluchon avec son châle, qu'elle noua autour de sa taille, avant de retourner dans le couloir et de s'arrêter dans l'encadrement de la porte. L'étrange lumière orangée était plus vive de ce côté-ci. Somiss essayait de rassembler ses papiers. Tandis qu'il attrapait une pile de feuilles, il laissa tomber celle qu'il avait coincée sous son bras.

— Mets-les dans les draps! cria-t-elle.

Il la regarda d'un air halluciné. Sadima étala les draps par terre et se tourna vers Franklin.

— Prends des chemises, des chaussures et des vestes pour vous deux, lui cria-t-elle. Vite!

Elle retourna dans le séjour, rassembla les feuilles éparpillées sur la table, puis retourna dans la chambre de Somiss pour l'aider à tout mettre dans les draps. Cela ne leur prit que quelques secondes, mais la fumée s'était épaissie lorsqu'ils eurent terminé. Ils toussaient et pleuraient tous les deux.

— J'ai entendu quelqu'un dire de surveiller la porte, dit-elle à Somiss. Existe-t-il une autre sortie?

Il pointa un doigt vers le plafond, où se trouvait une trappe. En le regardant tirer son bureau au milieu de la pièce et ouvrir le passage, Sadima comprit qu'il avait déjà envisagé cette possibilité, qu'il avait peut-être tout prévu. Écarlate, Franklin les rejoignit en toussant, un drap contenant leurs chaussures et leurs vêtements sous le bras.

Somiss passa le premier et attrapa les baluchons que lui tendait Franklin, ceux qui contenaient leurs travaux. Puis Franklin insista pour soulever Sadima. Somiss prit la main de la jeune femme et l'aida à se mettre debout, avant de se retourner pour hisser Franklin. Des gens criaient dans la rue. Sadima entendit une femme en colère hurler des jurons ; leur propriétaire était peut-être parvenue à s'échapper.

— Par ici, dit Somiss. Faites attention ; certaines tuiles ne tiennent plus.

Sadima avançait entre Somiss et Franklin qui portaient chacun deux baluchons ; le second marchait tout près d'elle lorsque la pente du toit l'imposait. Lorsque celui-ci redevint plat, Somiss jeta ses baluchons sur le toit du bâtiment voisin et sauta. Sadima rassembla son courage et les plis de sa robe et sauta à sa suite. Puis ce fut au tour de Franklin.

Lorsqu'ils furent tous les trois de l'autre côté, Somiss reprit la tête de leur petit groupe. Sadima était persuadée qu'il avait déjà emprunté cette route au moins une fois. Ils traversèrent le toit du bâtiment voisin et sautèrent sur une bâtisse haute de seulement deux étages. Là, Somiss les guida jusqu'à un escalier extérieur qui leur permit de descendre jusqu'au premier étage. Ensuite, il ouvrit une trappe et les laissa sortir. Apparemment, il n'était jamais venu à l'idée du propriétaire que des intrus pouvaient venir d'en haut.

Une fois dans la rue, Somiss prit ses jambes à son cou sans jamais sortir de l'ombre. Sadima regarda par-dessus son épaule les flammes et le halo de lumière orangée qui surplombait leur immeuble. On entendait crier, hurler. Un lourd chariot chargé de tonneaux d'eau roulait à toute vitesse sur les pavés. Cachée derrière une voiture, Sadima retint son souffle et regarda passer le véhicule ; debout sur son attelage, le conducteur faisait claquer son fouet au-dessus des chevaux.

Les bêtes s'ébrouaient et avançaient de biais car elles avaient peur de la fumée et du bruit.

— Regardez ! lança Somiss en éclatant de rire.

Il désigna une voiture ouverte d'un geste de la main, jeta ses baluchons à l'intérieur, puis souleva Sadima et la fit passer par-dessus la rambarde. La jeune femme se releva, le flanc endolori, au moment où Franklin grimpait à son tour dans le véhicule. Somiss démêlait les rênes, tandis que les chevaux hennissaient et secouaient leur crinière. Il tira maladroitement sur le nœud du frein, et Sadima comprit qu'il n'avait sans doute jamais conduit un attelage de sa vie.

Elle s'apprêtait à libérer les rênes elle-même lorsqu'il attrapa le fouet et le fit claquer sur le dos des chevaux. Déjà terrifiées par la fumée, les bêtes, surprises, partirent au galop. L'attelage bondit et Sadima tomba à la renverse. Elle se retourna et découvrit que Franklin n'avait pas eu le temps de monter, qu'il s'accrochait désespérément à la rambarde.

Elle se releva en prenant appui sur la banquette des passagers, attrapa maladroitement la chemise de Franklin et tira sur le tissu à plusieurs reprises, si bien qu'ils finirent par dégringoler tous les deux sur le plancher, où ils restèrent allongés dans les bras l'un de l'autre tandis que la voiture carambolait dans un tournant, décollant des pavés le temps d'un instant. Sadima voulut se retourner pour attraper les rênes, mais Franklin la tenait fermement.

— Laisse-moi ! lui cria-t-elle dans l'oreille. Laisse-moi ou il va nous tuer !

Franklin desserra son emprise, et elle parvint à se redresser en vacillant, avant d'être projetée sur le côté comme Somiss tirait sur les rênes pour prendre un virage. Elle profita d'une ligne droite pour ramper jusqu'au banc du conducteur, la main tendue dans l'espoir d'attraper les rênes. Elle hurla qu'elle savait conduire, mais Somiss la repoussa, et la voiture pencha de nouveau, roula dans le caniveau, projetant Sadima sur le côté.

La jeune femme reprit ses esprits. Elle ressentait intensément la peur des chevaux : ils craignaient la fumée et les coups de fouet de Somiss. Soudain, elle reconnut la rue et se rassit car elle savait que les chevaux déboucheraient bientôt sur une route large et rectiligne.

Cependant, dans un dernier tournant, juste avant qu'ils se retrouvent sur la voie qui traversait le quartier nord de part en part, Somiss attendit un peu trop longtemps avant de tirer sur la rêne intérieure de toutes ses forces. Sadima sentit l'attelage basculer. Cette fois-ci, les roues s'élevèrent si haut qu'elle perdit l'équilibre. Elle cria le nom de Franklin, mais la seule chose à faire était de se cramponner.

Chapitre 64

J'échouai lors du test de récitation suivant : je trébuchai sur cinq mots. Seulement cinq. Gerrard, lui, récita le deuxième chant avec succès. Personne ne lui arrivait à la cheville.

Somiss nous avait réservé une surprise.

—Vous me faites perdre mon temps ! lança-t-il de sa voix éraillée. Vous étudierez pendant trois jours avec le ventre vide. Nous nous reverrons après.

Trois jours. Will poussa un gémissement qui trahissait son angoisse. Personne ne parla. Personne ne jura ni ne se plaignit. Somiss disparut.

Pour Gerrard, ce serait facile, évidemment. Pour nous autres… Je commençai à compter les jours avant de m'interrompre. À quoi bon ? Depuis combien de temps n'avais-je rien avalé ? Aucune idée, mais cela ferait bientôt trois jours de plus.

Nous nous levâmes de concert. Luke trébucha en quittant la salle, mais réussit à ne pas tomber. Levin et Jordan marchaient juste derrière lui. Will traîna les pieds et s'en alla seul, la mine incroyablement lasse. Je filai directement au réfectoire et tentai de faire apparaître un simple bouillon de viande et de légumes. Je savais que je n'avais aucune chance d'y parvenir, mais je me devais d'essayer. Quand je touchai la pierre, rien ne se passa, évidemment. Levin arriva et essaya à son tour, sans plus de succès. Je restai dans un coin à regarder en me balançant d'avant en arrière, car j'avais remarqué que ce mouvement me calmait. Un peu.

Je ne pouvais m'empêcher de penser à Will. Il n'avait personne, dans sa chambre, pour l'encourager ou briser occasionnellement le silence. Et il y resterait pendant trois jours entiers dans une solitude totale, entouré de ses seules pensées. S'agirait-il vraiment de trois jours ? Ou de trois heures ? Ou de dix jours ? Aucun de nous n'avait le moyen de mesurer le temps qui passait. Les magiciens n'en étaient pas à leur coup d'essai ; ils avaient l'habitude de nous regarder mourir. Je nourrissais à leur égard une haine si profonde et absolue qu'elle m'effrayait.

Comme je me dirigeais vers la chambre, je tentai de me persuader que je pouvais y arriver. Combien de temps avais-je déjà tenu sans avaler quoi que ce soit ? J'avais perdu du poids, mais pas autant que Tally et les autres. Et je réussirais sans doute le prochain test. Ou peut-être pas…

J'ouvris la porte et entrai. La pièce sentait le savon et le poisson : deux odeurs qui m'étaient familières. Gerrard était assis en tailleur face au mur. Il lisait son livre d'histoire. Je m'assis sur mon lit, puis m'allongeai en lui tournant le dos.

Quand je fus calmé, je pris le livre de chants sur mon bureau et lus le titre sur la couverture : les seuls mots de l'ouvrage qui n'appartenaient pas à une langue étrange. Je l'ouvris à la page du premier chant, puis du deuxième, puis, sans trop savoir pourquoi, je feuilletai l'intégralité du livre. La deuxième chanson était à peu près aussi longue que la première, mais les suivantes l'étaient bien plus. Vers la fin du recueil, chaque chanson faisait dix à quinze pages.

Cette découverte me donna la nausée. J'allais mourir ici. Même si je réussissais le prochain test, je n'aurais le droit de manger que pendant quelques jours, avant qu'on me coupe les vivres pendant les six, neuf ou douze jours suivants. Dans un avenir proche, une chanson trop longue signerait mon arrêt de mort.

— Gerrard ?

Le son de ma propre voix me fit sursauter.

Il se retourna.

Je n'avais pas eu l'intention de parler et je ne savais pas trop quoi dire.

— Je les déteste, ajoutai-je finalement à voix haute.

Cela me fit tellement de bien que je le répétai. Deux fois.

Je m'attendais qu'il se détourne, qu'il se mette en colère et me demande de le laisser tranquille, au lieu de quoi il se confia.

— Il faut que je réussisse, dit-il. Il le faut.

— Tu réussiras, répondis-je en hochant la tête. Tu seras l'élu.

À mon grand étonnement, son regard se brouilla.

— Jux pense le contraire. Et Franklin serait d'accord avec lui si on lui posait la question. Je n'arrive pas… Je n'arrive pas à déplacer mes pensées. Je suis incapable de faire apparaître autre chose que du ragoût de poisson.

— Et moi, je n'arriverai jamais à apprendre ces maudites chansons. Je déteste les magiciens, répétai-je. Merci de m'avoir donné l'occasion de l'affirmer avant de mourir. Je les déteste tous.

— Moi aussi, dit-il en se rapprochant de moi.

Je levai les yeux au plafond.

— Tu crois qu'ils nous surveillent ?

— Pas dans les chambres, répondit-il en secouant la tête. Franklin ne le permet toujours pas.

— Mais… et les rires ? Tu les as entendus comme moi.

—Jux est fou, lâcha-t-il d'une voix neutre. (Il fit un pas supplémentaire dans ma direction, puis s'arrêta.) Si je t'aide, chuchota-t-il en expulsant juste assez d'air pour former ses mots, tu m'aideras aussi ?

J'acquiesçai d'un signe de tête, stupéfait.

—Oui.

—Et après, m'aideras-tu à détruire cet endroit ?

Je savais qu'une telle promesse était impossible à tenir, mais je lui tendis la main, et il la serra. Le contact de sa chair, de sa peau, éveilla en moi une faim qui m'était inconnue. Depuis combien de temps n'avais-je touché personne ?

Notre poignée de main se prolongea. Alors il s'assit à son bureau et ouvrit son livre de chants. Il lut à voix haute, calmement, lentement, distinctement, en me tournant le dos. La première fois, je me contentai de l'écouter ; la fois suivante, je récitai avec lui. La troisième fois, je me rendis compte que je faisais bien plus de progrès avec cette méthode qu'en lisant seul, en silence, ces suites de mots sur lesquelles je butais systématiquement.

La dixième fois, il interrompit sa lecture au bout de quelques mots et me laissa réciter seul. Je lui serrai furtivement le bras et m'installai sur mon lit pour continuer à travailler en silence. Cela faisait tellement longtemps que mes pensées avaient cédé la place à des cris. J'étais toujours effrayé, mais mes peurs me semblaient moins tranchantes, désormais.

Plus tard, je mangeai du ragoût de poisson et sombrai dans un sommeil sans rêve. Lorsqu'un magicien vint nous réveiller, nous urinâmes et nous lavâmes, et Gerrard attendit que j'aie terminé avant d'ouvrir la porte.

Chapitre 65

Sadima se releva tant bien que mal et appela Franklin. Il ne répondit pas. Elle se retourna, une main posée sur le front, et s'efforça d'examiner le peu qu'elle distinguait à la lumière de la lune. Les chevaux avaient tiré la voiture accidentée sur une longue distance avant de s'arrêter devant la clôture d'un pré, manœuvre qui avait fini de renverser l'attelage et projeté les passagers dans les airs.

— Franklin ? (Sadima avait mal partout. Sa cheville droite la faisait souffrir chaque fois qu'elle posait le pied par terre.) Franklin !

— Ramasse les papiers !

C'était Somiss. Il tirait sur les baluchons, tentait de les extraire de sous la voiture renversée. Les chevaux s'ébranlèrent, et il cria. La moitié de son visage était maculée de sang noir.

— Où est Franklin ? hurla-t-elle.

Somiss désigna une forme allongée sur la chaussée.

Sadima courut et s'agenouilla près de Franklin. Il s'agita. Elle lui tapota les joues et lui frotta le torse pour le réveiller. Il ouvrit les yeux et grogna.

— Somiss va bien ? Et toi ?

— Je vais bien, répondit-elle aussitôt.

—Somiss?

—Il ramasse ses papiers. Tu as mal où? Tu peux t'asseoir?

Il hocha la tête.

—Je crois. (Il s'allongea sur le dos.) Les bohémiens m'avaient mis dans un plus sale état encore.

Sadima sourit et lui serra fort la main.

—Je ne sais pas à qui appartient cet attelage, mais nous aurons bientôt les gardes du roi sur le dos, chuchota-t-elle. Et nous…

—Non, l'interrompit Franklin dans un grognement en essayant de se redresser. (Il y parvint au troisième essai. Quand il eut retrouvé un peu de mobilité, il désigna d'un geste du bras le motif complexe peint sur la portière cassée de la voiture.) Tu vois ces armoiries? La voiture appartient au père de Somiss. Il ne dira rien à personne. Il ne veut surtout pas que la nouvelle de notre fuite se propage.

Sadima l'aida à se relever et, ensemble, ils claudiquèrent sur la route. La jeune femme calma les chevaux et les conduisit dans les bois afin de rapprocher la voiture défoncée d'un étang. Avec l'aide de Franklin, elle détacha le véhicule et le poussa dans l'eau, puis elle libéra les bêtes de leurs harnais et les chassa vers la ville.

Les baluchons remplis de papiers dans les bras, Somiss riait, les yeux écarquillés comme ceux d'un enfant, tandis qu'ils s'engageaient tous les trois sur le chemin. Sadima se rappela soudain qu'elle n'était pas censée savoir où ils allaient.

—Où va-t-on? demanda-t-elle.

Franklin lui effleura l'épaule pour lui exprimer sa gratitude.

Avant de répondre, Somiss rejeta la tête en arrière et contempla les étoiles pendant quelques secondes.

—Dans l'ancienne demeure de la magie, dit-il enfin, la voix chargée d'émotion. S'il s'agit bien de ce que je crois, il me faudra un siècle pour découvrir tout ce qu'ils ont construit, tout ce qu'on leur a pris.

—Ici? feignit de s'étonner Sadima. Nous avons pique-niqué pas très loin, il me semble. Il y aurait une ville à proximité?

—À l'intérieur de la falaise. C'est écrit dans les chansons des bohémiens.

Il se mit en route, portant sur ses épaules les énormes baluchons irréguliers, un sourire sauvage aux lèvres. Franklin ralentit pour attendre Sadima. Côte à côte, ils suivirent Somiss dans les ténèbres. La nuit était froide et les étoiles scintillaient dans le ciel.

AUBIN IMPRIMEUR

Achevé d'imprimer en septembre 2010
N° d'impression L 73985
Dépôt légal, septembre 2010
Imprimé en France
36231002-1